최상위 수학S 5·1 학습 스케줄

짧은 기간에 집중력 있게 한 학기 과정을 학습할 수 있도록 설계하였습니다.
방학 때 미리 공부하고 싶다면 8주 원성 과정을 이용하세요.

공부한 날짜를 쓰고 하루 분량 학습을 마친 후, 부모님께 확인 check ☑를 받으세요.

	월 일	월 일	월 일	월 일	월 일
1주	1. 자연수의 혼합 계산				
	8~11쪽 ☐	12~15쪽 ☐	16~19쪽 ☐	20~23쪽 ☐	24~29쪽 ☐

	월 일	월 일	월 일	월 일	월 일
2주	1. 자연수의 혼합 계산		2. 약수와 배수		
	30~32쪽 ☐	34~37쪽 ☐	38~41쪽 ☐	42~45쪽 ☐	46~49쪽 ☐

	월 일	월 일	월 일	월 일	월 일
3주	2. 약수와 배수			3. 규칙과 대응	
	50~53쪽 ☐	54~57쪽 ☐	58~60쪽 ☐	62~65쪽 ☐	66~69쪽 ☐

	월 일	월 일	월 일	월 일	월 일
4주	3. 규칙과 대응				4. 약분과 통분
	70~73쪽 ☐	74~77쪽 ☐	78~79쪽 ☐	80~83쪽 ☐	86~89쪽 ☐

공부를 잘 하는 학생들의 좋은 습관 8가지

매일매일 규칙적인
학습 시간 계획을
세워요.

과제에 대한 시간 관리를
잘 해요.

책상 정리정돈을 잘
해요.

열심히 공부한 다음
적당한 휴식을 가져요.

8주 완성

5^주	월 일	월 일	월 일	월 일	월 일
	4. 약분과 통분				
	90~93 쪽 ☐	94~97 쪽 ☐	98~101 쪽 ☐	102~105 쪽 ☐	106~107 쪽 ☐

6^주	월 일	월 일	월 일	월 일	월 일
	4. 약분과 통분	**5. 분수의 덧셈과 뺄셈**			
	108~110 쪽 ☐	112~115 쪽 ☐	116~119 쪽 ☐	120~123 쪽 ☐	124~127 쪽 ☐

7^주	월 일	월 일	월 일	월 일	월 일
	5. 분수의 덧셈과 뺄셈			**6. 다각형의 둘레와 넓이**	
	128~131 쪽 ☐	132~133 쪽 ☐	134~136 쪽 ☐	138~141 쪽 ☐	142~145 쪽 ☐

8^주	월 일	월 일	월 일	월 일	월 일
	6. 다각형의 둘레와 넓이				
	146~149 쪽 ☐	150~153 쪽 ☐	154~157 쪽 ☐	158~161 쪽 ☐	162~165 쪽 ☐

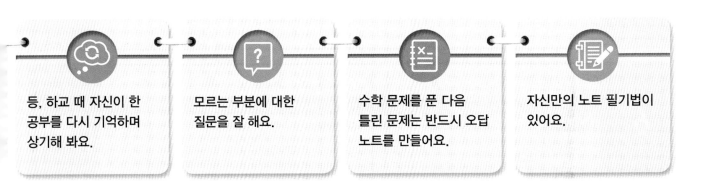

등, 하교 때 자신이 한 공부를 다시 기억하며 상기해 봐요.

모르는 부분에 대한 질문을 잘 해요.

수학 문제를 푼 다음 틀린 문제는 반드시 오답 노트를 만들어요.

자신만의 노트 필기법이 있어요.

초등 5·1

상위권의 기준

최상위 수학 S

디딤돌

상위권의 힘, 느낌!

처음 자전거를 배울 때, 설명만 듣고 탈 수는 없습니다.
하지만, 직접 자전거를 타고 넘어져 가며
방법을 몸으로 느끼고 나면
나는 이제 '자전거를 탈 수 있는 사람'이 됩니다.
그리고 평생 자전거를 탈 수 있습니다.

수학을 배우는 것도 꼭 이와 같습니다.
자세한 설명, 반복학습 모두 필요하지만
가장 중요한 것은 "느꼈는가"입니다.
느껴야 이해할 수 있고,
이해해야 평생 '수학을 할 수 있는 사람'이 됩니다.

"최상위 수학 S는
수학에 대한 느낌과 이해를 통해
중고등까지 상위권이 될 수 있는 힘을 길러줍니다."

조건에 맞는 수를 차례로 구한다.

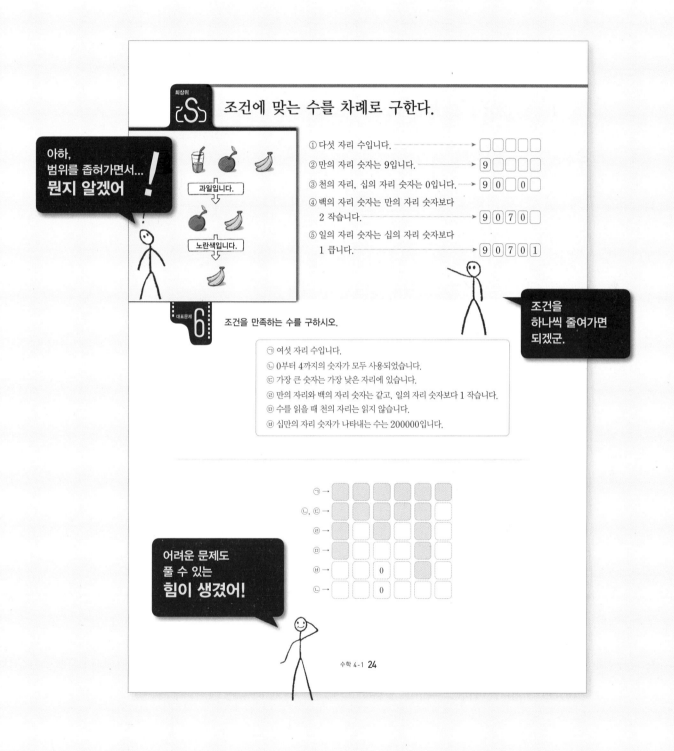

아하,
범위를 좁혀가면서...
뭔지 알겠어 !

과일입니다.

노란색입니다.

① 다섯 자리 수입니다. ──────→ ☐☐☐☐☐

② 만의 자리 숫자는 9입니다. ──→ 9☐☐☐☐

③ 천의 자리, 십의 자리 숫자는 0입니다. ──→ 9 0 ☐ 0 ☐

④ 백의 자리 숫자는 만의 자리 숫자보다
2 작습니다. ──────→ 9 0 7 0 ☐

⑤ 일의 자리 숫자는 십의 자리 숫자보다
1 큽니다. ──────→ 9 0 7 0 1

조건을
하나씩 줄여가면
되겠군.

대표문제 6

조건을 만족하는 수를 구하시오.

> ㉠ 여섯 자리 수입니다.
> ㉡ 0부터 4까지의 숫자가 모두 사용되었습니다.
> ㉢ 가장 큰 숫자는 가장 낮은 자리에 있습니다.
> ㉣ 만의 자리와 백의 자리 숫자는 같고, 일의 자리 숫자보다 1 작습니다.
> ㉤ 수를 읽을 때 천의 자리는 읽지 않습니다.
> ㉥ 십만의 자리 숫자가 나타내는 수는 200000입니다.

어려운 문제도
풀 수 있는
힘이 생겼어!

㉠ →
㉡, ㉢ →
㉣ →
㉤ →
㉥ → 0
㉦ → 0

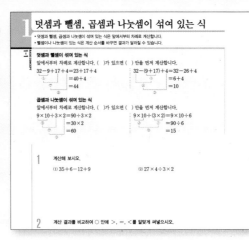

1 덧셈과 뺄셈, 곱셈과 나눗셈이 섞여 있는 식

- 덧셈, 뺄셈, 곱셈과 나눗셈이 섞여 있는 식은 앞에서부터 차례로 계산합니다.
- 뺄셈이나 나눗셈이 있는 식은 계산 순서를 바꾸면 결과가 달라질 수 있습니다.

덧셈과 뺄셈이 섞여 있는 식

앞에서부터 차례로 계산합니다. ( )가 있으면 ( ) 안을 먼저 계산합니다.

$$32-9+17+4=23+17+4$$
$$=40+4$$
$$=44$$

$$32-(9+17)+4=32-26+4$$
$$=6+4$$
$$=10$$

곱셈과 나눗셈이 섞여 있는 식

앞에서부터 차례로 계산합니다. ( )가 있으면 ( ) 안을 먼저 계산합니다.

$$9×10÷3×2=90÷3×2$$
$$=30×2$$
$$=60$$

$$9×10÷(3×2)=9×10÷6$$
$$=90÷6$$
$$=15$$

1 계산해 보시오.

(1) $35+6-12+9$

(2) $27×4÷3×2$

2 계산 결과를 비교하여 ○ 안에 >, =, <를 알맞게 써넣으시오.

교과서 개념부터
심화·중등개념까지!

수학을 느껴야
이해할 수 있고

S 각 부분을 나타낸 식을 하나의 식으로 나타낸다.

준호는 12살이고, 동생은 준호보다 4살 적습니다.
①
아버지의 나이는 동생의 나이의 5배보다 3살 더 많습니다.

↓

① (준호의 나이)=12

② (동생의 나이)=(준호의 나이)-4

③ (아버지의 나이)=(동생의 나이)×5+3
$$=(12-4)×5+3$$

△ = 2
★ = △ + 1
□ = 6 ÷ ★
↓
□ = 6 ÷ (2+1)

1 다온이는 12살이고, 동생은 다온이보다 4살 적습니다. 어머니의 나이는 다온이와 동생의 나이의 합의 2배보다 3살 적습니다. 어머니의 나이는 몇 살인지 구하시오.

① (다온이의 나이)=12살

② (동생의 나이)=(다온이의 나이)-□
$$=12-□(살)$$

MATH MASTER

1 등식이 성립하도록 □ 안에 +, -, ×, ÷를 한 번씩 알맞게 써넣으시오.

$$5□5□5□5□5=5$$

2 $\begin{array}{|c|c|}\hline 가 & 나 \\\hline 다 & 라 \\\hline\end{array}$ = 가 × 라 - 다 ÷ 나일 때 □ 안에 알맞은 수를 구하시오.

$$\begin{array}{|c|c|}\hline 25 & □ \\\hline 96 & 11 \\\hline\end{array} = 263$$

( )

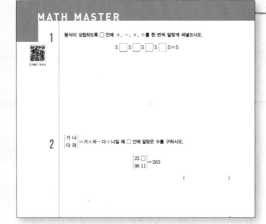

이해해야
어떤 문제라도
풀 수 있습니다.

C O N T E N T S

1

자연수의 혼합 계산

1 덧셈과 뺄셈, 곱셈과 나눗셈이 섞여 있는 식

- 덧셈과 뺄셈, 곱셈과 나눗셈이 섞여 있는 식은 앞에서부터 차례로 계산합니다.
- 뺄셈이나 나눗셈이 있는 식은 계산 순서를 바꾸면 결과가 달라질 수 있습니다.

덧셈과 뺄셈이 섞여 있는 식

앞에서부터 차례로 계산합니다. ( )가 있으면 ( ) 안을 먼저 계산합니다.

$$32-9+17+4=23+17+4$$
$$=40+4$$
$$=44$$

$$32-(9+17)+4=32-26+4$$
$$=6+4$$
$$=10$$

곱셈과 나눗셈이 섞여 있는 식

앞에서부터 차례로 계산합니다. ( )가 있으면 ( ) 안을 먼저 계산합니다.

$$9\times10\div3\times2=90\div3\times2$$
$$=30\times2$$
$$=60$$

$$9\times10\div(3\times2)=9\times10\div6$$
$$=90\div6$$
$$=15$$

1 계산해 보시오.

(1) $35+6-12+9$

(2) $27\times4\div3\times2$

2 계산 결과를 비교하여 ○ 안에 >, =, <를 알맞게 써넣으시오.

$$74-25+38 \bigcirc 74-(25+38)$$

3 ( )가 없으면 계산 결과가 달라지는 식의 기호를 쓰시오.

> ㉠ $47+(12-9)$ ㉡ $36\div(3\times2)$

(   )

4 다음은 어떤 식을 계산한 과정을 차례로 쓴 것입니다. 어떤 식을 계산한 것인지 하나의 식으로 나타내시오.

$$3 \times 2 = 6 \ \Rightarrow \ 72 \div 6 = 12 \ \Rightarrow \ 12 \div 4 = 3$$

(   )

5 은우네 반에는 남학생이 18명, 여학생이 13명 있습니다. 이 중에서 안경을 쓴 학생이 15명이라면 안경을 쓰지 않은 학생은 몇 명입니까?

(   )

6 딸기를 한 바구니에 24개씩 3바구니 따서 남는 것 없이 8상자에 똑같이 나누어 담았습니다. 한 상자에 담은 딸기는 몇 개입니까?

(   )

BASIC CONCEPT 1-2

등식의 성질   중등연계

등호(=)가 있는 식을 등식이라고 합니다. 등식의 양쪽에 같은 수를 더하거나 빼도 등식은 성립하고, 등식의 양쪽에 0이 아닌 같은 수를 곱하거나 나누어도 등식은 성립합니다.

$\square + 5 = 8$	$\square - 2 = 7$	$\square \times 4 = 12$	$\square \div 3 = 6$
$\square + 5 - 5 = 8 - 5$	$\square - 2 + 2 = 7 + 2$	$\square \times 4 \div 4 = 12 \div 4$	$\square \div 3 \times 3 = 6 \times 3$
$\square = 3$	$\square = 9$	$\square = 3$	$\square = 18$

7 □ 안에 알맞은 수를 써넣으시오.

(1) $\boxed{} - 9 + 15 = 27$ (2) $\boxed{} \div 3 \times 4 = 48$

2 덧셈, 뺄셈, 곱셈·나눗셈이 섞여 있는 식

• 곱셈과 나눗셈을 먼저 계산하고 덧셈과 뺄셈은 앞에서부터 차례로 계산합니다.

덧셈, 뺄셈, 곱셈이 섞여 있는 식

곱셈을 먼저 계산합니다. ( )가 있으면 ( ) 안을 먼저 계산합니다.

$$39+4\times10-8=39+40-8$$
$$=79-8$$
$$=71$$

$$39+4\times(10-8)=39+4\times2$$
$$=39+8$$
$$=47$$

덧셈, 뺄셈, 나눗셈이 섞여 있는 식

나눗셈을 먼저 계산합니다. ( )가 있으면 ( ) 안을 먼저 계산합니다.

$$27-12\div3+6=27-4+6$$
$$=23+6$$
$$=29$$

$$(27-12)\div3+6=15\div3+6$$
$$=5+6$$
$$=11$$

1 계산해 보시오.

(1) $19+23-5\times7$

(2) $56-72\div4+23$

2 계산이 잘못된 곳을 찾아 바르게 고쳐 계산해 보시오.

$$45+(36-12)\div6=45+36-2$$
$$=81-2$$
$$=79$$

➡

3 식을 세우고 계산해 보시오.

18에 3과 7의 합을 곱하고 29를 뺀 수

(   )

4 귤이 42개 있습니다. 남학생 3명과 여학생 2명이 각각 4개씩 먹었습니다. 남은 귤은 몇 개인지 하나의 식으로 나타내어 구해 보시오.

식 _____

답 _____

5 72 cm인 종이테이프를 3등분 한 것 중의 한 도막과 68 cm인 종이테이프를 4등분 한 것 중의 한 도막을 5 cm가 겹쳐지도록 이어 붙였습니다. 이어 붙인 종이테이프의 전체 길이는 몇 cm인지 하나의 식으로 나타내어 구해 보시오.

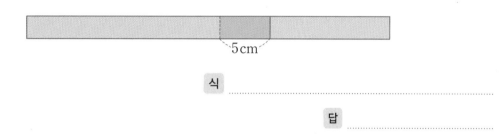

5cm

식 _____

답 _____

분배법칙 중등연계

( ) 안의 두 수를 나누어 각각 곱하거나 나누어도 결과는 같습니다.

$$(a-b)\times c = a\times c - b\times c$$

$$(a+b)\div c = a\div c + b\div c$$

예 $\underset{5\times2=10}{(9-4)\times2} = \underset{18-8=10}{9\times2-4\times2}$

예 $\underset{27\div3=9}{(12+15)\div3} = \underset{4+5=9}{12\div3+15\div3}$

6 계산 결과가 같은 식끼리 선으로 이어 보시오.

| $(15+6)\times3$ | $(15-6)\div3$ | $(15+6)\div3$ | $(15-6)\times3$ |

•   •   •   •

•   •   •   •

| $15\div3+6\div3$ | $15\times3-6\times3$ | $15\times3+6\times3$ | $15\div3-6\div3$ |

3 덧셈, 뺄셈, 곱셈, 나눗셈이 섞여 있는 식

• ( ) 안의 계산 → 곱셈과 나눗셈 → 덧셈과 뺄셈의 순서로 계산합니다.

덧셈, 뺄셈, 곱셈, 나눗셈이 섞여 있는 식

곱셈과 나눗셈을 먼저 계산합니다. ( )가 있으면 ( ) 안을 먼저 계산합니다.

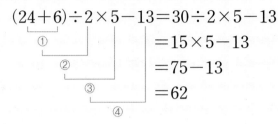

$$24+6\div2\times5-13=24+3\times5-13$$
$$=24+15-13$$
$$=39-13$$
$$=26$$

$$(24+6)\div2\times5-13=30\div2\times5-13$$
$$=15\times5-13$$
$$=75-13$$
$$=62$$

1 계산해 보시오.

(1) $18+7-16\times5\div4$

(2) $56\div7+4\times6-9$

2 계산 순서에 맞게 기호를 차례대로 써 보시오.

$$56\ +\ (8\ -\ 4)\ \times\ 3\ \div\ 6\ -\ 31$$
$$\uparrow\qquad\uparrow\qquad\uparrow\qquad\uparrow\qquad\uparrow$$
$$ㄱ\qquad ㄴ\qquad ㄷ\qquad ㄹ\qquad ㅁ$$

(   )

3 계산 결과를 비교하여 ○ 안에 >, =, <를 알맞게 써넣으시오.

$$35-8\times(10-4)\div2\ \bigcirc\ (35-8)\times10-4\div2$$

4 등식이 성립하도록 ( )로 묶어 보시오.

$$7 + 36 \div 2 \times 3 - 9 = 4$$

5 등식이 성립하도록 ☐ 안에 $+$, $-$, $\times$, $\div$를 알맞게 써넣으시오.

$$6 \boxed{} 5 \boxed{} 9 \boxed{} 3 = 27$$

6 온도를 나타내는 단위에는 섭씨(℃)와 화씨(℉)가 있습니다. 화씨 온도에서 32를 뺀 수에 5를 곱하고 9로 나누면 섭씨 온도가 됩니다. 현재 기온이 화씨로 68 ℉일 때 섭씨로 나타내면 몇 도(℃)입니까?

( )

7 수 카드 $\boxed{2}$, $\boxed{3}$, $\boxed{6}$ 을 한 번씩 사용하여 다음과 같이 식을 만들려고 합니다. 계산 결과가 가장 클 때와 가장 작을 때는 각각 얼마입니까?

$$54 \div (\boxed{} \times \boxed{}) + \boxed{}$$

가장 클 때 ( )

가장 작을 때 ( )

각 부분을 나타낸 식을 하나의 식으로 나타낸다.

$$\triangle = 2$$

$$\bigstar = \triangle + 1$$

$$\square = 6 \div \bigstar$$

$$\downarrow$$

$$\square = 6 \div (2+1)$$

준호는 12살이고, 동생은 준호보다 4살 적습니다.
　　①　　　　　　　　　　②

아버지의 나이는 동생의 나이의 5배보다 3살 더 많습니다.
　　　　　　　　　③

$$\downarrow$$

① (준호의 나이)=12

② (동생의 나이)=(준호의 나이)−4

③ (아버지의 나이)=(동생의 나이)×5+3
　　　　　　　　　 =(12−4)×5+3

대표문제 1

다온이는 12살이고, 동생은 다온이보다 4살 적습니다. 어머니의 나이는 다온이와 동생의 나이의 합의 2배보다 3살 적습니다. 어머니의 나이는 몇 살인지 구하시오.

---

① (다온이의 나이)=12살

② (동생의 나이)=(다온이의 나이)−□

　　　　　　　 =12−□(살)

③ (어머니의 나이)=((다온이의 나이)+(동생의 나이))×□−□

　　　　　　　 =(12+12−□)×□−□

　　　　　　　 =□×□−□

　　　　　　　 =□−□

　　　　　　　 =□(살)

서술형 **1-1** 운호는 일주일 중 3일은 쉬고 나머지 날은 줄넘기를 50번씩 했고, 채린이는 일주일 동안 매일 줄넘기를 30번씩 했습니다. 운호와 채린이는 일주일 동안 줄넘기를 모두 몇 번 했는지 풀이 과정을 쓰고 답을 구하시오.

풀이

....

....

....

....

답 ....

1-2 지구에서 잰 무게는 달에서 잰 무게의 약 6배입니다. 달에서 몸무게를 재면 선생님은 15 kg 이고, 지구에서 몸무게를 재면 효우가 42 kg, 지아가 36 kg입니다. 세 사람이 모두 달에서 몸무게를 잰다면 선생님의 몸무게는 효우와 지아의 몸무게의 합보다 몇 kg 더 무겁습니까?

(   )

1-3 떡볶이 3인분을 만들려고 합니다. 10000원으로 필요한 재료를 사고 남은 돈은 얼마입니까?

파(1인분)
800원

떡(3인분)
4500원

어묵(6인분)
3200원

(   )

계산 방법과 순서를 거꾸로 하여 모르는 수를 구한다.

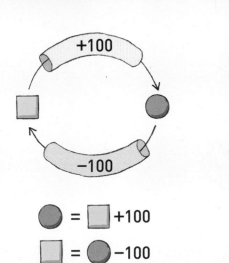

$$(8+6\times\square)\div4=17$$

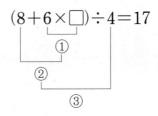

- ③의 계산에서 $8+6\times\square=17\times4=68$
- ②의 계산에서 $6\times\square=68-8=60$
- ①의 계산에서 $\square=60\div6=10$

대표문제 **2**

□ 안에 알맞은 수를 구하시오.

$$72\div(10-\square)\times3-27=9$$

$$72\div(10-\square)\times3-27=9$$

- ④의 계산에서 $72\div(10-\square)\times3=9+27=\boxed{}$

- ③의 계산에서 $72\div(10-\square)=\boxed{}\div3=\boxed{}$

- ②의 계산에서 $10-\square=72\div\boxed{}=\boxed{}$

- ①의 계산에서 $\square=10-\boxed{}=\boxed{}$

따라서 □ 안에 알맞은 수는 $\boxed{}$ 입니다.

2-1 □ 안에 알맞은 수를 구하시오.

$$28 \div (4 + \square) \times 8 - 15 = 17$$

(   )

2-2 □ 안에 알맞은 수를 구하시오.

$$42 \div 6 + (\square \div 3 + 4) \times 2 = 21$$

(   )

2-3 □ 안에 알맞은 수를 구하시오.

$$5 \times 9 - (7 + \square \div 2) = 64 \div 4 + 3 \times 6$$

(   )

2-4 □ 안에 들어갈 수 있는 가장 작은 자연수를 구하시오.

$$56 \div 8 \times (3 + 2 \times \square) > 91$$

(   )

저울이 수평을 이루면 양쪽의 무게는 같다.

(의 무게)=15 g, (●의 무게)=17 g일 때

(●의 무게)=((●의 무게)×3−(●의 무게))÷2
$$=(15×3−17)÷2$$
$$=(45−17)÷2$$
$$=28÷2$$
$$=14\,(g)$$

저울이 수평을 이루고 있습니다. 초록색 구슬 1개의 무게가 24 g, 노란색 구슬 1개의 무게가 28 g일 때 빨간색 구슬 1개의 무게는 몇 g인지 구하시오.(단, 같은 색깔의 구슬은 무게가 같습니다.)

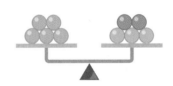

(●의 무게)=24 g, (●의 무게)=28 g

(●의 무게)=((●의 무게)×☐−(●의 무게)×☐)÷☐

$$=(24×☐−28×☐)÷☐$$

$$=(☐−☐)÷☐$$

$$=☐÷☐$$

$$=☐\,(g)$$

3-1 저울이 수평을 이루고 있습니다. 빨간색 구슬 1개의 무게가 15 g, 파란색 구슬 1개의 무게가 21 g일 때 노란색 구슬 1개의 무게는 몇 g입니까?(단, 같은 색깔의 구슬은 무게가 같습니다.)

(   )

3-2 두 저울이 수평을 이루고 있습니다. 노란색 구슬 1개의 무게가 20 g일 때 파란색 구슬 1개의 무게는 몇 g입니까?(단, 같은 색깔의 구슬은 무게가 같습니다.)

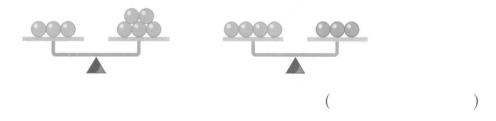

(   )

3-3 두 저울이 수평을 이루고 있습니다. 풀 1개의 무게가 27 g일 때 가위 1개의 무게는 몇 g입니까?(단, 같은 종류의 학용품은 무게가 같습니다.)

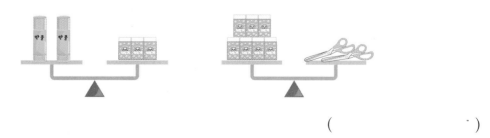

(   )

복잡한 연산을 간단한 기호로 약속할 수 있다.

시속 100 km보다 빨리 운전하지 마시오.

시속 30 km보다 느리게 운전하지 마시오.

$$가※나=(가+3)×(나-3)$$

⬇

$$5※9=(5+3)×(9-3)$$
$$=8×6$$
$$=48$$

대표문제 4

다음과 같이 약속할 때 $32◎(7◎5)$의 값을 구하시오.

$$가 ◎ 나=(가+나)×(가-나)$$

먼저 ( ) 안의 식부터 약속된 식으로 나타내어 계산합니다.

$$7◎5=(\boxed{}+\boxed{})×(\boxed{}-\boxed{})$$

$$=\boxed{}×\boxed{}$$

$$=\boxed{}$$

$$32◎(7◎5)=32◎\boxed{}$$

$$=(32+\boxed{})×(32-\boxed{})$$

$$=\boxed{}×\boxed{}$$

$$=\boxed{}$$

4-1 다음과 같이 약속할 때 $16 \diamond 24$의 값을 구하시오.

$$가 \diamond 나 = 가 \times 2 - 나 \div 2$$

(   )

4-2 다음과 같이 약속할 때 $(25 \heartsuit 8) \heartsuit 6$의 값을 구하시오.

$$가 \heartsuit 나 = 가 \times 나 \div 5$$

(   )

4-3 다음과 같이 약속할 때 $21 \bullet (18 \blacktriangle 9)$의 값을 구하시오.

$$가 \bullet 나 = (가 + 나) \times 4$$
$$가 \blacktriangle 나 = (가 - 나) \div 3$$

(   )

4-4 다음과 같이 약속할 때 $(12 \star 8) \stackrel{}{\star} 4$의 값을 구하시오.

$$가 \star 나 = 가 \times (가 - 나)$$
$$가 \stackrel{}{\star} 나 = (가 - 나) \div 나$$

(   )

곱하는 수가 커지면 계산 결과도 커진다.

$$\square \times 2 < \square \times (2+1)$$

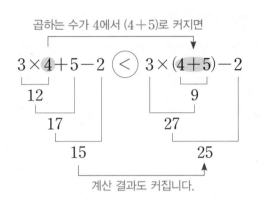

곱하는 수가 4에서 (4+5)로 커지면

$$3 \times 4 + 5 - 2 \;(<)\; 3 \times (4+5) - 2$$

12 9

17 27

15 25

계산 결과도 커집니다.

대표문제 5

계산 결과가 가장 크게 되도록 (   )로 묶고 가장 큰 계산 결과를 구하시오.

$$10 \times 8 + 5 - 16 \div 4$$

계산 결과가 가장 크게 되려면 곱하는 수가 더 (크게 , 작게) 되도록 (   )로 묶습니다.

➡ $10 \times 8 + 5 - 16 \div 4 = \boxed{}$

따라서 가장 큰 계산 결과는 $\boxed{}$ 입니다.

5-1 계산 결과가 가장 작게 되도록 ( )로 묶고 가장 작은 계산 결과를 구하시오.

$$78 \div 4 + 9 - 3$$

( )

5-2 계산 결과가 가장 크게 되도록 ( )로 묶고 가장 큰 계산 결과를 구하시오.

$$27 + 8 \times 5 - 18 \div 6$$

( )

5-3 계산 결과가 가장 작게 되도록 ( )로 2군데를 묶고 가장 작은 계산 결과를 구하시오.

$$14 + 35 \div 7 - 4 + 2$$

( )

5-4 계산 결과가 가장 크게 되도록 ( )로 2군데를 묶고 가장 큰 계산 결과를 구하시오.

$$24 + 9 - 6 \div 3 \times 12 + 18$$

( )

모르는 수를 기호로 나타내어 식을 만든다.

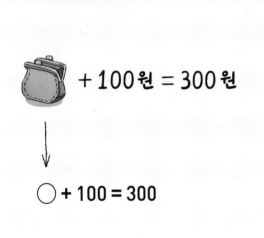

$+100$원$=300$원

$\bigcirc + 100 = 300$

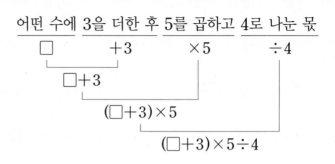

어떤 수에 3을 더한 후 5를 곱하고 4로 나눈 몫

$\square$ $+3$ $\times 5$ $\div 4$

$\square + 3$

$(\square + 3) \times 5$

$(\square + 3) \times 5 \div 4$

대표문제

어떤 수에 2를 더한 후 6을 곱하고 12를 3으로 나눈 몫을 더해야 할 것을 잘못하여 2를 뺀 후 6을 곱하고 12를 3으로 나눈 몫을 더했더니 16이 되었습니다. 바르게 계산하면 얼마인지 구하시오.

어떤 수를 $\blacksquare$라 하면 잘못 계산한 식은 $(\blacksquare - 2) \times \boxed{} + \boxed{} \div \boxed{} = \boxed{}$입니다.

어떤 수를 구하면

$(\blacksquare - 2) \times \boxed{} + \boxed{} = \boxed{}$

$(\blacksquare - 2) \times \boxed{} = \boxed{}$

$\blacksquare - 2 = \boxed{}$

$\blacksquare = \boxed{}$

따라서 바르게 계산하면

$(\blacksquare + 2) \times \boxed{} + \boxed{} \div \boxed{} = (\boxed{} + 2) \times \boxed{} + \boxed{} \div \boxed{}$

$= \boxed{} \times \boxed{} + \boxed{} \div \boxed{}$

$= \boxed{} + \boxed{}$

$= \boxed{}$

6-1 어떤 수에서 3을 뺀 후 7과 4의 차를 곱해야 할 것을 잘못하여 3을 더한 후 7과 4의 차로 나누었더니 12가 되었습니다. 바르게 계산하면 얼마입니까?

(   )

서술형 **6-2** 어떤 수와 8의 곱에서 54를 9로 나눈 몫을 뺐더니 34가 되었습니다. 어떤 수와 9의 곱에 42를 7로 나눈 몫을 더하면 얼마인지 풀이 과정을 쓰고 답을 구하시오.

풀이 ....

....

....

답 ....

6-3 63에서 어떤 수와 4의 곱을 뺀 후 3을 더해야 할 것을 잘못하여 63에 어떤 수와 4의 곱을 더한 후 3으로 나누었더니 41이 되었습니다. 바르게 계산하면 얼마입니까?

(   )

6-4 어떤 수보다 6 큰 수의 5배에서 7을 빼면 79보다 3 작은 수를 2로 나눈 몫과 같습니다. 어떤 수의 8배에 52를 4로 나눈 몫을 더하면 얼마입니까?

(   )

두 식을 더하거나 빼서 새로운 식을 만든다.

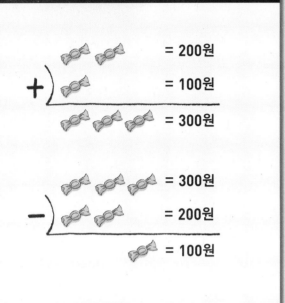

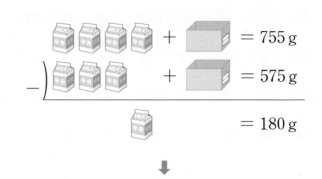

(우유 4개의 무게)＋(상자의 무게)＝755 g

－) (우유 3개의 무게)＋(상자의 무게)＝575 g

(우유 1개의 무게)　　　　　　　＝180 g

대표문제 7

똑같은 비누 3개가 들어 있는 상자의 무게를 재어 보니 455 g이었습니다. 여기에 똑같은 비누 2개를 더 넣어 무게를 재어 보니 605 g이 되었습니다. 상자만의 무게는 몇 g인지 구하시오.

비누 3개가 들어 있는 상자에 비누 2개를 더 넣으면 ☐개가 됩니다.

(비누의 무게)×☐＋(상자의 무게)＝ 605 g …… ①

－) (비누의 무게)× 3 ＋(상자의 무게)＝☐ g …… ②

(비누의 무게)×☐　　　　　　　　＝☐ g …… ③

③에서 (비누의 무게)＝(☐÷☐)g이므로

②에서 (상자의 무게)＝455－☐÷☐×☐

→ 비누 1개의 무게

＝455－☐×☐

＝455－☐

＝☐ (g)

7-1 똑같은 책 5권이 들어 있는 상자의 무게를 재어 보니 848 g이었습니다. 여기에 똑같은 책 4권을 더 넣어 무게를 재어 보니 1504 g이 되었습니다. 상자만의 무게는 몇 g입니까?

(   )

7-2 똑같은 야구공 17개가 들어 있는 바구니의 무게를 재어 보니 674 g이었습니다. 여기에서 야구공 8개를 빼고 무게를 재어 보니 418 g이 되었습니다. 바구니만의 무게는 몇 g입니까?

(   )

7-3 똑같은 음료수 10개가 들어 있는 상자의 무게를 재어 보니 2 kg 435 g이었습니다. 여기에서 음료수 3개를 빼고 무게를 재어 보니 1 kg 730 g이 되었습니다. 상자만의 무게는 몇 g입니까?

(   )

7-4 무게가 같은 사과 5개를 바구니에 담아 무게를 재어 보니 4 kg 650 g이었고, 여기에서 사과 2개를 빼고 다시 무게를 재어 보니 3 kg 50 g이었습니다. 이 바구니에 무게가 같은 귤 4개를 담아 무게를 재어 보니 2 kg 450 g이 되었습니다. 귤 1개의 무게는 몇 g입니까?

(   )

A와 B의 합이 10개일 때 A가 1개 줄어들면 B는 1개 늘어난다.

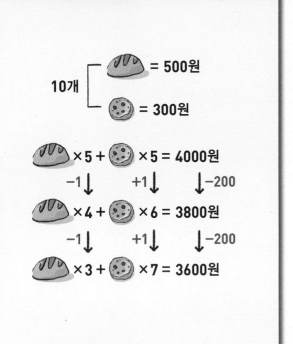

10개 ⟶ 산 개수

껌 가격 ⟵ 200원   300원 ⟶ 젤리 가격

2400원 ⟶ 물건값

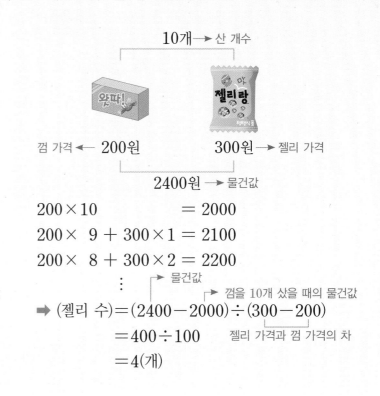

$$200 \times 10 \qquad\qquad = 2000$$
$$200 \times 9 + 300 \times 1 = 2100$$
$$200 \times 8 + 300 \times 2 = 2200$$
$$\vdots$$

➡ (젤리 수)$= (2400 - 2000) \div (300 - 200)$

껌을 10개 샀을 때의 물건값

물건값

$$= 400 \div 100$$

젤리 가격과 껌 가격의 차

$$= 4(개)$$

우진이는 과자와 우유를 사려고 마트에 갔습니다. 500원짜리 과자와 700원짜리 우유를 모두 15개 사고 8300원을 냈습니다. 우진이가 산 과자와 우유는 각각 몇 개인지 구하시오.

과자를 15개 샀을 때의 물건값은 ☐ $\times 15 =$ ☐ (원)이고

우유는 과자보다 $700 - 500 =$ ☐ (원) 더 비싸므로

과자 1개 대신 우유 1개를 더 살 때마다 금액이 ☐ 원씩 늘어납니다.

➡ (우유 수)$= (8300 -$ ☐ $) \div$ ☐ $=$ ☐ (개)

(과자 수)$=$ ☐ $-$ ☐ $=$ ☐ (개)

따라서 우진이는 과자를 ☐ 개, 우유를 ☐ 개 샀습니다.

8-1 연석이네 농장에서 기르는 오리와 돼지는 모두 40마리입니다. 오리와 돼지의 다리를 세어 보니 모두 106개였습니다. 연석이네 농장에서 기르는 오리와 돼지는 각각 몇 마리입니까?

오리 (　　　　　　　　　　), 돼지 (　　　　　　　　　　)

8-2 서진이는 문구점에서 가위와 풀을 사려고 합니다. 350원짜리 가위와 200원짜리 풀을 모두 18개 사고 4800원을 냈습니다. 서진이가 산 가위와 풀은 각각 몇 개입니까?

가위 (　　　　　　　　　　), 풀 (　　　　　　　　　　)

8-3 채은이는 빵을 사려고 빵 가게에 갔습니다. 500원짜리 단팥빵과 800원짜리 크림빵을 모두 20개 사고 15000원을 낸 후 2900원을 거슬러 받았습니다. 채은이가 산 단팥빵은 크림빵보다 몇 개 더 많습니까?

(　　　　　　　　　　)

8-4 민혁이네 집에는 우유가 매일 1병씩 배달됩니다. 우유 1병의 가격이 1월 초에 380원에서 450원으로 인상되어 1월에는 우윳값으로 13320원을 냈습니다. 우윳값이 오른 날짜는 1월 며칠입니까?

(　　　　　　　　　　)

문제풀이 동영상

1 등식이 성립하도록 □ 안에 ＋, －, ×, ÷를 한 번씩 써넣으시오.

$$5\ \square\ 5\ \square\ 5\ \square\ 5\ \square\ 5=5$$

2 $\begin{vmatrix} 가 & 나 \\ 다 & 라 \end{vmatrix}$ ＝가×라－다÷나일 때 □ 안에 알맞은 수를 구하시오.

$$\begin{vmatrix} 25 & \square \\ 96 & 11 \end{vmatrix}=263$$

( )

3 보기 와 같이 수 7을 4번 사용하여 계산 결과가 1이 되는 식을 2개 만들어 보시오.

보기
$$(7+7)\div(7+7)=1$$

( ), ( )

서술형 **4**

□ 안에 들어갈 수 있는 자연수는 모두 몇 개인지 풀이 과정을 쓰고, 답을 구하시오.

$$27 \div 9 + \square \times 2 < 8 + 45 \div (2+7)$$

풀이

....

....

....

답 ....

5

□ 안에 $+$, $-$, $\times$, $\div$를 한 번씩 써넣어 나올 수 있는 계산 결과 중 가장 큰 값을 구하시오.

$$16 \,\square\, 8 \,\square\, 4 \,\square\, 2 \,\square\, 1$$

( )

6

▲을 약속한 방법에 따라 계산한 것입니다. $(8 ▲ 7) ▲ 4$의 값을 구하시오.

$$3 ▲ 5 = 16 \qquad 4 ▲ 3 = 13 \qquad 5 ▲ 4 = 21 \qquad 7 ▲ 5 = 36$$

( )

7 과일 가게에서 복숭아 300개를 135000원에 사 와서 한 개에 250원의 이익을 남기고 팔기로 했습니다. 팔다 남은 복숭아는 썩어서 팔지 못하고 버렸습니다. 복숭아를 팔아 63800원의 이익을 남겼다면 썩어서 버린 복숭아는 몇 개인지 구하시오.

( )

8 하윤이는 문구점에서 700원, 500원, 400원짜리 세 종류의 연필을 모두 47자루 사고 24500원을 냈습니다. 500원짜리 연필의 수가 400원짜리 연필의 수의 2배라면 700원짜리 연필은 몇 자루 샀습니까?

( )

9 어머니는 도현이에게 수학 문제를 내어 한 문제를 맞힐 때마다 구슬을 5개 주고, 틀릴 때마다 3개를 받기로 했습니다. 도현이가 24문제를 풀고 난 후 어머니에게 받은 구슬이 없었다면 맞힌 문제는 몇 문제입니까?

( )

10 아버지의 나이는 삼촌의 나이의 2배보다 1살 많고, 삼촌의 나이는 재범이의 나이의 3배보다 6살 적다고 합니다. 아버지의 나이가 재범이의 나이의 5배일 때, 재범이의 나이는 몇 살입니까?

( )

2

약수와 배수

1 약수와 배수

- 나눌 수 있게 하는 수가 약수, 곱한 수가 배수입니다.
- 배수는 약수의 곱입니다.

약수와 배수

약수	배수
어떤 수를 나누어떨어지게 하는 수	어떤 수를 1배, 2배, 3배……한 수
$6 \div 1 = 6$ $6 \div 2 = 3$ $6 \div 3 = 2$ $6 \div 6 = 1$ 6의 약수	$6 \times 1 = 6$ $6 \times 2 = 12$ $6 \times 3 = 18$ ⋮ 6의 배수

●의 약수 중 가장 작은 수는 1이고, 가장 큰 수는 ●입니다.　●의 배수 중 가장 작은 수는 ●이고, 배수는 무수히 많습니다.

약수와 배수의 관계

$6 = 2 \times 3$　➡　● × ■ = ◆일 때,　┌ ◆는 ●, ■의 배수
　└ ●, ■는 ◆의 약수

2의 배수
3의 배수

---

1 다음 중 48의 약수가 <u>아닌</u> 것은 모두 몇 개입니까?

| 12 | 6 | 15 | 24 | 8 | 9 | 16 | 18 | 32 |

(　　　　　　　)

2 다음 조건을 모두 만족하는 수 중 약수의 개수가 가장 많은 수를 구하시오.

- 4의 배수입니다.
- 30보다 크고 40보다 작습니다.

(　　　　　　　)

3 두 수가 서로 약수와 배수의 관계인 것을 모두 고르시오. (   )

① (13, 51)   ② (12, 72)   ③ (8, 84)   ④ (7, 95)   ⑤ (14, 56)

1-2
BASIC CONCEPT

20에서 40까지의 수 중에서 3의 배수의 개수

20과 40은 모두 3의 배수가 아니므로

① 20보다 크고 20에 가장 가까운 3의 배수 → $3 \times 7 = 21$

② 40보다 작고 40에 가장 가까운 3의 배수 → $3 \times 13 = 39$

➡ $13 - 7 + 1 = 7$(개)

4 10에서 70까지의 수 중에서 6의 배수는 모두 몇 개입니까?

(   )

5 세 자리 수 중에서 9의 배수는 모두 몇 개입니까?

(   )

1-3
BASIC CONCEPT

중등연계

수를 인수의 곱으로 나타내기

인수: 곱하여 어떤 수를 만드는 수   ➡   수를 인수로 분해하면 약수를 알 수 있습니다.

$6 = 1 \times 6$ $6 = 2 \times 3$

6의 인수   6의 인수

$12 = 3 \times 2 \times 2$ $12 = 3 \times 2 \times 2$
　　약수　　약수　　　　　6: 약수

$12 = 3 \times 2 \times 2$ $12 = 3 \times 2 \times 2$
　　　4: 약수　　　　　12: 약수

6 30을 1이 아닌 가장 작은 자연수의 곱으로 나타내고, 약수를 구하시오.

$30 = 3 \times \boxed{}$

$= 3 \times 2 \times \boxed{}$ ➡ 30의 약수: _____

2 공약수와 최대공약수

• 두 개 이상의 자연수는 공통인 약수를 가집니다.
• 수를 곱으로 분해하면 공통인 약수를 알 수 있습니다.

공약수와 최대공약수

┌ 공약수: 공통인 약수
└ 최대공약수: 공약수 중에서 가장 큰 수 ─ 최소공약수는 항상 1이므로 구하지 않습니다.

| 12의 약수: 1, 2, 3, 4, 6, 12
20의 약수: 1, 2, 4, 5, 10, 20 | ➡ | 12와 20의 공약수: 1, 2, 4
12와 20의 최대공약수: 4 | ➡ | 두 수의 공약수는
최대공약수의 약수 |

최대공약수 구하는 방법

방법1 수를 곱으로 분해하여 구하기

$$12 = 2 \times 2 \times 3$$ ── ① 1이 아닌 가장 작은 수의 곱으로 나타냅니다.
$$20 = 2 \times 2 \times 5$$
$$2 \times 2 = 4$$ ── ② 공통인 수만 곱합니다.

방법2 수를 공약수로 나누어 구하기

$$
\begin{array}{r|cc}
2 & 12 & 20 \\
2 & 6 & 10 \\
\hline
 & 3 & 5
\end{array}
$$ ── ① 공약수가 1이 될 때까지 나눕니다.

$$2 \times 2 = 4$$ ── ② 공약수를 모두 곱합니다.

1 30의 약수도 되고 48의 약수도 되는 수는 모두 몇 개입니까?

( )

2 24와 36을 같은 수로 나누었을 때 나누어떨어지게 하는 수 중에서 가장 큰 수를 구하시오.

( )

3 ■와 ▲의 최대공약수는 18입니다. ■와 ▲의 공약수를 모두 구하시오.

( )

2-2 BASIC CONCEPT

최대공약수로 푸는 문제

① <u>될 수 있는 대로 많은</u> 사람들에게 <u>남김없이 똑같이 나누어 줄 때</u> 한 사람이 받는 개수 구하기
　　최대　　　　　　　　　　　　　공약수

② 직사각형을 가장 큰 정사각형으로 나누었을 때 정사각형의 한 변이나 정사각형의 개수 구하기
　　　　　　최대　　　공약수

4 사탕 36개와 초콜릿 28개를 될 수 있는 대로 많은 접시에 남김없이 똑같이 나누어 담으려고 합니다. 접시 몇 개까지 담을 수 있습니까?

(　　　　　　　　　　　)

5 오른쪽 직사각형을 남는 부분이 없이 같은 크기의 가장 큰 정사각형으로 나누어 잘랐습니다. 자른 정사각형은 모두 몇 개입니까?

(　　　　　　)

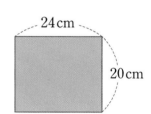

24 cm
20 cm

2-3 BASIC CONCEPT

세 수의 최대공약수 구하기

중등연계

```
2 ) 36  24  18
3 ) 18  12   9
     6   4   3  ── ① 세 수의 공약수가 1이 될 때까지 나눕니다.
2 × 3 = 6  ──────── ② 공약수를 모두 곱합니다.
```

6 다음은 48, 72, 60의 최대공약수를 구하는 과정입니다. 각 기호에 들어갈 수가 <u>잘못된</u> 것은 어느 것입니까? (　　　)

```
㉠ ) 48  72  60
 2 ) ㉡  36  30
 3 ) 12  ㉢  15
      4   6  ㉣
```

➡ 48, 72, 60의 최대공약수: ㉤

① ㉠ 2
② ㉡ 24
③ ㉢ 18
④ ㉣ 5
⑤ ㉤ 8

3 공배수와 최소공배수

- 두 개 이상의 자연수는 공통인 배수를 가집니다.
- 수를 곱으로 분해하면 공통인 배수를 알 수 있습니다.

공배수와 최소공배수

- 공배수: 공통인 배수
- 최소공배수: 공배수 중 가장 작은 수 ― 공배수는 무수히 많으므로 최대공배수는 구할 수 없습니다.

15의 배수: 15, 30, 45, 60……	15와 30의 공배수	두 수의 공배수는
30의 배수: 30, 60, 90, 120, 150……	: 30, 60…… 15와 30의 최소공배수: 30	최소공배수의 배수

최소공배수 구하는 방법

방법1 수를 곱으로 분해하여 구하기

$$15 = \quad\ 3 \times 5$$
$$30 = 2 \times 3 \times 5$$
$$\overline{\quad\quad 2 \times 3 \times 5 = 30}$$

― ① 1이 아닌 가장 작은 수의 곱으로 나타냅니다.

― ② 공통인 수와 나머지 수를 모두 곱합니다.

방법2 수를 공약수로 나누어 구하기

$$3 \times 5 \times 1 \times 2 = 30$$

― ① 공약수가 1이 될 때까지 나눕니다.

― ② 공약수와 나머지 수를 모두 곱합니다.

1 □ 안에 알맞은 수를 써넣으시오.

12와 16의 공배수 중에서 가장 큰 두 자리 수는 □입니다.

2 100보다 작은 수 중에서 8과 12의 공배수는 모두 몇 개입니까?

(   )

3 어떤 두 수의 최소공배수가 18일 때, 이 두 수의 공배수 중에서 7번째로 작은 수를 구하시오.

(   )

최소공배수로 푸는 문제

① 직사각형을 붙여서 될 수 있는 대로 작은 정사각형을 만들 때 정사각형의 한 변의 길이 구하기

② 두 버스가 동시에 출발한 후 처음으로 다시 동시에 출발하는 시각 구하기

③ 톱니 수가 다른 두 톱니바퀴의 처음에 맞물렸던 톱니가 같은 자리에서 다시 만날 때 두 톱니바퀴의 회전 수 구하기

4 가로가 12 cm, 세로가 8 cm인 직사각형 모양의 종이를 겹치는 부분 없이 붙여서 될 수 있는 대로 작은 정사각형을 만들었습니다. 정사각형의 한 변은 몇 cm입니까?

(   )

5 어느 고속버스 터미널에서 광주행 버스는 35분마다, 속초행 버스는 40분마다 출발한다고 합니다. 두 버스가 7시에 동시에 출발했다면 다음번에 두 버스가 동시에 출발하는 시각은 몇 분 후입니까?

(   )

세 수의 최소공배수 구하기   중등연계

```
           ─────────── ① 세 수의 공약수로 나눕니다.
2 ) 36  24  18
3 ) 18  12   9
2 )  6   4  │3│ ─────── ② 두 수의 공약수만 있을 경우, 공약수가 없는 수는 그대로 내려 씁니다.
3 )  3  │2│ │3│
      1  │2│  1  ─────── ③ 세 수 중 두 수의 공약수가 1이 될 때까지 나눕니다.
```

$2 \times 3 \times 2 \times 3 \times 1 \times 2 \times 1 = 72$ ── ④ 공약수와 나머지 수를 모두 곱합니다.

6 세 수의 최소공배수를 구하는 과정입니다. ☐ 안에 알맞은 수를 써넣으시오.

```
2 ) 28  42  16
2 ) 14  21   8
☐ )  7  21   4   ➡ 28, 42, 16의 최소공배수
     1   3   4      : 2 × 2 × ☐ × 1 × 3 × 4 = ☐
```

약수와 배수의 관계인 두 수는 서로 나누어떨어진다.

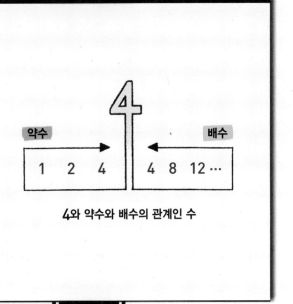

4와 약수와 배수의 관계인 수

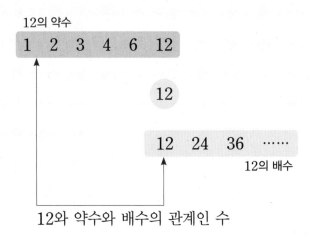

12의 약수

| 1 | 2 | 3 | 4 | 6 | 12 |

12

| 12 | 24 | 36 | …… |

12의 배수

12와 약수와 배수의 관계인 수

대표문제 1

두 수가 약수와 배수의 관계일 때, ㉠에 들어갈 수 있는 두 자리 수는 모두 몇 개인지 구하시오.

㉠, 48

① ㉠이 48의 약수인 경우

48의 약수: _____

48의 약수 중 두 자리 수: ☐, ☐, ☐, 48

② ㉠이 48의 배수인 경우

48의 배수: _____

48의 배수 중 두 자리 수: 48, ☐

➡ ㉠에 들어갈 수 있는 두 자리 수는 ☐, ☐, ☐, ☐, ☐ 이므로

모두 ☐ 개입니다.

1-1 두 수는 약수와 배수의 관계이고 ㉠은 두 자리 수입니다. ☐ 안에 알맞은 수를 쓰고, ㉠이 될 수 있는 수를 모두 구하시오.

$$30,\ ㉠$$

30의 약수: ☐, ☐, ☐, ☐, ☐, ☐, ☐, 30

30의 배수: 30, ☐, ☐, ☐, 150……

(   )

1-2 두 수가 약수와 배수의 관계일 때 ㉠에 들어갈 수 있는 두 자리 수는 모두 몇 개입니까?

$$㉠,\ 36$$

(   )

1-3 조건을 모두 만족하는 ㉠을 모두 구하시오.

- ㉠과 28은 약수와 배수의 관계입니다.
- ㉠은 10보다 크고 150보다 작습니다.

(   )

1-4 어떤 수와 36은 약수와 배수의 관계입니다. 어떤 수가 100보다 작은 짝수라면, 어떤 수가 될 수 있는 수는 모두 몇 개입니까?

(   )

남김없이 나누는 방법은 약수의 개수만큼이다.

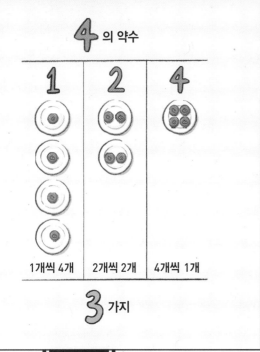

4의 약수

1개씩 4개   2개씩 2개   4개씩 1개

3가지

귤 72개를 20명보다 많은 학생들에게 똑같이 나누어 주는 방법

72의 약수

1, 2, 3, 4, 6, 8, 9, 12, 18, 24, 36, 72

24명에게 3개씩, 36명에게 2개씩, 72명에게 1개씩

대표문제 2 사탕 48개를 10명보다 많은 학생에게 남김없이 똑같이 나누어 주려고 합니다. 나누어 줄 수 있는 방법은 모두 몇 가지인지 구하시오.

48을 약수의 곱으로 나타냅니다.

$48 = \boxed{48} \times 1 \longrightarrow$ 48명에게 1개씩

$48 = \boxed{} \times 2 \longrightarrow \boxed{}$명에게 2개씩

$48 = \boxed{} \times 3 \longrightarrow \boxed{}$명에게 3개씩

$48 = \boxed{} \times 4 \longrightarrow \boxed{}$명에게 4개씩

$48 = \boxed{} \times 6 \longrightarrow \boxed{}$명에게 6개씩

따라서 10명보다 많은 학생에게 나누어 줄 수 있는 방법은 모두 $\boxed{}$가지입니다.

2-1 색종이 40장을 15명보다 많은 학생에게 남김없이 똑같이 나누어 주려고 합니다. 나누어 줄 수 있는 방법은 모두 몇 가지입니까?

(   )

2-2 56개의 인형을 10명보다 적은 학생에게 남김없이 똑같이 나누어 주려고 합니다. 되도록 많은 학생에게 인형을 나누어 주려고 할 때 몇 명의 학생에게 나누어 줄 수 있습니까?

(   )

서술형 **2-3**

연필 1타는 12자루야.

연필 4타를 10명보다 많고 30명보다 적은 학생에게 남김없이 똑같이 나누어 주려고 합니다. 몇 명의 학생에게 나누어 줄 수 있는지 풀이 과정을 쓰고 답을 모두 구하시오.

풀이 ....

....

....

답 ....

2-4 길이가 96 cm인 리본을 남김없이 같은 길이로 자르려고 합니다. 한 도막의 길이를 20 cm보다 길고 50 cm보다 짧게 할 때, 가장 길게 자를 수 있는 한 도막의 길이를 구하시오.

(   )

나누어지는 수에서 나머지를 빼면 나누어떨어진다.

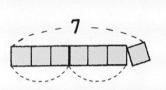

$7 \div 2 = 3 \cdots 1$

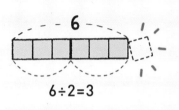

$6 \div 2 = 3$

① 128을 어떤 수로 나누면 나머지가 2
→ 128−2를 어떤 수로 나누면 나누어떨어집니다.
　→ 126은 어떤 수의 배수
　　→ 어떤 수는 126의 약수

② 173을 어떤 수로 나누면 나머지가 5
→ 173−5를 어떤 수로 나누면 나누어떨어집니다.
　→ 168은 어떤 수의 배수
　　→ 어떤 수는 168의 약수

➡ ①, ②를 모두 만족하는 수: 126과 168의 공약수

대표문제
3

조건을 모두 만족하는 어떤 수 중에서 가장 큰 수를 구하시오.

・148을 어떤 수로 나누면 나머지는 4입니다.
・165를 어떤 수로 나누면 나머지는 5입니다.

148÷(어떤 수)=(몫) … 4
　↓　　↓　　↓
(어떤 수)×(몫) + 4=148
(어떤 수)×(몫)=148−4
(어떤 수)×(몫)=144
　↓
(어떤 수): 144의 약수 … ㉠

165÷(어떤 수)=(몫) … 5
　↓　　↓　　↓
(어떤 수)×(몫) + 5=165
(어떤 수)×(몫)=165−5
(어떤 수)×(몫)= □
　↓
(어떤 수): □ 의 약수 … ㉡

㉠과 ㉡을 만족하는 수 중 가장 큰 수는 144와 □ 의 최대공약수이므로 □ 입니다.

3-1 조건을 모두 만족하는 어떤 수 중에서 가장 큰 수를 구하시오.

> • $184 \div$ (어떤 수) = (몫) $\cdots$ 4
> • $153 \div$ (어떤 수) = (몫) $\cdots$ 3

(   )

3-2 조건을 모두 만족하는 어떤 수 중에서 가장 큰 수를 구하시오.

> • 161을 어떤 수로 나누면 나머지는 1입니다.
> • 193을 어떤 수로 나누면 나머지는 3입니다.

(   )

3-3 67을 어떤 수로 나누어도 3이 남고, 75를 어떤 수로 나누어도 3이 남습니다. 어떤 수 중에서 가장 작은 수를 구하시오.

나누는 수는
나머지보다
커야 해.

(   )

3-4 조건을 모두 만족하는 어떤 수는 모두 몇 개인지 구하시오.

> • 164를 어떤 수로 나누면 4가 남습니다.
> • 242를 어떤 수로 나누면 2가 남습니다.
> • 어떤 수는 두 자리 수입니다.

(   )

두 수의 곱은 최대공약수와 최소공배수의 곱과 같다.

어떤 수와 30의 최대공약수는 6이고 최소공배수는 120일 때

(어떤 수)×30＝(최대공약수)×(최소공배수)
(어떤 수)×30＝6×120
(어떤 수)×30＝720
(어떤 수)＝24

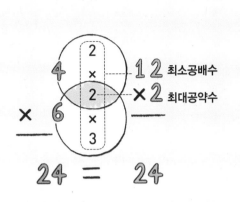

 어떤 수와 36의 최대공약수는 12이고, 최소공배수는 180입니다. 어떤 수를 구하시오.

방법 1

두 수의 곱은 최대공약수와 최소공배수의 곱과 같습니다.

(어떤 수)×36＝(최대공약수)×(최소공배수)

(어떤 수)×36＝ ☐

(어떤 수)＝ ☐

방법 2

어떤 수와 36의 최소공배수를 구하는 식으로 나타냅니다.

$12\,\overline{)\,\text{(어떤 수)}\quad 36}$
$\ \ \bigstar\qquad\quad 3$

(어떤 수)와 36의 최소공배수: 12×★×3＝180

36×★＝180, ★＝ ☐

→ (어떤 수)＝12×★＝12× ☐ ＝ ☐

4-1 어떤 수와 45의 최대공약수는 5이고, 최소공배수는 90입니다. 어떤 수를 구하시오.

(   )

서술형 **4-2** 어떤 두 수의 최대공약수는 8입니다. 두 수의 곱이 960일 때, 두 수의 최소공배수는 얼마인지 풀이 과정을 쓰고 답을 구하시오.

풀이 ....

....

....

답 ....

4-3 두 수 ㉠과 ㉡의 최대공약수는 15이고, 최소공배수는 300입니다. ㉠과 ㉡을 구하시오.

$$15 \overline{) \begin{array}{cc} ㉠ & ㉡ \end{array}}$$
$$\begin{array}{cc} ♥ & 5 \end{array}$$

㉠ (   ), ㉡ (   )

4-4 두 수 ㉠과 ㉡의 최소공배수는 200입니다. ㉠과 ㉡을 구하시오.

$$2 \overline{) \begin{array}{cc} ㉠ & ㉡ \end{array}}$$
$$♥ \overline{) \begin{array}{cc} ★ & ♠ \end{array}}$$
$$\begin{array}{cc} 5 & 4 \end{array}$$

㉠ (   ), ㉡ (   )

최상위 S

두 일은
반복되는 시간의 공배수가 될 때 동시에 일어난다.

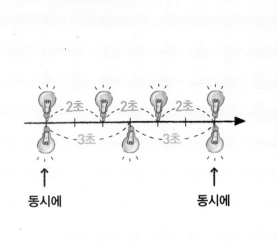

(가) 버스는 12분마다, (나) 버스는 8분마다 출발

$12 = \underline{2 \times 2} \times 3$

$8 = \underline{2 \times 2} \times 2$

➡ 12와 8의 최소공배수 $= \underline{2 \times 2} \times 2 \times 3 = \boxed{24}$

➡ (가) 버스와 (나) 버스는 $\boxed{24}$분마다 동시에 출발하게 되므로
두 버스가 9시에 동시에 출발했다면
9시 24분, 9시 48분, 10시 12분……에 동시에 출발합니다.

대표문제 5

어느 역에서 (가) 기차는 8분마다, (나) 기차는 6분마다 출발한다고 합니다. 8시 40분에 이 역에서 (가)와 (나) 기차가 동시에 출발하였다면 다음번에 두 기차가 동시에 출발하는 시각은 몇 시 몇 분인지 구하시오.

두 기차가 동시에 출발하는 시각의 간격은 8분과 6분의 최소공배수이므로

두 기차는 ☐ 분마다 동시에 출발합니다.

다음번에 두 기차가 동시에 출발하는 시각은

8시 40분 + ☐ 분 = ☐ 시 ☐ 분입니다.

5-1 어느 역에서 A 방향 지하철은 12분마다, B 방향 지하철은 14분마다 출발한다고 합니다. 두 지하철은 몇 분마다 동시에 출발합니까?

(   )

5-2 어느 버스 터미널에서 부산행 버스는 24분마다, 전주행 버스는 18분마다 출발한다고 합니다. 두 버스가 오전 9시에 동시에 출발했다면 다음번에 두 버스가 동시에 출발하는 시각은 오전 몇 시 몇 분입니까?

(   )

5-3 ㉮ 화분에는 12일마다 한 번씩 물을 주고, ㉯ 화분에는 8일마다 한 번씩 물을 줍니다. 월요일인 오늘 ㉮와 ㉯ 화분에 모두 물을 주었다면 다음번에 두 화분에 모두 물을 주는 날은 무슨 요일입니까?

(   )

5-4 가로가 16 cm, 세로가 20 cm인 직사각형 모양의 색종이를 겹치지 않게 이어 붙여 될 수 있는 대로 작은 정사각형 모양을 만들려고 합니다. 직사각형 모양의 색종이는 모두 몇 장 필요합니까?

(   )

몇의 배수인지 알면 곱으로 분해하기 쉽다.

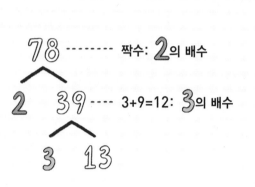

2의 배수	2로 나누어떨어짐	짝수
3의 배수	3으로 나누어떨어짐	각 자리 숫자의 합이 3의 배수
5의 배수	5로 나누어떨어짐	일의 자리 숫자가 0이거나 5
9의 배수	9로 나누어떨어짐	각 자리 숫자의 합이 9의 배수
4의 배수	4로 나누어떨어짐	끝의 두 자리 수가 00이거나 4의 배수
6의 배수	6으로 나누어떨어짐	각 자리 숫자의 합이 3의 배수이면서 짝수

다음 네 자리 수가 6의 배수일 때, ■ 안에 들어갈 수 있는 숫자는 몇 개인지 구하시오.

$$284■$$

6의 배수는 각 자리의 숫자의 합이 ☐의 배수이면서 짝수여야 합니다.

$2+8+4+■=14+■$가 ☐의 배수이므로 $14+■$는 15, 18, 21, 24······가 될 수 있습니다.

■는 한 자리 수이므로 ■가 될 수 있는 수는 ☐, ☐, ☐입니다.

$14+■=15$ $14+■=21$

$14+■=18$

■ 안에 수를 넣었을 때 짝수인 것은 ☐이므로 ■ 안에 들어갈 수 있는 숫자는 ☐개입니다.

6-1 다음 세 자리 수가 3의 배수일 때, ☐ 안에 들어갈 수 있는 숫자를 모두 구하시오.

$$34\square$$

(   )

6-2 다음 네 자리 수가 6의 배수일 때, ☐ 안에 들어갈 수 있는 숫자를 모두 구하시오.

$$847\square$$

(   )

6-3 다음과 같은 네 자리 수를 5의 배수도 되고, 6의 배수도 되게 만들려고 합니다. 만들 수 있는 수를 모두 구하시오.

5의 배수가 될 경우 ▲에 알맞은 수를 먼저 구할 수 있어.

$$25\blacksquare\blacktriangle$$

(   )

6-4 다음과 같은 다섯 자리 수를 4의 배수도 되고, 9의 배수도 되게 만들려고 합니다. 만들 수 있는 수는 모두 몇 개입니까?

$$\bigcirc989\bigcirc$$

(   )

복잡한 연산을 간단한 기호로 약속할 수 있다.

약속 　(어떤 수!)=1부터 어떤 수까지의 곱

$3! = 1 \times 2 \times 3 = 6$

$10! = 1 \times 2 \times 3 \times 4 \times 5 \times 6 \times 7 \times 8 \times 9 \times 10 = 3628800$

시속 100 km보다
빨리 운전하지
마시오.

시속 30 km보다
느리게 운전하지
마시오.

약속 을 보고 [48★64]◆12의 값을 구하시오.

약속
- 가★나: 가와 나의 최대공약수
- 가◆나: 가와 나의 최소공배수
- [가]: 가의 약수의 개수

① 48★64 ➡ 48과 64의 최대공약수 ⇨ ☐

② [48★64] ➡ ☐의 약수의 개수 ⇨ ☐ 개

③ [48★64]◆12 ➡ ☐의 약수의 개수와 12의 최소공배수

➡ ☐와 12의 최소공배수 ⇨ ☐

$5 \times 12 = 60$

[48 ★ 64] ◆ 12
①
②
③

7-1 약속 을 보고 [30★72]의 값을 구하시오.

> 약속 　가★나: 가와 나의 최대공약수
> 　　　　[가]: 가의 약수의 개수

(　　　　　　　)

7-2 약속 을 보고 [36★64]◈[12]의 값을 구하시오.

> 약속 　가★나: 가와 나의 최대공약수
> 　　　　가◈나: 가와 나의 최소공배수
> 　　　　[가]: 가의 약수의 개수

(　　　　　　　)

7-3 [가]는 가의 약수의 개수로 나타냅니다. 약속 을 보고 다음 식을 계산하시오.

> 약속 　나◎다: 나와 다의 최대공약수
> 　　　　나▣다: 나와 다의 최소공배수

$$[36◎20]+[24▣16]$$

(　　　　　　　)

7-4 <가>를 가의 약수의 개수로 약속할 때 다음을 계산하시오.

$$<<24>+<18>>×<16>$$

(　　　　　　　)

두 일은
반복되는 시간의 공배수가 될 때 동시에 일어난다.

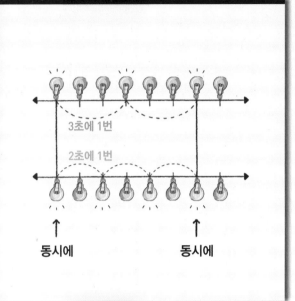

3초에 1번

2초에 1번

동시에   동시에

• 빨간색 전구: 6초 동안 켜졌다가 2초 꺼짐 → $\underset{8}{(6+2)}$초마다 켜짐

• 파란색 전구: 7초 동안 켜졌다가 3초 꺼짐 → $\underset{10}{(7+3)}$초마다 켜짐

➡ 8과 10의 최소공배수는 40이므로 빨간색 전구와 파란색 전구는 40초마다 동시에 켜집니다.

대표문제 **8**

하얀색 전구는 9초 동안 켜져 있다가 6초 동안 꺼져 있고, 노란색 전구는 7초 동안 켜져 있다가 3초 동안 꺼져 있습니다. 두 전구를 동시에 켰을 때 1분 동안 두 전구가 모두 켜져 있는 시간은 몇 초인지 구하시오.

하얀색 전구는 9＋6＝15(초)마다 켜지고, 노란색 전구는 7＋3＝10(초)마다 켜집니다.

15와 10의 최소공배수인 [ ]초마다 두 전구는 동시에 켜집니다.

하얀색 전구 |

노란색 전구 |

← 전구가 켜져 있는 시간을 색칠합니다.

0   10   20   30(초)

30초 동안 두 전구가 모두 켜져 있는 시간은 7＋2＋4＝[ ](초)입니다.

➡ 1분 동안 두 전구가 모두 켜져 있는 시간: [ ]×2＝[ ](초)

8-1 파란색 전구는 4초 동안 켜져 있다가 1초 동안 꺼지고, 빨간색 전구는 3초 동안 켜져 있다가 1초 동안 꺼집니다. 두 전구를 동시에 켠 후 다음번에 동시에 켜지는 시각은 몇 초 후입니까?

(   )

8-2 노란색 전구는 3초 동안 켜져 있다가 1초 동안 꺼지고, 초록색 전구는 6초 동안 켜져 있다가 4초 동안 꺼집니다. 두 전구를 동시에 켰을 때 20초 동안 두 전구가 모두 켜져 있는 시간은 몇 초입니까?

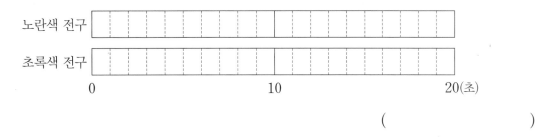

(   )

8-3 A 등대는 10초 동안 켜져 있다가 5초 동안 꺼지고, B 등대는 14초 동안 켜져 있다가 6초 동안 꺼집니다. 두 등대가 동시에 켜진 후 10분 동안 두 등대가 모두 켜져 있는 시간은 몇 초입니까?

(   )

8-4 초록색 등대는 7초 동안 켜져 있다가 5초 동안 꺼지고, 빨간색 등대는 12초 동안 켜져 있다가 3초 동안 꺼집니다. 두 등대가 동시에 켜진 후 30분 동안 두 등대가 모두 켜져 있는 시간은 몇 초입니까?

(   )

두 톱니 수의 공배수만큼 움직이면 맞물렸던 톱니가 다시 만난다.

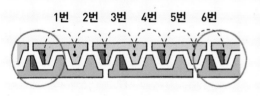

톱니 수가 2개, 3개인 톱니바퀴를
펼쳐서 맞물리면

> 톱니바퀴 (가)의 톱니 수: 28개
> 톱니바퀴 (나)의 톱니 수: 20개

➡ 28과 20의 최소공배수는 140이므로 처음 맞물린 두 톱니가 다시 만나려면 각 톱니바퀴는 140개씩 움직여야 합니다.

➡ (가)는 $140 \div 28 = 5$(번),
  (나)는 $140 \div 20 = 7$(번) 돌아야 합니다.

대표문제 9 톱니바퀴 2개가 맞물려 돌아가고 있습니다. 톱니바퀴의 톱니 수는 (가)가 24개, (나)가 18개입니다. 처음에 맞물렸던 두 톱니바퀴가 다시 만나려면 (가), (나) 톱니바퀴는 각각 몇 바퀴씩 돌아야 하는지 구하시오.

움직인 톱니 수가 두 톱니바퀴 수의 최소공배수일 때 처음 맞물렸던 톱니바퀴끼리 다시 만납니다.

24와 18의 최소공배수 ➡ ☐

(톱니바퀴의 회전 수)＝(톱니 수의 최소공배수)÷(톱니바퀴의 톱니 수)
움직인 톱니 수

(가): ☐ $\div 24 =$ ☐ (바퀴)

(나): ☐ $\div 18 =$ ☐ (바퀴)

9-1 (가), (나) 두 톱니바퀴가 맞물려 돌아가고 있습니다. 톱니 수는 (가)가 20개, (나)가 30개입니다. 처음에 맞물렸던 두 톱니바퀴가 다시 만나려면 적어도 몇 개의 톱니가 돌아야 합니까?

(   )

9-2 (가), (나) 두 톱니바퀴가 맞물려 돌아가고 있습니다. 톱니 수는 (가)가 28개, (나)가 42개입니다. 처음에 맞물렸던 두 톱니바퀴가 다시 만나려면 두 톱니바퀴는 각각 몇 바퀴씩 돌아야 합니까?

(가) (   ), (나) (   )

9-3 (가), (나) 두 톱니바퀴가 맞물려 돌아가고 있습니다. 톱니 수는 (가)가 30개, (나)가 48개입니다. (가) 톱니바퀴는 한 바퀴 도는 데 2분이 걸립니다. 두 톱니바퀴가 회전하기 전 맞물렸던 곳에서 처음 다시 만날 때는 몇 분 후입니까?

(   )

9-4 (가), (나) 두 톱니바퀴가 맞물려 돌고 있습니다. 톱니 수는 (가)가 27개, (나)가 63개입니다. 두 톱니바퀴는 3분 30초 후에 회전하기 전 맞물렸던 곳에서 처음 다시 만났습니다. (가) 톱니바퀴가 한 바퀴 도는 데 걸린 시간을 구하시오.

(   )

1 1부터 200까지의 자연수 중에서 4의 배수도 6의 배수도 아닌 자연수는 모두 몇 개입니까?

(   )

2 어떤 두 수의 최소공배수는 72이고, 두 수의 곱은 576입니다. 이 두 수의 공약수의 개수를 구하시오.

(   )

3 선미는 4일에 한 번씩 도서관에 가고, 윤호는 5일에 한 번씩 도서관에 갑니다. 선미와 윤호가 5월 3일에 도서관에서 만났다면 6월에 첫 번째로 다시 만나는 날은 6월 며칠입니까?

(   )

4 53과 78을 어떤 수로 나누면 나머지가 모두 3이라고 합니다. 어떤 수가 될 수 있는 자연수를 모두 구하시오.

먼저 생각해 봐요!
나누어떨어지게 하려면
나머지만큼 빼야겠지?

(   )

서술형 **5**　200보다 작은 세 자리 수 중에서 3, 4, 5로 나누어도 항상 2가 남는 수를 모두 구하려고 합니다. 풀이 과정을 쓰고 답을 모두 구하시오.

풀이

답

6　가로가 $84\,\text{m}$, 세로가 $60\,\text{m}$인 직사각형 모양의 땅 둘레에 같은 간격으로 깃발을 꽂으려고 합니다. 깃발을 될 수 있는 대로 적게 꽂고 네 꼭짓점에는 반드시 깃발을 꽂으려고 할 때, 깃발은 모두 몇 개 필요합니까?

(　　　　　)

7　오른쪽 그림과 같이 가로가 $16\,\text{cm}$, 세로가 $10\,\text{cm}$, 높이가 $8\,\text{cm}$인 직육면체 모양의 벽돌이 있습니다. 이 벽돌을 같은 방향으로 빈틈없이
직사각형 모양의 면 6개로 둘러싸인 도형
쌓아 가능한 한 작은 정육면체를 만들려고 합니다. 벽돌은 적어도 몇
정사각형 모양의 면 6개로 둘러싸인 도형
개 필요합니까?

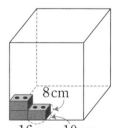
8 cm
16 cm　10 cm

(　　　　　)

8 조건을 모두 만족하는 두 수를 구하시오.

> • 두 수의 합은 120입니다.
> • 두 수의 최대공약수는 24입니다.
> • 두 수의 최소공배수는 144입니다.

( )

9 6의 배수인 네 자리 수 8★■6을 만들려고 합니다. ■가 ★보다 3 큰 수라고 할 때, 만들 수 있는 수는 모두 몇 개입니까?

( )

10 {A, B}=C에서 C는 A와 B의 공약수의 개수라고 할 때, {72, □}=6을 만족하는 수를 구하려고 합니다. □ 안에 들어갈 수 있는 수 중 가장 작은 수를 구하시오.

( )

3

규칙과 대응

1 두 양 사이의 관계

• 한 양이 변할 때 다른 양이 그에 따라 일정하게 변하는 관계를 대응 관계라고 합니다.

두 양 사이의 대응 관계 알아보기

   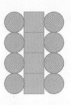

• 사각형 1개에 원은 2개씩 필요하므로 사각형이 10개일 때 원은 20개입니다.

• 원 2개에 사각형은 1개씩 필요하므로 원이 10개일 때 사각형은 5개입니다.

➡ • 원의 수는 사각형의 수의 2배입니다.

  • 사각형의 수는 원의 수의 반과 같습니다.

[1~3] 도형의 배열을 보고 물음에 답하시오.

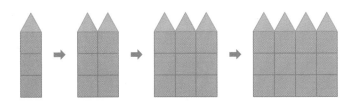

1 삼각형의 수와 사각형의 수 사이의 관계를 생각하며 □ 안에 알맞은 수를 써넣으시오.

  • 삼각형이 10개일 때 필요한 사각형은 □개입니다.

  • 삼각형이 20개일 때 필요한 사각형은 □개입니다.

2 사각형이 90개일 때 삼각형은 몇 개 필요합니까?

(   )

3 삼각형의 수와 사각형의 수 사이의 대응 관계를 써 보시오.

규칙적인 배열에서 두 양 사이의 대응 관계 알아보기

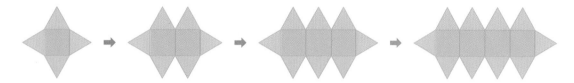

		3−2	4−2	5−2	6−2	7−2	
노란색 사각판의 수(개)		1	2	3	4	5	……
빨간색 사각판의 수(개)		3	4	5	6	7	……
		1+2	2+2	3+2	4+2	5+2	

➡ • 노란색 사각판의 수에 2를 더하면 빨간색 사각판의 수와 같습니다.

  • 빨간색 사각판의 수에서 2를 빼면 노란색 사각판의 수와 같습니다.

[4~6] 도형의 배열을 보고 물음에 답하시오.

4 사각형의 수와 삼각형의 수가 어떻게 변하는지 표를 이용하여 알아보시오.

사각형의 수(개)	1	2	3	4	5	……
삼각형의 수(개)						……

5 사각형이 20개일 때 삼각형은 몇 개 필요합니까?

(   )

6 사각형의 수와 삼각형의 수 사이의 대응 관계를 써 보시오.

2 대응 관계를 식으로 나타내기

• 두 양 사이의 대응 관계를 식으로 간단하게 나타낼 때에는 각 양을 ○, □, △ 등과 같은 기호로 표현할 수 있습니다.

두 양 사이의 대응 관계를 식으로 나타내기

설탕 45g

• 서로 관계가 있는 두 양 사이의 대응 관계 찾기

	서로 관계가 있는 두 양		대응 관계
①	의자의 수	의자 다리의 수	(의자의 수)×4＝(의자 다리의 수)
②	누름 못의 수	그림의 수	(그림의 수)＋1＝(누름 못의 수)
③	아이스크림의 수	설탕의 양	(아이스크림의 수)×45＝(설탕의 양)
④	주스 병의 수	주스의 양	(주스 병의 수)×200＝(주스의 양)

• 대응 관계를 식으로 나타내기

① 의자의 수를 □, 의자 다리의 수를 ○라고 하면 대응 관계는 □×4＝○입니다.
② 누름 못의 수를 ♡, 그림의 수를 □라고 하면 대응 관계는 ♡＝□＋1입니다.
③ 아이스크림의 수를 △, 설탕의 양을 ◇라고 하면 대응 관계는 △×45＝◇입니다.
④ 주스 병의 수를 ☆, 주스의 양을 ○라고 하면 대응 관계는 ☆×200＝○입니다.

1 한 모둠에 6명씩 앉아 있습니다. 모둠의 수를 □, 학생의 수를 △라고 할 때, 두 양 사이의 대응 관계를 식으로 나타내어 보시오.

2 기차는 1시간에 약 130 km를 이동합니다. 기차가 이동하는 시간을 △(시간), 이동하는 거리를 ○(km)라고 할 때, 두 양 사이의 대응 관계를 식으로 나타내어 보시오.

3 대응 관계를 나타낸 식을 보고, 식에 알맞은 상황을 써 보시오.

$$\diamondsuit - 2 = \bigcirc$$

_____

2-2
BASIC CONCEPT

두 수 사이의 대응 관계 추측하기

내가 말한 수에 따라 짝이 만든 대응 관계에 알맞은 수를 답합니다.

내가 말한 수	2	8	15	4
짝이 답한 수	7	13	20	9

➡ 내가 말한 수를 □, 짝이 답한 수를 ♡라고 할 때 두 수 사이의 대응 관계는 □＋5＝♡입니다.

4 도현이는 친구들과 함께 색종이를 이용하여 운동회에서 사용할 응원 도구를 만들었습니다. 응원 도구를 만들기 위해 사용한 색종이의 수를 ☆, 만든 응원 도구의 수를 △라고 할 때, 두 양 사이의 대응 관계를 표를 이용하여 찾고 식으로 나타내어 보시오.

색종이의 수(장)	15	6	21		9	6	……
응원 도구의 수(개)	5		7	10		2	……

_____

5 내가 3을 말하면 짝이 9를 답하고, 12를 말하면 18을 답하고, 7을 말하면 13을 답했습니다. 내가 말한 수를 △, 짝이 답한 수를 ○라고 할 때, 두 양 사이의 대응 관계를 식으로 나타내어 보시오.

_____

★씩 커지는 수는 먼저 ★의 배수가 되는지 확인한다.

☆	1	2	3	4
☆×2	2	4	6	8
●	3	5	7	9

●＝☆×2+1

□	1	2	3	4	5	6
○	3	5	7	9	11	13

□가 1씩 커질 때마다 ○는 2씩 커지므로
□×2와 ○를 비교합니다.

□×2	2	4	6	8	10	12
○	3	5	7	9	11	13

➡ ○＝□×2+1

대표문제 1

♡와 △ 사이의 대응 관계를 나타낸 표입니다. ♡가 25일 때 △의 값을 구하시오.

♡	1	2	3	4	5	6
△	2	5	8	11	14	17

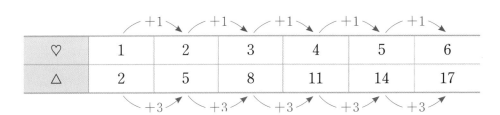

♡	1	2	3	4	5	6
△	2	5	8	11	14	17

♡가 1씩 커질 때마다 △는 ☐씩 커지므로 ♡×☐과 △를 비교합니다.

♡×3						
△	2	5	8	11	14	17

➡ △＝♡×☐－☐

따라서 ♡가 25일 때 △＝☐×☐－☐＝☐입니다.

1-1 ☆과 ○ 사이의 대응 관계를 나타낸 표입니다. ☆이 16일 때 ○의 값을 구하시오.

☆	1	2	3	4	5	6
○	6	11	16	21	26	31

(   )

1-2 ◇와 ♡ 사이의 대응 관계를 나타낸 표입니다. ◇가 23일 때 ♡의 값을 구하시오.

◇	1	2	3	4	5	6
♡	4	10	16	22	28	34

(   )

1-3 □와 △ 사이의 대응 관계를 나타낸 표입니다. △가 75일 때 □의 값을 구하시오.

□	1	2	3	4	5	6
△	7	11	15	19	23	27

(   )

순서와 수 사이의 대응 관계를 찾는다.

$$2 \quad 4 \quad 6 \quad 8 \cdots$$

$$\uparrow \quad \uparrow \quad \uparrow \quad \uparrow$$

$$1 \times 2 \quad 2 \times 2 \quad 3 \times 2 \quad 4 \times 2$$

$$(수) = (순서) \times 2$$

| 4, 8, 12, 16, 20 …… |

순서	1	2	3	4	5	……
수	4	8	12	16	20	……
	1×4	2×4	3×4	4×4	5×4	

➡ $(수) = (순서) \times 4$

대표문제 2

규칙에 따라 수를 늘어놓았습니다. 30번째 수를 구하시오.

| 1, 4, 7, 10, 13 …… |

순서	1	2	3	4	5	……
수	1	4	7	10	13	……
	$1 \times 3 - 2$	$2 \times 3 - 2$	$3 \times 3 - 2$	$4 \times 3 - 2$	$5 \times 3 - 2$	

순서를 ○, 수를 ◇라고 하면 ◇=○× ☐ − ☐ 입니다.

○=30일 때 ◇= ☐ × ☐ − ☐

$\quad\quad\quad\quad = ☐ − ☐$

$\quad\quad\quad\quad = ☐$

따라서 30번째 수는 ☐ 입니다.

2-1 규칙에 따라 수를 늘어놓았습니다. 27번째 수를 구하시오.

$$3, \ 5, \ 7, \ 9, \ 11 \cdots$$

(   )

2-2 규칙에 따라 수를 늘어놓았습니다. 35번째 수를 구하시오.

$$2, \ 6, \ 10, \ 14, \ 18 \cdots$$

(   )

2-3 규칙에 따라 수를 늘어놓았습니다. 66은 몇 번째 수입니까?

$$1, \ 6, \ 11, \ 16, \ 21 \cdots$$

(   )

2-4 규칙에 따라 수 카드를 늘어놓았습니다. 늘어놓은 수 카드 중에서 100보다 작은 수가 쓰여 있는 카드는 모두 몇 장입니까?

$$\boxed{9} \ \ \boxed{15} \ \ \boxed{21} \ \ \boxed{27} \ \ \boxed{33} \ \ \cdots$$

(   )

변하지 않는 부분과 변하는 부분을 구별한다.

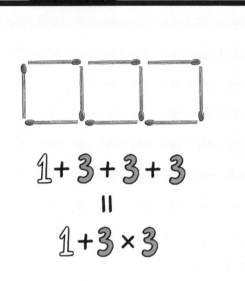

$$1+3+3+3$$
$$=$$
$$1+3\times3$$

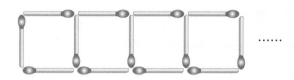

정사각형의 수(□)	1	2	3	4	......
성냥개비의 수(○)	4	7	10	13	......

$1+3\times1 \quad 1+3\times2 \quad 1+3\times3 \quad 1+3\times4$

변하지 않는 부분
➡ ○=1+3×□
변하는 부분

대표문제 **3**

다음과 같이 성냥개비로 정오각형을 만들고 있습니다. 정오각형을 20개 만들려면 필요한 성냥개비는 몇 개인지 구하시오.

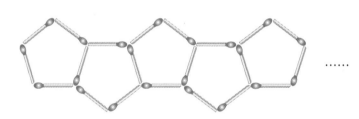
......

정오각형의 수(☆)	1	2	3	4	5	......
성냥개비의 수(△)	5	9				......

$1+4\times1 \quad 1+4\times2 \quad 1+4\times3 \quad 1+4\times4 \quad 1+4\times5$

정오각형이 1개 늘어날 때마다 성냥개비는 [　]개씩 늘어나므로

$\triangle=$ [　] $+$ [　] $\times$ ☆입니다.

☆=20일 때 $\triangle=$ [　] $+$ [　] $\times$ [　]

$=$ [　] $+$ [　]

$=$ [　]

따라서 정오각형을 20개 만들려면 필요한 성냥개비는 [　]개입니다.

3-1 다음과 같이 성냥개비로 정삼각형을 만들고 있습니다. 정삼각형을 40개 만들려면 필요한 성냥개비는 몇 개입니까?

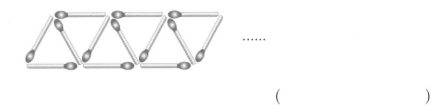

(   )

3-2 다음과 같이 성냥개비로 정육각형을 만들고 있습니다. 정육각형을 30개 만들려면 필요한 성냥개비는 몇 개입니까?

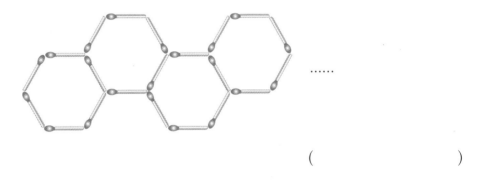

(   )

3-3 다음과 같이 성냥개비로 마름모를 만들고 있습니다. 성냥개비 37개로 만든 마름모는 몇 개입니까?

(   )

71   3. 규칙과 대응

일정하게 늘어나면 대응 관계를 식으로 나타낼 수 있다.

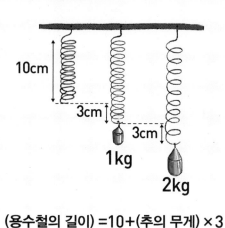

10cm

3cm

3cm

1kg

2kg

(용수철의 길이) =10+(추의 무게) × 3

10 cm인 용수철이 1 kg의 추를 달 때마다 3 cm씩 늘어날 때

추의 무게(kg)	1	2	3	4	......
용수철의 길이(cm)	13	16	19	22	......

추의 무게를 ☆ (kg), 용수철의 길이를 ○ (cm)라고 하면
10＋☆×3＝○입니다.

4 현아네 샤워기에서는 1분에 12 L의 물이 나옵니다. 현아는 물이 5 L 담겨 있는 욕조에 샤워기로 물을 더 받으려고 합니다. 욕조에 담긴 물이 113 L가 될 때는 샤워기를 틀어 놓고 몇 분 후인지 구하시오.

욕조에 담긴 물의 양은 ☐ L에서 1분이 지날 때마다 ☐ L씩 늘어나므로

샤워기를 틀어 놓은 시간을 ◇(분), 욕조에 담긴 물의 양을 △ (L)라고 하면

☐＋☐×◇＝△입니다.

△＝113일 때 ☐＋☐×◇＝113

☐×◇＝113－☐

☐×◇＝☐

◇＝☐÷☐

◇＝☐

따라서 욕조에 담긴 물이 113 L가 될 때는 샤워기를 틀어 놓은지 ☐분 후입니다.

서술형 **4-1** 온도가 $28℃$인 물을 끓이면 1분에 $6℃$씩 물의 온도가 높아진다고 합니다. 물의 온도가 $100℃$가 될 때는 물을 끓이기 시작하고 몇 분 후인지 풀이 과정을 쓰고 답을 구하시오.

풀이 ....

....

....

....

답 ....

4-2 물탱크에 물이 $400 L$ 들어 있었는데 1분에 $5 L$씩 물을 사용하려고 합니다. 물탱크에 남은 물이 $250 L$가 될 때는 물을 사용한지 몇 분 후입니까?

( )

4-3 길이가 $24 cm$인 어떤 양초에 불을 붙이면 5분에 $2 cm$씩 길이가 짧아진다고 합니다. 남은 양초의 길이가 $10 cm$가 될 때는 양초에 불을 붙인지 몇 분 후입니까?

( )

4-4 민호는 ㉮ 지점에서 $10 km$ 떨어진 ㉯ 지점까지 1분에 $80 m$씩 걸어서 가려고 합니다. 민호가 ㉮ 지점에서 출발하여 ㉯ 지점까지 남은 거리가 $1.2 km$일 때 민호는 몇 시간 몇 분 동안 걸었습니까?

( )

자른 횟수와 도막의 수 사이의 대응 관계를 찾는다.

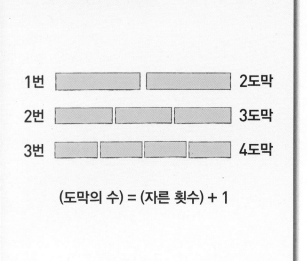

1번 ⬜ ⬜ **2도막**

2번 ⬜ ⬜ ⬜ **3도막**

3번 ⬜ ⬜ ⬜ ⬜ **4도막**

(도막의 수) = (자른 횟수) + 1

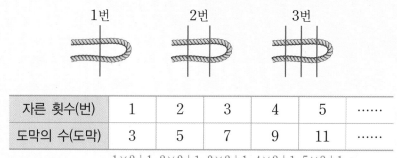

자른 횟수(번)	1	2	3	4	5	⋯⋯
도막의 수(도막)	3	5	7	9	11	⋯⋯

$1×2+1$ $2×2+1$ $3×2+1$ $4×2+1$ $5×2+1$

➡ (도막의 수)=(자른 횟수)×2+1

대표문제 5

다음과 같은 방법으로 실을 잘라 여러 도막으로 나누려고 합니다. 자른 횟수를 ○, 도막의 수를 □라 할 때 ○와 □ 사이의 대응 관계를 식으로 나타내고, 실을 10번 잘랐을 때 나누어진 실은 몇 도막인지 구하시오.

자른 횟수(번)	1	2	3	4	5	6
도막의 수(도막)	4	7				

$1×3+1$ $2×3+1$ $3×3+1$ $4×3+1$ $5×3+1$ $6×3+1$

➡ □=○×☐+☐

○가 10일 때 □=☐×☐+☐=☐이므로

실을 10번 잘랐을 때 나누어진 실은 ☐도막입니다.

5-1 다음과 같은 방법으로 종이 띠를 잘라 여러 조각으로 나누려고 합니다. 자른 횟수를 ○, 조각의 수를 □라 할 때 ○와 □ 사이의 대응 관계를 식으로 나타내고, 종이 띠를 15번 잘랐을 때 나누어진 조각은 몇 개인지 구하시오.

(   ), (   )

5-2 다음과 같은 방법으로 실을 잘라 여러 도막으로 나누려고 합니다. 자른 횟수를 ○, 도막의 수를 □라 할 때 ○와 □ 사이의 대응 관계를 식으로 나타내고, 실을 20번 잘랐을 때 나누어진 실은 몇 도막인지 구하시오.

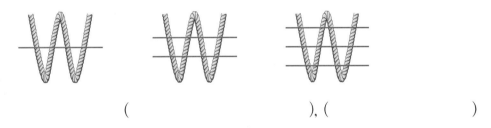

(   ), (   )

5-3 다음과 같은 방법으로 색종이를 접었다 펼친 후 접힌 선을 따라 잘라서 여러 조각으로 나누려고 합니다. 색종이를 9번 접었다 펼친 후 접힌 선을 따라 자르면 나누어진 조각은 몇 개입니까?

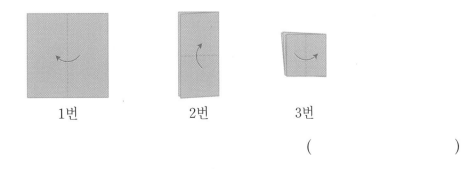

1번   2번   3번

(   )

최상위

두 가지 대응 관계는 따로 생각한다.

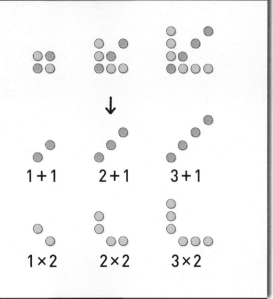

순서(☆)	1	2	3	4	……
빨간색 구슬 수(□)	1+1	2+1	3+1	4+1	……
보라색 구슬 수(△)	1×2	2×2	3×2	4×2	……

➡ □=☆+1, △=☆×2

대표문제 6

다음과 같은 규칙으로 바둑돌을 놓을 때 30번째에 놓을 흰색 바둑돌과 검은색 바둑돌 수의 차는 몇 개인지 구하시오.

순서(○)	1	2	3	4	5	……
흰색 바둑돌 수(□)	1×1	2×2				……
검은색 바둑돌 수(△)	2×4	3×4				……

➡ □=□×□, △=(○+□)×□

○가 30일 때 □=□×□=□

△=(□+□)×□=□

➡ □−△=□−□=□

따라서 30번째에 놓을 흰색 바둑돌과 검은색 바둑돌 수의 차는 □개입니다.

6-1 다음과 같은 규칙으로 단추를 놓을 때 40번째에 놓을 파란색 단추와 보라색 단추 수의 차는 몇 개입니까?

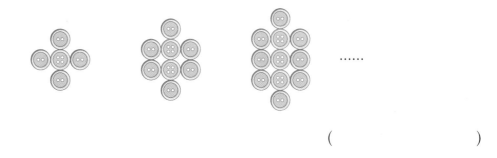

(   )

6-2 다음과 같은 규칙으로 색종이를 붙일 때 20번째에 붙일 노란 색종이와 초록 색종이 수의 차는 몇 장입니까?

(   )

6-3 다음과 같은 규칙으로 바둑돌을 놓아 정사각형 모양을 만들고 있습니다. 흰색 바둑돌과 검은색 바둑돌 수의 차가 64개인 정사각형 모양은 몇 번째입니까?

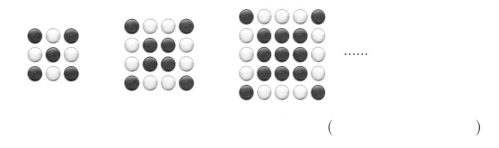

(   )

직선끼리 모두 만나면 점이 가장 많이 생긴다.

 1개

 (1+2)개

 (1+2+3)개

원을 나눈 부분의 수가 최대가 되도록 직선을 그으려면

새로 그은 직선이 그어져 있는 직선과 모두 만나야 합니다.

직선의 수(□)	0	1	2	3	4	⋯⋯
부분의 수(△)	1	2	4	7	11	⋯⋯

+1 +2 +3 +4

➡ $\triangle = 1+1+2+3+\cdots\cdots+\square$

대표문제 7

다음과 같이 원을 나눈 부분의 수가 최대가 되도록 직선을 그었습니다. 직선을 9개 그었을 때 원을 나눈 부분은 몇 개인지 구하시오.

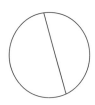 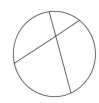 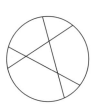

원을 나눈 부분의 수가 최대가 되도록 직선을 그으려면 직선끼리 모두 한 번씩 만나도록 그어야 합니다.

직선의 수(□)	1	2	3	4	5	⋯⋯
부분의 수(△)	2	4	7			⋯⋯

+2 +3 +□ +□

➡ $\triangle = 2+2+3+4+\cdots\cdots+\square$

□=9일 때 $\triangle = 2+2+3+4+\boxed{}+\boxed{}+\boxed{}+\boxed{}+\boxed{}=\boxed{}$

따라서 직선을 9개 그었을 때 원을 나눈 부분은 $\boxed{}$ 개입니다.

7-1 다음과 같이 만나는 점의 수가 최대가 되도록 직선을 그었습니다. 직선을 12개 그었을 때 만나는 점은 몇 개입니까?

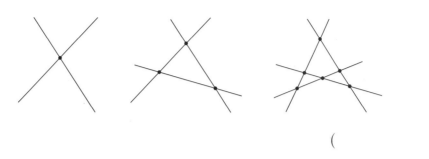

(   )

서술형 **7-2** 다음과 같이 사각형을 나눈 부분의 수가 최대가 되도록 직선을 그었습니다. 직선을 15개 그었을 때 사각형을 나눈 부분은 몇 개인지 풀이 과정을 쓰고 답을 구하시오.

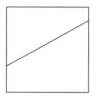 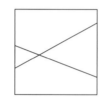

풀이

....

....

....

....

답 ....

7-3 다음과 같이 마름모를 나눈 부분의 수가 최대가 되도록 직선을 그었습니다. 마름모를 나눈 부분이 37개가 되려면 직선을 적어도 몇 개 그어야 합니까?

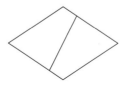 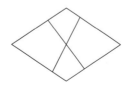 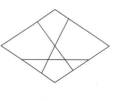

(   )

MATH MASTER

1 ○와 △ 사이의 대응 관계를 나타낸 표입니다. 빈칸에 알맞은 수를 써넣고, ○와 △ 사이의 대응 관계를 식으로 나타내어 보시오.

○	1	2	3	4		6
△	3	7	11		19	

( )

2 지면으로부터 높이가 500 m 높아질 때마다 기온이 3 ℃씩 내려간다고 합니다. 지면의 기온이 36 ℃일 때 기온이 0 ℃가 되는 지점은 지면으로부터 높이가 몇 km인 지점입니까?

( )

3 규칙에 따라 수 카드를 두 장씩 짝 지어 놓을 때 ㉠에 알맞은 수를 구하시오.

9 25   4 10   11 31   ㉠ 52

( )

4 서울이 오후 3시일 때 로마는 같은 날 오전 7시입니다. 서울에 사는 수연이는 7월 1일 오후 11시 45분에 출발하여 10시간 동안 비행기를 타고 로마에 도착했습니다. 수연이가 로마에 도착했을 때 로마는 몇 월 며칠 몇 시 몇 분입니까?

(   )

5 다음과 같이 성냥개비로 상자 모양을 만들고 있습니다. 상자 모양을 23개 만들려면 필요한 성냥개비는 몇 개입니까?

 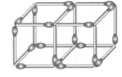 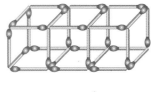

(   )

서술형 **6** 서진이가 집을 출발한 지 8분 후에 오빠가 서진이를 만나기 위해 뒤따라 출발했습니다. 서진이는 1분에 70 m씩 걸어가고, 오빠는 1분에 126 m씩 뛰어갔습니다. 오빠는 출발한 지 몇 분 후에 서진이를 만날 수 있는지 풀이 과정을 쓰고 답을 구하시오.

풀이

....

....

....

....

답 ....

7 다음과 같이 사각형 ㄱㄴㄷㄹ의 각 꼭짓점에 0부터 900까지의 수를 순서대로 쓰고 있습니다. 꼭짓점 ㄹ에 200번째로 쓸 수를 구하시오.

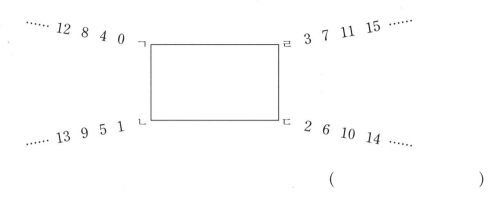

(   )

8 긴 통나무를 15도막으로 자르려고 합니다. 한 번 자르는 데 8분이 걸리고 한 번 자르고 나면 3분씩 쉰다고 합니다. 오전 9시에 통나무를 자르기 시작했다면 통나무 자르기가 끝나는 시각은 오전 몇 시 몇 분입니까?

(   )

9 다음과 같은 규칙에 따라 수를 늘어놓았습니다. 파란색 화살표 방향으로 18번째 수를 구하시오.

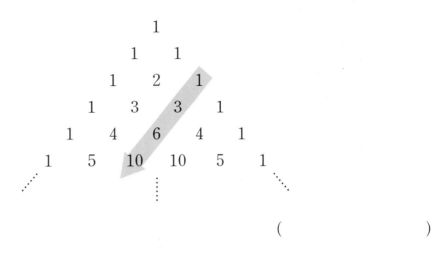

(   )

10 정삼각형의 세 변을 각각 이등분하여 만든 정삼각형 중 가운데 정삼각형만 색칠하고 있습니다. 이 과정을 반복하여 그릴 때, 일곱 번째 그림에서 색칠한 정삼각형은 모두 몇 개입니까?

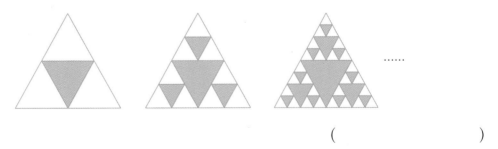

(   )

Brain👍

그림의 화살표와 숫자는 화살표의 방향으로 색칠된 칸의 숫자를 나타냅니다.
㉠를 보고 알맞게 색칠해 보세요.

4

약분과 통분

1 약분

• 분모와 분자를 0이 아닌 같은 수로 각각 나누어도 분수의 크기는 같습니다.

분수의 약분

• 약분: 분모와 분자를 공약수로 나누어 간단히 하는 것

$$\frac{18}{27} \xrightarrow{\text{18과 27의 공약수: 1, 3, 9}} \frac{18}{27} = \frac{18 \div 3}{27 \div 3} = \frac{6}{9}, \ \frac{18}{27} = \frac{18 \div 9}{27 \div 9} = \frac{2}{3}$$

• 기약분수: 분모와 분자의 공약수가 1뿐인 분수 예 $\frac{1}{2}$, $\frac{3}{5}$

기약분수로 나타내는 방법

방법1 분모와 분자를 공약수가 1이 될 때까지 약분하기

$$\frac{8}{24} = \frac{8 \div 2}{24 \div 2} = \frac{4}{12} \rightarrow \frac{4}{12} = \frac{4 \div 2}{12 \div 2} = \frac{2}{6} \rightarrow \frac{2}{6} = \frac{2 \div 2}{6 \div 2} = \frac{1}{3}$$

방법2 분모와 분자의 최대공약수로 약분하기

$$\frac{8}{24} = \frac{8 \div 8}{24 \div 8} = \frac{1}{3}$$

└── 8과 24의 최대공약수

1 다음 중 $\frac{36}{60}$을 약분한 수가 <u>아닌</u> 것을 모두 고르시오. (   )

① $\frac{3}{5}$ ② $\frac{8}{10}$ ③ $\frac{9}{15}$ ④ $\frac{18}{30}$ ⑤ $\frac{16}{24}$

2 분모가 15인 진분수 중에서 기약분수는 모두 몇 개입니까?

(   )

3 두 수는 $\dfrac{48}{72}$과 크기가 같은 분수입니다. ■와 ▲에 알맞은 수를 구하시오.

$$\frac{4}{■}, \quad \frac{▲}{3}$$

■ (   ), ▲ (   )

4 ㉠과 ㉡의 합은 85이고, $\dfrac{㉠}{㉡}$을 약분하면 $\dfrac{5}{12}$입니다. ㉠과 ㉡에 알맞은 수를 구하시오.

㉠ (   ), ㉡ (   )

크기가 같은 분수의 성질

크기가 같은 분수에서 $\dfrac{(분자들의 \ 합)}{(분모들의 \ 합)}$은 처음 분수와 크기가 같습니다.

$$\frac{3}{5} = \frac{6}{10} = \frac{9}{15} \ \Rightarrow \ \frac{3+6+9}{5+10+15} = \frac{18}{30} = \frac{3}{5}$$

$(1+2+3=6)$으로 약분합니다.

$$\frac{3+6+9}{5+10+15} = \frac{3\times1+3\times2+3\times3}{5\times1+5\times2+5\times3} = \frac{3\times(1+2+3)}{5\times(1+2+3)} = \frac{3}{5}$$

5 다음과 크기가 같은 기약분수를 구하시오.

$$\frac{25+20+15+10+5}{30+24+18+12+6}$$

(   )

2 통분

• 분모와 분자에 0이 아닌 같은 수를 각각 곱해도 분수의 크기는 같습니다.

분수의 통분

• 통분: 분수의 분모를 같게 만드는 것
• 공통분모: 통분한 분모

$$\frac{3}{4}=\frac{6}{8}=\frac{9}{12}=\frac{12}{16}=\frac{15}{20}=\frac{18}{24}=\cdots\cdots$$

$$\frac{5}{6}=\frac{10}{12}=\frac{15}{18}=\frac{20}{24}=\frac{25}{30}=\frac{30}{36}=\cdots\cdots$$

공통분모는 4와 6의 공배수: 12, 24……

➡ $\left(\dfrac{3}{4},\ \dfrac{5}{6}\right)=\left(\dfrac{9}{12},\dfrac{10}{12}\right)=\left(\dfrac{18}{24},\ \dfrac{20}{24}\right)=\cdots\cdots$

분수를 통분하는 방법

방법1 분모의 곱을 공통분모로 통분하기 — 공통분모를 쉽게 구할 수 있지만 수가 큽니다.

$$\left(\frac{3}{8},\ \frac{1}{6}\right)=\left(\frac{3\times6}{8\times6},\ \frac{1\times8}{6\times8}\right)=\left(\frac{18}{48},\ \frac{8}{48}\right)$$

방법2 분모의 최소공배수를 공통분모로 통분하기 — 최소공배수를 구해야 하지만 수가 작습니다.

$$\left(\frac{3}{8},\ \frac{1}{6}\right)=\left(\frac{3\times3}{8\times3},\ \frac{1\times4}{6\times4}\right)=\left(\frac{9}{24},\ \frac{4}{24}\right)$$

8과 6의 최소공배수: 24

---

1 $\dfrac{5}{12}$ 와 크기가 같은 분수 중에서 분모가 20보다 크고 50보다 작은 분수는 몇 개입니까?

( )

2 $\dfrac{3}{4}$ 과 $\dfrac{5}{7}$ 를 공통분모가 가장 큰 두 자리 수가 되도록 통분하시오.

( )

정답과 풀이 **44**쪽

3 $\dfrac{4}{9}$의 분모에 18을 더했을 때, 분자에 얼마를 더해야 처음 분수와 크기가 같아집니까?

(   )

BASIC CONCEPT

통분하기 전의 기약분수 구하기

같은 수를 분모와 분자에 곱하여 통분한 것이므로 분모와 분자의 최대공약수로 다시 약분합니다.

$$\left(\frac{16}{64}, \frac{24}{64}\right) \Rightarrow \left(\frac{16 \div 16}{64 \div 16}, \frac{24 \div 8}{64 \div 8}\right) \Rightarrow \left(\frac{1}{4}, \frac{3}{8}\right)$$

64와 16의 최대공약수: 16   64와 24의 최대공약수: 8

4 다음 수를 보고, 통분하기 전의 두 분수를 구하시오.

$$\frac{15}{36}, \frac{14}{36}$$

(   )

BASIC CONCEPT

중등연계

분수의 등식을 간단한 곱셈식으로 나타내기

$$\frac{3}{5} = \frac{6}{10} \Rightarrow \frac{3 \times (\overset{1}{\cancel{5}} \times 10)}{\cancel{5}_{1}} = \frac{6 \times (5 \times \overset{1}{\cancel{10}})}{\cancel{10}_{1}} \Rightarrow 3 \times 10 = 6 \times 5 \Rightarrow \boxed{\frac{b}{a} = \frac{d}{c} \rightarrow b \times c = d \times a}$$

5 □ 안에 알맞은 수를 써넣으시오.

$$\frac{3}{25} = \frac{\blacksquare}{75} \Rightarrow 3 \times 75 = \blacksquare \times 25$$

$$\Rightarrow \blacksquare = \boxed{}$$

3 분수의 크기 비교

- 분모가 같은 경우 분자가 클수록 큰 수입니다.
- 분자가 같은 경우 분모가 작을수록 큰 수입니다.

두 분수의 크기 비교하는 방법

통분한 후 분자의 크기를 비교합니다.

$$\left(\frac{3}{4}, \frac{5}{9}\right) = \left(\frac{3\times9}{4\times9}, \frac{5\times4}{9\times4}\right) = \left(\frac{27}{36}, \frac{20}{36}\right) \Rightarrow \frac{27}{36} > \frac{20}{36} \Rightarrow \frac{3}{4} > \frac{5}{9}$$

세 분수의 크기 비교하는 방법

$\frac{2}{3}, \frac{5}{6}, \frac{7}{9}$의 크기 비교

방법1 두 분수씩 통분하여 비교하기

$$\left[\begin{array}{l} \left(\frac{2}{3}, \frac{5}{6}\right) = \left(\frac{4}{6}, \frac{5}{6}\right) \rightarrow \frac{2}{3} < \frac{5}{6} \\ \left(\frac{2}{3}, \frac{7}{9}\right) = \left(\frac{6}{9}, \frac{7}{9}\right) \rightarrow \frac{2}{3} < \frac{7}{9} \\ \left(\frac{5}{6}, \frac{7}{9}\right) = \left(\frac{15}{18}, \frac{14}{18}\right) \rightarrow \frac{5}{6} > \frac{7}{9} \end{array}\right] \Rightarrow \frac{5}{6} > \frac{7}{9} > \frac{2}{3}$$

방법2 세 분모의 최소공배수로 통분하여 비교하기

3, 6, 9의 최소공배수는 18이므로

$$\left(\frac{2}{3}, \frac{5}{6}, \frac{7}{9}\right) = \left(\frac{12}{18}, \frac{15}{18}, \frac{14}{18}\right) \rightarrow \frac{15}{18} > \frac{14}{18} > \frac{12}{18} \Rightarrow \frac{5}{6} > \frac{7}{9} > \frac{2}{3}$$

1 $\frac{7}{10}$보다 작은 분수에 모두 ○표 하시오.

$$\frac{4}{5} \qquad \frac{13}{20} \qquad \frac{41}{50} \qquad \frac{53}{70} \qquad \frac{67}{100}$$

2 □ 안에 들어갈 수 있는 자연수를 모두 구하시오.

$$\frac{1}{3} < \frac{\square}{8} < \frac{11}{12}$$

( )

분수와 소수의 크기 비교하기

분수를 소수로 나타내거나 소수를 분수로 나타내어 비교합니다.

$\left(\dfrac{3}{5}, 0.8\right)$ ➡ $\dfrac{3}{5}=\dfrac{6}{10}=0.6$이므로 $0.6<0.8$ ➡ $\dfrac{3}{5}<0.8$

$\left(\dfrac{3}{5}, 0.8\right)$ ➡ $0.8=\dfrac{8}{10}=\dfrac{4}{5}$이므로 $\dfrac{3}{5}<\dfrac{4}{5}$ ➡ $\dfrac{3}{5}<0.8$

3 분수와 소수의 크기를 비교하여 가장 큰 수를 쓰시오.

$$\dfrac{4}{5},\ 0.7,\ \dfrac{3}{4},\ 0.85$$

(   )

분모와 분자의 차가 일정한 분수의 크기 비교하기

분모와 분자의 차가 같은 진분수는 분모가 클수록 큽니다.

$\left(\dfrac{7}{8}, \dfrac{4}{5}, \dfrac{9}{10}\right)=\left(1-\dfrac{1}{8},\ 1-\dfrac{1}{5},\ 1-\dfrac{1}{10}\right)$ 1에서 작은 수를 뺄수록 큰 수입니다. ➡ $\dfrac{4}{5}<\dfrac{7}{8}<\dfrac{9}{10}$

4 세 분수의 크기를 비교하여 큰 수부터 차례로 쓰시오.

$$\dfrac{8}{9},\ \dfrac{7}{8},\ \dfrac{11}{12}$$

(   )

분자를 같게 하여 분수의 크기 비교하기

분자가 같을 경우 분모가 작을수록 큰 수입니다.

$\left(\dfrac{4}{9}, \dfrac{8}{15}\right)$ ➡ $\left(\dfrac{4\times2}{9\times2}, \dfrac{8}{15}\right)$ ➡ $\left(\dfrac{8}{18}, \dfrac{8}{15}\right)$ ➡ $\dfrac{8}{18}<\dfrac{8}{15}$ ➡ $\dfrac{4}{9}<\dfrac{8}{15}$

5 분자를 같게 한 다음 분수의 크기를 비교하여 ○ 안에 >, =, <를 알맞게 써넣으시오.

(1) $\dfrac{2}{7}=\dfrac{12}{\square}$ ○ $\dfrac{12}{19}$

(2) $\dfrac{16}{25}$ ○ $\dfrac{4}{7}=\dfrac{16}{\square}$

분모가 같아야 분수의 순서를 알 수 있다.

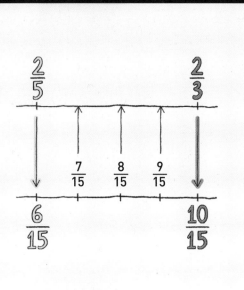

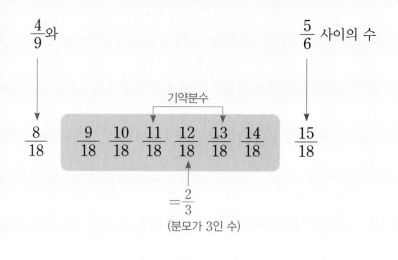

$\dfrac{4}{9}$와

$\dfrac{5}{6}$ 사이의 수

대표문제 1 분모가 72인 분수 중 $\dfrac{3}{8}$보다 크고 $\dfrac{4}{9}$보다 작은 분수를 모두 구하시오.

$\dfrac{3}{8}$과 $\dfrac{4}{9}$를 분모가 72인 분수로 통분합니다.

$$\dfrac{3}{8} \quad < \quad \dfrac{\blacksquare}{72} \quad < \quad \dfrac{4}{9}$$

$$\dfrac{\boxed{}}{72} \quad < \quad \dfrac{\blacksquare}{72} \quad < \quad \dfrac{\boxed{}}{72}$$

분모가 72일 때, 분자는 $\boxed{}$ 보다 크고 $\boxed{}$ 보다 작아야 하므로

구하는 분수는 $\dfrac{\boxed{}}{72}$, $\dfrac{\boxed{}}{72}$, $\dfrac{\boxed{}}{72}$, $\dfrac{\boxed{}}{72}$ 입니다.

1-1 분모가 20인 분수 중 $\dfrac{3}{5}$보다 크고 $\dfrac{3}{4}$보다 작은 분수를 모두 구하시오.

( )

서술형 1-2 $\dfrac{7}{10}$보다 크고 $\dfrac{14}{15}$보다 작은 분수 중에서 분모가 90인 분수는 모두 몇 개인지 풀이 과정을 쓰고 답을 구하시오.

풀이

답

1-3 $\dfrac{3}{5}$보다 크고 $\dfrac{11}{12}$보다 작은 분수 중에서 분모가 60이면서 가장 큰 기약분수를 구하시오.

( )

1-4 다음 조건을 모두 만족하는 분수는 몇 개입니까?

> • $\dfrac{4}{9}$와 $\dfrac{7}{12}$ 사이에 있는 수입니다.
> • 분모가 36인 기약분수입니다.

( )

두 수 사이가 가까울수록 두 수의 차가 작다.

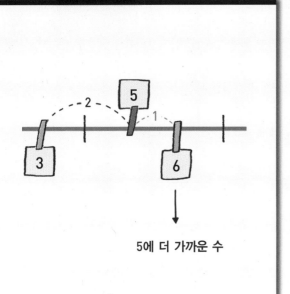

5에 더 가까운 수

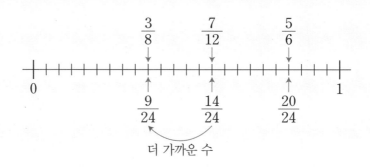

더 가까운 수

대표문제 2

$\dfrac{5}{8}$와 $\dfrac{9}{10}$ 중 $\dfrac{4}{5}$에 더 가까운 분수를 구하시오.

세 분수의 분모인 8, 10, 5의 최소공배수는 ☐입니다.

공통분모를 최소공배수로 하여 통분하면

$\dfrac{5}{8} = \dfrac{25}{\boxed{}}$, $\dfrac{9}{10} = \dfrac{\boxed{}}{40}$, $\dfrac{4}{5} = \dfrac{\boxed{}}{\boxed{}}$입니다.

$\dfrac{5}{8}\left(=\dfrac{25}{\boxed{}}\right)$와 $\dfrac{9}{10}\left(=\dfrac{\boxed{}}{40}\right)$ 중에서

$\dfrac{4}{5}\left(=\dfrac{\boxed{}}{\boxed{}}\right)$에 더 가까운 분수는 $\dfrac{\boxed{}}{\boxed{}}$입니다.

2-1 $\frac{1}{4}$과 $\frac{3}{5}$ 중 $\frac{13}{20}$에 더 가까운 분수는 어느 것입니까?

( )

2-2 분모가 15인 진분수 중에서 $\frac{17}{20}$에 가장 가까운 분수를 구하시오.

( )

서술형 **2-3** 다음 중 1에 가장 가까운 분수를 구하려고 합니다. 풀이 과정을 쓰고 답을 구하시오.

$$\frac{13}{18}, \ 1\frac{2}{9}, \ \frac{7}{12}$$

풀이 ....

....

....

답 ....

2-4 분모가 25인 진분수 중 $\frac{7}{15}$에 가장 가까운 분수를 구하시오.

( )

분모와 분자에 같은 수를 곱해도 분수의 크기는 같다.

100원   200원   300원

과자의 가격은 똑같아!

기약분수로 나타내면 $\dfrac{5}{8}$인 수

$\downarrow$

$\dfrac{10}{16}$: 분모와 분자의 차가 6인 분수

$\dfrac{15}{24}$: 분모와 분자의 합이 39인 분수

$\dfrac{20}{32}$: 분모와 분자의 곱이 640인 분수

대표문제 3

분모와 분자의 차가 15이고, 기약분수로 나타내면 $\dfrac{4}{7}$가 되는 분수를 구하시오.

구하는 분수 ➡ $\dfrac{4 \times \blacksquare}{7 \times \blacksquare}$

분모와 분자의 차가 15 ➡ (분모)−(분자)=15 → 7>4이므로 분모>분자입니다.

$$7 \times \blacksquare - 4 \times \blacksquare = 15$$

$$3 \times \blacksquare = 15$$

$$\blacksquare = \boxed{}$$

구하는 분수 ➡ $\dfrac{4 \times \boxed{}}{7 \times \boxed{}} = \dfrac{\boxed{}}{\boxed{}}$

3-1 □로 약분하여 기약분수로 나타내면 $\dfrac{3}{5}$이 되는 분수는 다음과 같습니다. 이 분수의 분모와 분자의 합이 24일 때, 이 분수를 구하시오.

$$\frac{3\times\square}{5\times\square}$$

(   )

3-2 분모와 분자의 합이 42이고, 기약분수로 나타내면 $\dfrac{5}{9}$인 분수를 구하시오.

(   )

3-3 분모와 분자의 곱이 250이고, 기약분수로 나타내면 $\dfrac{2}{5}$인 분수를 구하시오.

(   )

3-4 분모와 분자의 최소공배수가 36이고, 기약분수로 나타내면 $\dfrac{3}{4}$이 되는 분수를 구하시오.

★×■ 의 최대공약수: ■
●×■

★×■ 의 최소공배수: ★×●×■
●×■

(   )

분모나 분자가 같아야 분수의 크기를 비교할 수 있다.

기준이 같아야 키를 정확히 비교할 수 있어.

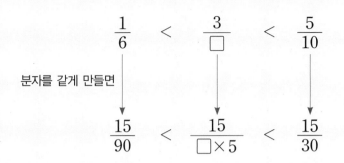

$$\frac{1}{6} < \frac{3}{\square} < \frac{5}{10}$$

분자를 같게 만들면

$$\frac{15}{90} < \frac{15}{\square \times 5} < \frac{15}{30}$$

➡ $\square \times 5$는 30보다 크고 90보다 작습니다.

➡ $\square$는 $\underset{30 \div 5}{6}$보다 크고 $\underset{90 \div 5}{18}$보다 작습니다.

대표문제 4

⊙에 들어갈 수 있는 자연수 중 가장 큰 수를 구하시오.

$$\frac{2}{5} < \frac{4}{\bigcirc} < \frac{8}{9}$$

세 분수의 분자 2, 4, 8의 최소공배수인 8로 분자를 같게 만듭니다. ── 분모를 통분할 수 없다면 분자를 같게 만들어 크기를 비교합니다.

$$\frac{2}{5} = \frac{8}{\square}, \ \frac{4}{\bigcirc} = \frac{8}{\square} \implies \frac{8}{\square} < \frac{8}{\square} < \frac{8}{9}$$

분자가 같을 때에는 분모가 작을수록 큰 분수이므로

분자가 8로 모두 같을 때 분모의 크기는 $9 < \bigcirc \times 2 < \boxed{}$ 입니다.

$9 \div 2 = 4 \cdots 1$, $20 \div 2 = 10$이므로 ⊙은 4보다 크고 10보다 작은 수입니다.

따라서 ⊙에 들어갈 수 있는 자연수 중 가장 큰 수는 $\boxed{}$ 입니다.

4-1 ㉠에 들어갈 수 있는 자연수 중 가장 작은 수를 구하시오.

$$\frac{3}{8} < \frac{15}{㉠} < \frac{5}{6}$$

(   )

4-2 ㉠에 들어갈 수 있는 자연수 중 가장 큰 수를 구하시오.

$$\frac{16}{19} > \frac{4}{㉠} > \frac{2}{7}$$

(   )

4-3 □ 안에 들어갈 수 있는 자연수는 모두 몇 개입니까?

1과 크기가 같은
분수는 분모와 분
자가 같아.

$$\frac{7}{13} < \frac{8}{□} < 1$$

(   )

4-4 ㉠에 들어갈 수 있는 수 중 홀수는 모두 몇 개입니까?

$$\frac{2}{5} < \frac{8}{㉠} < \frac{12}{13}$$

(   )

계산한 방법과 순서를 거꾸로 하면 처음 수가 된다.

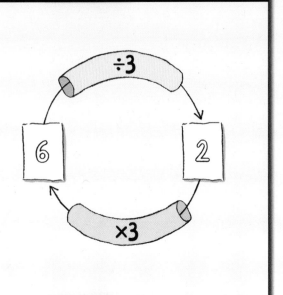

어떤 수의 분모에 3을 더하고 5로 약분하였더니 $\dfrac{7}{9}$

$$\dfrac{35}{45-3} \qquad \dfrac{7 \times 5}{9 \times 5}$$

➡ 어떤 수: $\dfrac{35}{42}$

어떤 분수의 분모에서 4를 빼고 분자에 3을 더한 다음 4로 약분하였더니 $\dfrac{6}{7}$이 되었습니다. 처음 분수를 구하시오.

4로 약분하기 전의 분수 ➡ $\dfrac{6 \times 4}{7 \times 4} = \dfrac{\boxed{}}{\boxed{}}$

분자에 3을 더하기 전의 분수 ➡ $\dfrac{\boxed{}}{\boxed{}}$

분모에서 4를 빼기 전의 분수 ➡ $\dfrac{\boxed{}}{\boxed{}}$

➡ 처음 분수는 $\dfrac{\boxed{}}{\boxed{}}$입니다.

5 -1 어떤 분수의 분모에서 5를 빼고 4로 약분하였더니 $\frac{1}{5}$이 되었습니다. 처음 분수를 구하시오.

(   )

5 -2 어떤 분수의 분자에 4를 더하고 분모에서 6을 뺀 다음 7로 약분하였더니 $\frac{4}{5}$가 되었습니다. 처음 분수를 구하시오.

(   )

5 -3 분모가 17인 분수의 분모와 분자에 각각 3을 더한 다음 기약분수로 나타내었더니 $\frac{3}{4}$이 되었습니다. 처음 분수를 구하시오.

(   )

5 -4 분모와 분자의 합이 75인 분수가 있습니다. 이 분수의 분모에서 3을 빼고 기약분수로 나타내었더니 $\frac{1}{8}$이 되었습니다. 처음 분수를 구하시오.

(   )

조건에 맞는 수를 차례로 구한다.

과일입니다.

노란색입니다.

① $\frac{2}{5}$와 크기가 같습니다. ➡ $\frac{2\times\square}{5\times\square}$

② 분모가 30보다 크고 50보다 작습니다. ➡ $\frac{14}{35}$, $\frac{16}{40}$, $\frac{18}{45}$

③ 분자가 3의 배수가 아닙니다. ➡ $\frac{14}{35}$, $\frac{16}{40}$

대표문제 6

조건을 모두 만족하는 분수는 몇 개인지 구하시오.

> • $\frac{6}{13}$과 크기가 같습니다.
> • 분모가 50보다 크고 100보다 작습니다.
> • 분자는 20보다 크고 80보다 작습니다.

($\frac{6}{13}$과 크기가 같은 분수)$=\dfrac{6\times\blacksquare}{13\times\blacksquare}$

① 분모인 $13\times\blacksquare$ 중 50보다 크고 100보다 작은 수 찾기

   $50\div13=3\cdots11$, $100\div13=7\cdots9$ ➡ $\blacksquare$는 □보다 크고 □보다 작은 수

② 분자인 $6\times\blacksquare$ 중 20보다 크고 80보다 작은 수 찾기

   $20\div6=3\cdots2$, $80\div6=13\cdots2$ ➡ $\blacksquare$는 □보다 크고 □보다 작은 수

두 조건을 모두 만족하는 $\blacksquare$는 3보다 크고 □보다 작은 수이므로 □개입니다.

6-1 $\frac{1}{3}$과 크기가 같은 분수 중 분모가 10보다 크고 20보다 작은 분수는 몇 개입니까?

(   )

6-2 $\frac{8}{9}$과 크기가 같은 분수 중 다음 조건을 모두 만족하는 분수는 몇 개입니까?

> • 분모가 20보다 크고 80보다 작습니다.
> • 분자는 10보다 크고 50보다 작습니다.

(   )

6-3 $\frac{7}{9}$과 크기가 같은 분수 중 다음 조건을 모두 만족하는 분수는 몇 개입니까?

> • 분모는 9보다 크고 90보다 작은 홀수입니다.
> • 분자는 7보다 크고 70보다 작은 수입니다.

(   )

6-4 기약분수로 나타내면 $\frac{4}{5}$가 되는 분수 중에서 다음 조건을 모두 만족하는 분수는 몇 개입니까?

> • 분모와 분자의 합은 40보다 크고 80보다 작습니다.
> • 분자는 20보다 크고 40보다 작습니다.

(   )

분모와 분자에 공약수가 있으면 기약분수가 아니다.

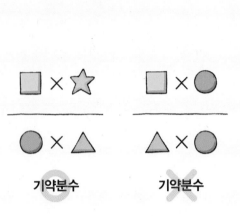

기약분수

기약분수

분모가 50인 진분수 → $\dfrac{\square}{50}=\dfrac{\square}{2\times5\times5}$

1에서 49까지의 수 중에서 50과 공약수가 있는 수들을 지우면

2의 배수   5의 배수

1	2	3	4	5	6	7	8	9	10
11	12	13	14	15	16	17	18	19	20
21	22	23	24	25	26	27	28	29	30
31	32	33	34	35	36	37	38	39	40
41	42	43	44	45	46	47	48	49	

➡ 분모가 50인 진분수 중에서 기약분수는 20개입니다.

대표문제 7

분모가 98인 진분수 중에서 기약분수는 모두 몇 개인지 구하시오.

$$\frac{1}{98},\ \frac{2}{98},\ \frac{3}{98}\ \cdots\cdots\ \frac{95}{98},\ \frac{96}{98},\ \frac{97}{98}$$

$98=2\times49=2\times7\times7$이므로 2의 배수도 되고, 7의 배수도 됩니다.
기약분수로 나타낼 때, 분자는 2, 7의 배수가 아니어야 합니다.

① 97 이하인 수 중 2의 배수의 개수: $97\div2=48\cdots1$ ➡ 48개
　　진분수이어야 하므로 분자는 분모인 98보다 작아야 합니다.

② 97 이하인 수 중 7의 배수의 개수: $97\div7=13\cdots6$ ➡ ☐개

③ 2와 7의 공배수인 14의 배수는 중복되므로 빼야 합니다.

　　97 이하인 수 중 14의 배수의 개수: $97\div14=6\cdots13$ ➡ ☐개

➡ 97 이하인 수 중 2 또는 7의 배수의 개수: $48+$ ☐ $-$ ☐ $=$ ☐ (개)
　　　　　　　　(2의 배수의 개수)+(7의 배수의 개수)−(14의 배수의 개수)

따라서 분모가 98인 진분수 중에서 기약분수는 $97-$ ☐ $=$ ☐ (개)입니다.

7-1 분모가 20인 진분수 중에서 기약분수는 모두 몇 개입니까?

(   )

7-2 분모가 175인 진분수 중에서 약분이 가능한 분수는 모두 몇 개입니까?

(   )

7-3 분모가 169인 진분수 중에서 분자가 세 자리 수인 기약분수는 모두 몇 개입니까?

(   )

7-4 다음 조건을 모두 만족하는 기약분수는 몇 개입니까?

> • 분모가 77인 진분수입니다.
> • 분자가 20 이상인 수입니다.

(   )

모르는 수가 하나만 있는 식으로 만든다.

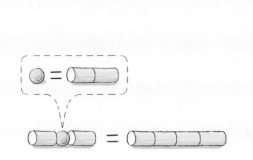

$$\frac{\unicode{㉠}}{\unicode{㉡}+2}=\frac{1}{3} \Rightarrow \unicode{㉡}+2=\unicode{㉠}\times3=\unicode{㉠}+\unicode{㉠}+\unicode{㉠}$$

$$\frac{\unicode{㉠}}{\unicode{㉡}+5}=\frac{1}{4} \Rightarrow \unicode{㉡}+5=\unicode{㉠}\times4=\unicode{㉠}+\unicode{㉠}+\unicode{㉠}+\unicode{㉠}$$

$$\unicode{㉡}+5=\unicode{㉠}\times4=\unicode{㉡}+2+\unicode{㉠}$$

$$\unicode{㉡}+5=\unicode{㉡}+2+\unicode{㉠}$$

$$5= \quad 2+\unicode{㉠}$$

$$\Rightarrow \unicode{㉠}=3$$

 대표문제 8

두 식을 모두 만족하는 자연수 ■, ▲를 구하시오.

$$\frac{▲}{■+4}=\frac{1}{4}, \quad \frac{▲}{■+9}=\frac{1}{5}$$

---

① $\dfrac{▲}{■+4}=\dfrac{1}{4}$ ➡ ■+4는 ▲의 4배 ➡ ■+4=▲+▲+▲+▲

② $\dfrac{▲}{■+9}=\dfrac{1}{5}$ ➡ ■+9는 ▲의 $\boxed{}$배 ➡ ■+9=▲+▲+▲+▲+▲

$$■+9=■+4+▲$$

$$■+9=■+4+▲$$

$$9= 4+▲$$

$$\Rightarrow ▲=\boxed{}$$

$$■+4=▲+▲+▲+▲=\boxed{}$$

따라서 ■=$\boxed{}$, ▲=$\boxed{}$입니다.

8-1 두 식을 모두 만족하는 자연수 ㉠, ㉡을 구하시오.

$$\frac{㉠}{㉡+2}=\frac{1}{2}, \quad \frac{㉠}{㉡+5}=\frac{1}{3}$$

㉠ (   ), ㉡ (   )

8-2 두 식을 모두 만족하는 자연수 ㉠, ㉡을 구하시오.

$$\frac{㉠}{㉡+4}=\frac{1}{4}, \quad \frac{㉠}{㉡+8}=\frac{1}{5}$$

㉠ (   ), ㉡ (   )

서술형 **8-3** 두 식을 모두 만족하는 자연수 ■와 ▲를 구하려고 합니다. 풀이 과정을 쓰고 답을 구하시오.

$$\frac{■}{▲+2}=\frac{2}{5}, \quad \frac{■}{▲+11}=\frac{1}{4}$$

풀이

답   ■   , ▲

8-4 다음 식을 만족하는 서로 다른 자연수 ㉠과 ㉡이 있습니다. ㉠과 ㉡에 알맞은 수 중 가장 큰 수를 구하시오. (단, ㉡은 한 자리 수입니다.)

$$\frac{㉠+5}{㉡×㉡}=\frac{3}{4}$$

㉠ (   ), ㉡ (   )

문제풀이 동영상

1 분모가 24인 기약분수 중에서 1보다 작은 분수는 모두 몇 개입니까?

(   )

2 어떤 진분수의 분모는 10보다 작은 3의 배수입니다. 이 분수 중에서 기약분수는 모두 몇 개입니까?

(   )

3 $\frac{3}{7}$보다 크고 $\frac{7}{10}$보다 작은 수 중에서 분모가 35인 기약분수를 모두 쓰시오.

(   )

4 분모와 분자의 합이 40인 진분수를 기약분수로 나타내면 $\frac{2}{3}$입니다. 이 진분수를 구하시오.

(   )

5 $\dfrac{7}{25}$의 분자에 21을 더했을 때 분수의 크기가 변하지 않으려면 분모에 얼마를 더해야 합니까?

(   )

서술형 **6** $\dfrac{4}{7}$의 분모와 분자에 각각 같은 수를 더하여 약분하였더니 $\dfrac{3}{4}$이 되었습니다. 분모와 분자에 더한 수는 얼마인지 풀이 과정을 쓰고 답을 구하시오.

풀이 ....

....

....

답 ....

7 분모와 분자의 합이 56인 분수가 있습니다. 이 분수의 분모에서 4를 빼고 분자에서 3을 뺀 후 약분하였더니 $\dfrac{3}{4}$이 되었습니다. 처음 분수를 구하시오.

(   )

8 5장의 수 카드 중 2장을 골라 한 장은 분모로, 다른 한 장은 분자로 하는 진분수를 만들려고 합니다. 이때 $\frac{1}{2}$보다 큰 진분수 중 가장 작은 분수를 구하시오.

2 3 5 7 9

(   )

9 분모와 분자가 각각 1씩 커지는 분수들을 나열한 것입니다. 기약분수로 나타내었을 때 $\frac{5}{7}$가 되는 분수는 몇 번째에 놓입니까?

$$\frac{7}{19}, \frac{8}{20}, \frac{9}{21}, \frac{10}{22}, \frac{11}{23}\cdots\cdots$$

(   )

10 다음 식을 만족하는 서로 다른 자연수 ■와 ▲가 있습니다. ■와 ▲에 알맞은 수 중 가장 작은 자연수의 합을 구하시오.

$$\frac{■}{▲\times▲\times▲}=\frac{1}{72}$$

(   )

5

분수의 덧셈과 뺄셈

진분수의 덧셈과 뺄셈

1

1

• 통분한 후 분자끼리 계산합니다.

BASIC CONCEPT 1-1

진분수의 덧셈

통분한 후 분자끼리 더합니다.

$$\frac{7}{10} + \frac{3}{4} = \frac{14}{20} + \frac{15}{20} \quad \text{① 통분하기}$$

$$= \frac{14+15}{20} = \frac{29}{20} \quad \text{② 분자끼리 더하기}$$

$$= 1\frac{9}{20} \quad \text{③ 가분수는 대분수로 고치기}$$

진분수의 뺄셈

통분한 후 분자끼리 뺍니다.

$$\frac{7}{10} - \frac{1}{6} = \frac{21}{30} - \frac{5}{30} \quad \text{① 통분하기}$$

$$= \frac{21-5}{30} = \frac{16}{30} \quad \text{② 분자끼리 빼기}$$

$$= \frac{8}{15} \quad \text{③ 기약분수로 나타내기}$$

계산 결과가 가분수이면 대분수로 고치고, 약분이 되면 기약분수로 나타냅니다.

1 계산이 <u>틀린</u> 이유를 쓰고, 바르게 계산하시오.

$$\frac{4}{9} + \frac{2}{3} = \frac{4}{9} + \frac{4}{6} = \frac{4}{15}$$

틀린 이유 ....

....

바른 계산 ....

2 계산을 하시오.

(1) $\frac{1}{2} - \frac{1}{3}$

(2) $\frac{1}{3} - \frac{1}{4}$

(3) $\frac{1}{4} - \frac{1}{5}$

3 ㉠과 ㉡의 합을 구하시오.

$$㉠ \ 1 - \frac{1}{4} \qquad ㉡ \ \frac{20}{24} \ \text{을 기약분수로 나타낸 수}$$

(   )

4 다음 중 가장 큰 수와 가장 작은 수의 차를 구하시오.

$$\frac{5}{8}, \quad \frac{8}{9}, \quad \frac{7}{12}, \quad \frac{3}{4}$$

( )

5 □ 안에 들어갈 수 있는 자연수를 모두 구하시오.

$$\frac{1}{3}+\frac{1}{6}>\frac{\square}{12}$$

( )

BASIC CONCEPT
1-2

분수를 단위분수의 합으로 나타내기

① 분모의 약수 중에서 합이 분자가 되는 수들을 찾습니다.

② ①의 수로 덧셈식을 쓰고 약분하여 단위분수의 합으로 나타냅니다.

$$\frac{5}{8} \;\Rightarrow\; \boxed{8\text{의 약수: } 1,\ 2,\ 4,\ 8} \;\Rightarrow\; \frac{5}{8}=\frac{1}{8}+\frac{4}{8}=\frac{1}{8}+\frac{1}{2}$$

6 분수를 단위분수의 합으로 나타내시오.

(1) $\dfrac{5}{6}$ ➡ ....

(2) $\dfrac{7}{10}$ ➡ ....

- 분수끼리의 합이 1이 되면 자연수와 더합니다.
- 분수끼리 뺄 수 없으면 자연수에서 1을 받아내림합니다.

대분수의 덧셈

방법1 자연수끼리, 분수끼리 계산하기

$$1\frac{3}{4}+2\frac{4}{5}=(1+2)+(\frac{15}{20}+\frac{16}{20})$$ ① 자연수끼리, 분수끼리 더하기

$$=3+1\frac{11}{20}$$

$$=4\frac{11}{20}$$ ② 대분수로 나타내기

방법2 가분수로 고쳐서 계산하기

$$1\frac{3}{4}+2\frac{4}{5}=\frac{7}{4}+\frac{14}{5}$$ ① 가분수로 고치기

$$=\frac{35}{20}+\frac{56}{20}$$ ② 통분하여 더하기

$$=\frac{91}{20}=4\frac{11}{20}$$ ③ 대분수로 고치기

대분수의 뺄셈

방법1 자연수끼리, 분수끼리 계산하기

$$3\frac{2}{3}-1\frac{7}{8}=3\frac{16}{24}-1\frac{21}{24}$$ ① 분수끼리 뺄 수 없을 때는 자연수에서 1을 받아내림하기

$$=2\frac{40}{24}-1\frac{21}{24}$$

$$=(2-1)+(\frac{40}{24}-\frac{21}{24})$$ ② 자연수끼리, 분수끼리 빼기

$$=1\frac{19}{24}$$ ③ 대분수로 나타내기

방법2 가분수로 고쳐서 계산하기

$$3\frac{2}{3}-1\frac{7}{8}=\frac{11}{3}-\frac{15}{8}$$ ① 가분수로 고치기

$$=\frac{88}{24}-\frac{45}{24}$$ ② 통분하여 빼기

$$=\frac{43}{24}$$

$$=1\frac{19}{24}$$ ③ 대분수로 고치기

---

1 계산을 하시오.

(1) $3\frac{3}{7}+2\frac{5}{6}$

(2) $5\frac{1}{10}-3\frac{5}{8}$

2 어떤 수에 $2\frac{5}{9}$ 를 더했더니 $3\frac{1}{12}$ 이 되었습니다. 어떤 수를 구하시오.

( )

3 두 수의 차를 구하시오.

$$2\frac{5}{6}, \quad 2\frac{7}{9}$$

( )

4 빨간색 페인트 $1\frac{3}{5}$ L와 파란색 페인트 $2\frac{2}{7}$ L를 섞어 보라색 페인트를 만들었습니다. 보라색 페인트는 몇 L입니까?

( )

시간을 분수로 나타내어 계산하기

$$\boxed{1일=24시간}$$

$$1일\ 7시간=1\frac{7}{24}일$$

$$\boxed{1시간=60분}$$

$$2시간\ 30분=2\frac{30}{60}시간$$
$$=2\frac{1}{2}시간$$

$$\boxed{1분=60초}$$

$$1분\ 45초=1\frac{45}{60}분$$
$$=1\frac{3}{4}분$$

5 지우는 수학 공부를 학원에서 2시간 20분, 집에서 $1\frac{5}{12}$시간 하였습니다. 지우가 학원에서 공부를 한 시간은 집에서 공부를 한 시간보다 몇 시간 더 많습니까?

( )

3 세 분수의 덧셈과 뺄셈

- 덧셈은 순서를 바꾸어 계산해도 결과가 같습니다.
- 뺄셈이 섞인 계산은 앞에서부터 차례로 합니다.

세 분수의 덧셈

방법1 두 수씩 차례로 계산하기

$$2\frac{2}{3}+1\frac{3}{5}+2\frac{5}{6}$$
$$=(2\frac{10}{15}+1\frac{9}{15})+2\frac{5}{6}$$
$$=4\frac{4}{15}+2\frac{5}{6}$$
$$=4\frac{8}{30}+2\frac{25}{30}=6\frac{33}{30}=7\frac{1}{10}$$

방법2 세 분수를 통분하여 한꺼번에 계산하기

$$2\frac{2}{3}+1\frac{3}{5}+2\frac{5}{6}$$
$$=2\frac{20}{30}+1\frac{18}{30}+2\frac{25}{30}$$
$$=5\frac{63}{30}=7\frac{1}{10}$$
$$\underset{(2+1+2)+(\frac{20+18+25}{30})}{\uparrow}$$

세 분수의 뺄셈

방법1 두 수씩 차례로 계산하기

$$8\frac{1}{8}-1\frac{3}{4}-3\frac{5}{9}$$
$$=(8\frac{1}{8}-1\frac{6}{8})-3\frac{5}{9}$$
$$=6\frac{3}{8}-3\frac{5}{9}$$
$$=5\frac{99}{72}-3\frac{40}{72}=2\frac{59}{72}$$

방법2 세 분수를 통분하여 한꺼번에 계산하기

$$8\frac{1}{8}-1\frac{3}{4}-3\frac{5}{9}$$
$$=8\frac{9}{72}-1\frac{54}{72}-3\frac{40}{72}$$
$$=2\frac{59}{72}$$
$$\underset{(6-1-3)+(\frac{153-54-40}{72})}{\uparrow}$$

1 계산을 하시오.

(1) $3\frac{4}{9}-1\frac{5}{6}+2\frac{5}{8}$

(2) $1\frac{5}{6}+2\frac{3}{4}-3\frac{4}{9}$

2 색 테이프의 전체 길이를 구하시오.

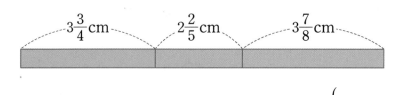

$3\frac{3}{4}\,\text{cm}$　　$2\frac{2}{5}\,\text{cm}$　　$3\frac{7}{8}\,\text{cm}$

(　　　　　　　)

3 물 $3\dfrac{1}{4}$ L가 들어 있는 통에 $1\dfrac{1}{5}$ L를 더 부은 후 $\dfrac{7}{8}$ L를 마셨습니다. 물통에 남아 있는 물은 몇 L입니까?

(   )

4 □ 안에 알맞은 수를 구하시오.

$$5\dfrac{7}{12}-\square+5\dfrac{3}{8}=6\dfrac{11}{24}$$

(   )

중등연계

덧셈의 결합법칙

덧셈에서는 어느 수를 먼저 더해도 그 결과는 같습니다.

$$\left(\dfrac{1}{2}+\dfrac{1}{3}\right)+\dfrac{1}{4}=\dfrac{5}{6}+\dfrac{1}{4}=1\dfrac{1}{12}$$
$$\dfrac{1}{2}+\left(\dfrac{1}{3}+\dfrac{1}{4}\right)=\dfrac{1}{2}+\dfrac{7}{12}=1\dfrac{1}{12}$$

$$\left(\dfrac{1}{2}+\dfrac{1}{3}\right)+\dfrac{1}{4}=\dfrac{1}{2}+\left(\dfrac{1}{3}+\dfrac{1}{4}\right)$$

$$\boxed{(a+b)+c=a+(b+c)}$$

3-2
BASIC CONCEPT

5 덧셈의 결합법칙을 이용하여 다음을 편리한 방법으로 계산해 보시오.

$1\dfrac{5}{6}+2\dfrac{4}{9}+\dfrac{5}{9}$

전체에 대한 각 분수만큼의 합을 구한다.

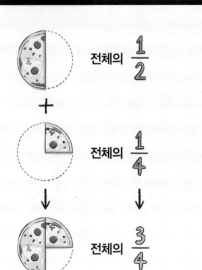

전체의 $\frac{1}{2}$

$+$

전체의 $\frac{1}{4}$

$\downarrow$

전체의 $\frac{3}{4}$

사과 전체의 $\frac{3}{4}$을 팔고 전체의 $\frac{1}{5}$을 먹었더니 사과는 전체의 $\frac{1}{10}$보다 적게 남았다.

(사과 전체의 $\frac{3}{4}$과 $\frac{1}{5}$) = (사과 전체의 $\frac{19}{20}$)

$\underbrace{\qquad}_{\frac{3}{4}+\frac{1}{5}}$

(사과 전체의 $\frac{1}{10}=\frac{2}{20}$) > (사과 전체의 $1-\frac{19}{20}$)이므로

$\underbrace{\qquad}_{\frac{1}{20}}$

위의 설명은 맞았습니다.

대표문제 **1**

유리의 말이 맞는지, 틀린지 쓰시오.

유리: "학용품을 사는 데 용돈의 $\frac{1}{3}$을 쓰고, 간식을 사는 데 용돈의 $\frac{1}{8}$을 썼더니 벌써 용돈의 절반을 썼네."

· (학용품을 사는 데 쓴 돈)+(간식을 사는 데 쓴 돈)$= \frac{1}{3}+\dfrac{1}{\boxed{}}=\dfrac{\boxed{}}{\boxed{}}$

절반과 크기를 비교하면 $\dfrac{\boxed{}}{\boxed{}} \bigcirc \dfrac{1}{2}$이므로 유리의 말은 (맞습니다, 틀립니다).

1-1 선아의 말이 맞는지, 틀린지 쓰시오.

> 선아: "책을 어제는 전체의 $\frac{1}{4}$ 을 읽고, 오늘은 전체의 $\frac{2}{5}$ 를 읽었으니까 이제 절반만 읽으면 되겠네."

(   )

1-2 설명이 맞는지, 틀린지 쓰시오.

> 냉장고에 있는 주스를 내가 전체의 $\frac{1}{4}$, 동생이 전체의 $\frac{3}{7}$ 을 마셨으므로 남은 주스는 처음 주스의 양의 $\frac{1}{4}$ 보다 많습니다.

(   )

1-3 설명이 맞는지, 틀린지 쓰시오.

> 창고에 240 kg의 쌀이 있었습니다. 어제 전체의 $\frac{1}{12}$ 을 팔았고, 오늘은 전체의 $\frac{3}{8}$ 을 팔았습니다. 창고에 남은 쌀은 100 kg도 안 됩니다.

(   )

1-4 과수원에서 90 kg의 사과를 땄습니다. 어제는 전체의 $\frac{1}{6}$ 을 팔았고, 오늘은 전체의 $\frac{4}{9}$ 를 팔았습니다. 바르게 말한 사람의 이름을 쓰시오.

> 지호: 어제 팔고 남은 사과는 70 kg보다 많습니다.
> 유빈: 어제와 오늘 팔고 남은 사과는 어제와 오늘 판 사과보다 10 kg 많습니다.

(   )

둘레는 모든 변의 합이다.

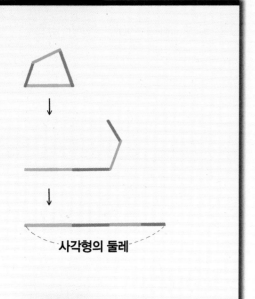

사각형의 둘레

정삼각형의 둘레가 $\frac{3}{4}$ m일 때

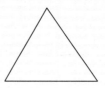

(둘레)=(세 변의 합)=$\frac{3}{4}=\frac{1}{4}+\frac{1}{4}+\frac{1}{4}$

➡ (정삼각형의 한 변)=$\frac{1}{4}$ m

대표문제 2

오른쪽 직사각형의 네 변의 합은 $10\frac{4}{7}$ cm입니다. 가로가 $2\frac{2}{5}$ cm라고 할 때 세로를 구하시오.

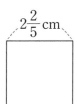

$2\frac{2}{5}$ cm

$2\frac{2}{5}$ cm

➡ ☐ cm

(가로의 합)

☐ = ☐ − ☐

(세로의 합)   (둘레)   (가로의 합)

$=10\frac{4}{7}-$ ☐ $=$ ☐ (cm)

➡ (세로)= ☐ $=$ ☐ $\frac{☐}{35}$ (cm)

2-1 세로가 $2\frac{1}{5}$ cm인 직사각형의 둘레가 $10\frac{8}{15}$ cm라고 할 때 가로

의 합을 구하시오.

(   )

2-2 오른쪽 이등변삼각형의 둘레는 $8\frac{7}{9}$ cm입니다. 이 삼각형의 한

변이 $2\frac{1}{3}$ cm라고 할 때 ☐ 안에 알맞은 수를 구하시오.

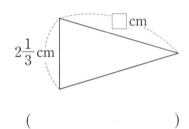

(   )

2-3 어떤 직사각형의 가로는 세로보다 $2\frac{3}{5}$ cm 더 깁니다. 이 직사각형의 둘레가 $14\frac{4}{7}$ cm라고

할 때 가로를 구하시오.

(   )

2-4 네 변의 합이 $10\frac{2}{3}$ cm인 정사각형 모양 종이를 오른쪽 그

림과 같이 4등분 하였습니다. 잘린 직사각형 모양 종이 1개

의 둘레를 구하시오.

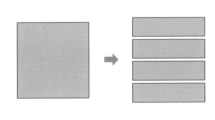

(   )

진분수는 분자와 분모의 차가 작을수록, 분자가 클수록 크다.

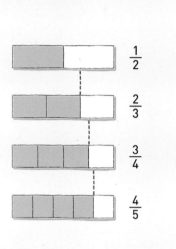

$\dfrac{1}{2}$

$\dfrac{2}{3}$

$\dfrac{3}{4}$

$\dfrac{4}{5}$

수 카드를 한 번씩 사용하여 합이 가장 크게 되는
(진분수)+(진분수)를 만들 때

2 3 4 5

가장 큰 진분수: $\dfrac{4}{5}$ ← 분자가 될 수 있는 수 중 가장 큰 수
                          ← 분자와의 차가 가장 작은 수

두 번째로 큰 진분수: $\dfrac{2}{3}$ ← 남은 수 중 분자가 될 수 있는 가장 큰 수
                                ← 분자와의 차가 가장 작은 수

➡ (가장 큰 합) $= \dfrac{4}{5} + \dfrac{2}{3} = 1\dfrac{7}{15}$

수 카드 중 4장을 한 번씩만 사용하여 (진분수)+(진분수)를 만들려고 합니다. 가장 큰 합을 구하여 기약분수로 나타내시오.

4 7 3 5 9

(가장 큰 합) = (가장 큰 진분수) + (두 번째로 큰 진분수)

가장 큰 진분수: $\dfrac{\boxed{}}{5}$, 두 번째로 큰 진분수: $\dfrac{\boxed{}}{9}$

가장 큰 합: $\dfrac{\boxed{}}{5} + \dfrac{\boxed{}}{9} = \dfrac{\boxed{}}{45} + \dfrac{\boxed{}}{45} - \dfrac{\boxed{}}{45} = \boxed{}\dfrac{\boxed{}}{45}$

3-1 $\dfrac{\square}{\square}$는 진분수입니다. 계산 결과가 가장 크게 되도록 2, 6, 5 중 2장을 골라 □ 안에 써넣고 합을 구하여 기약분수로 나타내시오.

$$\frac{3}{4}+\frac{\square}{\square}$$

(   )

3-2 수 카드 중 4장을 한 번씩만 사용하여 (진분수)+(진분수)를 만들려고 합니다. 가장 큰 합을 구하여 기약분수로 나타내시오.

6 5 7 4 8

(   )

3-3 수 카드 중 4장을 한 번씩만 사용하여 (진분수)−(진분수)를 만들려고 합니다. 가장 큰 차를 구하여 기약분수로 나타내시오.

8 2 3 9 5

(   )

3-4 6장의 수 카드를 한 번씩 모두 사용하여 (대분수)+(대분수)를 만들려고 합니다. 가장 큰 합을 구하여 기약분수로 나타내시오.

5 7 1 9 4 3

(   )

잘못 계산한 식으로 처음 수를 구한다.

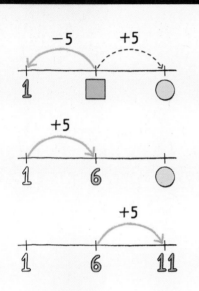

어떤 수에 $\frac{5}{8}$ 를 더해야 할 것을 잘못하여 뺐더니 $\frac{5}{24}$ 가 되었다면

① (어떤 수) $- \frac{5}{8} = \frac{5}{24}$

➡ (어떤 수) $= \frac{5}{24} + \frac{5}{8} = \frac{5}{6}$

② (바르게 계산한 값)

$= \frac{5}{6} + \frac{5}{8} = 1\frac{11}{24}$

대표문제 4 어떤 수에서 $3\frac{4}{5}$ 를 빼야 할 것을 잘못하여 더했더니 $7\frac{5}{7}$ 가 되었습니다. 바르게 계산한 값을 구하시오.

어떤 수를 ■라 하면

• 잘못 계산한 식: ■ $+ \boxed{}\dfrac{\boxed{}}{\boxed{}} = 7\frac{5}{7}$

   ■ $= 7\frac{5}{7} - \boxed{}\dfrac{\boxed{}}{\boxed{}} = \boxed{}$

• 바르게 계산한 식: $\boxed{} - 3\frac{4}{5} = \boxed{}$

4-1 ●에서 $\frac{1}{3}$을 빼야 할 것을 잘못하여 더했더니 2가 되었습니다. 바르게 계산한 값을 구하시오.

잘못 계산한 식 : _____

바르게 계산한 값 : _____

4-2 어떤 수에 $4\frac{7}{8}$을 더해야 할 것을 잘못하여 뺐더니 $2\frac{3}{7}$이 되었습니다. 바르게 계산하여 기약분수로 나타내시오.

(   )

서술형 **4-3** 어떤 수에서 $2\frac{1}{6}$을 빼야 할 것을 잘못하여 더했더니 $5\frac{5}{7}$가 되었습니다. 바르게 계산하여 기약분수로 나타내려고 합니다. 풀이 과정을 쓰고 답을 구하시오.

풀이 ....

....

....

답 ....

4-4 어떤 수에서 $3\frac{1}{4}$을 빼고 $1\frac{2}{5}$를 더해야 할 것을 잘못하여 어떤 수에 $3\frac{1}{4}$을 더하고 $1\frac{2}{5}$를 뺐더니 $8\frac{3}{10}$이 되었습니다. 바르게 계산하여 기약분수로 나타내시오.

(   )

분자가 분모의 약수인 분수의 합으로 만든다.

$6 <\begin{matrix} 1 \times 6 \\ 2 \times 3 \end{matrix}$

$\dfrac{5}{6} = \dfrac{2}{6} + \dfrac{3}{6} = \boxed{\dfrac{1}{3} + \dfrac{1}{2}}$

$\dfrac{4}{6} = \dfrac{3}{6} + \dfrac{1}{6} = \boxed{\dfrac{1}{2} + \dfrac{1}{6}}$

$\dfrac{3}{6} = \dfrac{2}{6} + \dfrac{1}{6} = \boxed{\dfrac{1}{3} + \dfrac{1}{6}}$

$\dfrac{5}{7}$ 를 단위분수의 합으로 나타내려고 할 때

① 7의 약수: 1, 7

➡ 5를 7의 약수의 합으로 나타낼 수 없습니다.

② $\dfrac{5}{7} = \dfrac{10}{14}$ 을 단위분수의 합으로 나타내려고 하면

14의 약수: 1, 2, 7, 14 ➡ 10 = 1 + 2 + 7

➡ $\dfrac{10}{14} = \dfrac{1}{14} + \dfrac{2}{14} + \dfrac{7}{14}$

$= \dfrac{1}{14} + \dfrac{1}{7} + \dfrac{1}{2}$

대표문제 5 $\dfrac{7}{15}$ 을 서로 다른 세 단위분수의 합 $\dfrac{1}{★} + \dfrac{1}{♥} + \dfrac{1}{▲}$ 로 나타내시오.

$\dfrac{■}{15} = \dfrac{㉠}{15} + \dfrac{㉡}{15} + \dfrac{㉢}{15}$ 에서 ㉠, ㉡, ㉢이 약분하여 1이 되려면 ㉠, ㉡, ㉢은 15의 약수이고

㉠+㉡+㉢=■입니다.

크기가 같은 분수를 만듭니다.

$\dfrac{7}{15}$ ➡ 15의 약수: 1, 3, 5, 15 ➡ 세 수를 더해서 7이 되는 서로 다른 약수가 없습니다.

$\dfrac{14}{30}$ ➡ 30의 약수: 1, 2, 3, 5, 6, 10, 15, 30

➡ 세 수를 더해서 14가 되는 약수는 $\boxed{}$, $\boxed{}$, $\boxed{}$ 입니다.

➡ $\dfrac{7}{15} = \dfrac{14}{30} = \dfrac{\boxed{}}{30} + \dfrac{\boxed{}}{30} + \dfrac{\boxed{}}{30} = \dfrac{1}{\boxed{}} + \dfrac{1}{\boxed{}} + \dfrac{1}{\boxed{}}$

5-1 $\dfrac{5}{8}$ 를 단위분수의 합으로 나타내시오.

$$\frac{5}{8}=\frac{1}{\boxed{}}+\frac{1}{\boxed{}}$$

5-2 $\dfrac{7}{9}$ 을 서로 다른 세 단위분수의 합으로 나타내시오.

$$\frac{7}{9}=\frac{1}{\boxed{}}+\frac{1}{\boxed{}}+\frac{1}{\boxed{}}$$

5-3 같은 모양은 같은 수를 나타냅니다. $\dfrac{3}{4}$ 을 단위분수의 합으로 나타낸 것과 같이 생각하여 ●, ▲를 각각 구하시오. (단, ● < ▲)

$$\frac{3}{4}=\frac{1}{4}+\frac{1}{4}+\frac{1}{4}=\frac{1}{2}+\frac{1}{4}$$

$$1\frac{2}{5}=\frac{1}{●}+\frac{1}{●}+\frac{1}{▲}+\frac{1}{▲}$$

● (   ), ▲ (   )

5-4 같은 모양은 같은 수를 나타냅니다. ◆는 ★의 2배일 때, ◆와 ★을 각각 구하시오.

$$2=\frac{1}{◆}+\frac{1}{◆}+\frac{1}{★}+\frac{1}{★}+\frac{1}{★}$$

◆ (   ), ★ (   )

최상위 S

분수를 사용하면 작은 단위를 큰 단위로 나타낼 수 있다.

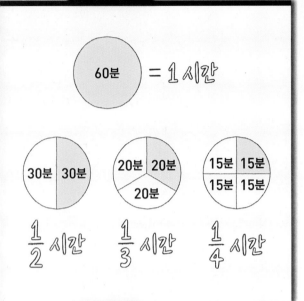

$\dfrac{1}{2}$ 시간 $\dfrac{1}{3}$ 시간 $\dfrac{1}{4}$ 시간

국어 공부	수학 공부	영어 공부
$\dfrac{1}{2}$ 시간	1시간 15분	$1\dfrac{3}{4}$ 시간

$1\dfrac{1}{4}$ 시간

(공부한 시간)$=\dfrac{1}{2}+1\dfrac{1}{4}+1\dfrac{3}{4}=3\dfrac{1}{2}$(시간)

➡ 3시간 30분

대표문제 **6**

할머니 댁에 가는 데 기차를 타고 $2\dfrac{5}{6}$ 시간, 버스를 타고 $\dfrac{1}{3}$ 시간, 걸어서 $\dfrac{1}{12}$ 시간이 걸렸습니다. 할머니 댁에 가는 데 걸린 시간은 모두 몇 시간 몇 분인지 구하시오.

통분하여 덧셈식으로 나타냅니다.

$2\dfrac{5}{6}+\dfrac{1}{3}+\dfrac{1}{12}=$ _____

$=\boxed{}\dfrac{\boxed{}}{\boxed{}}$(시간) ➡ $\boxed{}$시간$+\dfrac{\boxed{}}{\boxed{}}$시간

$\boxed{}$시간 $\boxed{}$분

6-1 (가)에서 (나)를 거쳐 (다)까지 가는 데 몇 분이 걸리는지 구하시오.

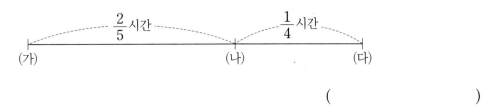

(   )

6-2 삼촌 댁에 가는 데 시내버스를 타고 $1\dfrac{1}{2}$시간, 시외버스를 타고 $1\dfrac{5}{6}$시간, 지하철을 타고 $\dfrac{2}{3}$ 시간이 걸렸습니다. 삼촌 댁에 가는 데 걸린 시간을 구하시오.

(   )

6-3 집에서 출발한 지 $\dfrac{1}{6}$시간이 지난 후 다시 집으로 되돌아갔다가 곧바로 다시 출발하여 $\dfrac{4}{5}$시간 후에 목적지에 도착하였습니다. 처음 집을 출발한 지 몇 시간 몇 분 후에 목적지에 도착한 것입니까?

(   )

서술형 **6-4** 버스가 출발하여 $1\dfrac{1}{4}$시간 동안 달린 후 휴게소에서 20분 동안 쉬었습니다. 다시 출발하여 $1\dfrac{7}{12}$시간이 지난 후에 목적지에 도착했다면, 버스가 처음에 출발한 지 몇 시간 몇 분 후에 목적지에 도착한 것인지 풀이 과정을 쓰고 답을 구하시오.

풀이 ....

....

....

답 ....

최상위

양을 전체의 분수만큼으로 나타내면 전체는 1이다.

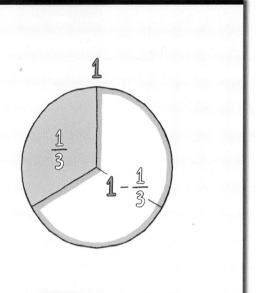

리본 전체의 $\frac{3}{10}$에는 빨간색을,

전체의 $\frac{3}{8}$에는 파란색을 칠했습니다.

┌ 색칠한 부분: 전체의 $\frac{3}{10} + \frac{3}{8} = \frac{27}{40}$

└ 색칠하지 않은 부분: 전체의 $1 - \frac{27}{40} = \frac{13}{40}$

➡ 리본의 $\frac{13}{40}$만큼을 잘라 내면 더 칠하지 않아도 됩니다.

대표문제 **7**

성호는 자전거를 사려고 합니다. 자전거 금액의 절반은 성호가 모았고, 자전거 금액의 $\frac{1}{4}$은 부모님께서, $\frac{1}{5}$은 할머니께서 주셨습니다. 자전거 금액의 몇 분의 몇이 할인되면 성호가 돈을 더 모으지 않고 자전거를 살 수 있는지 구하시오.

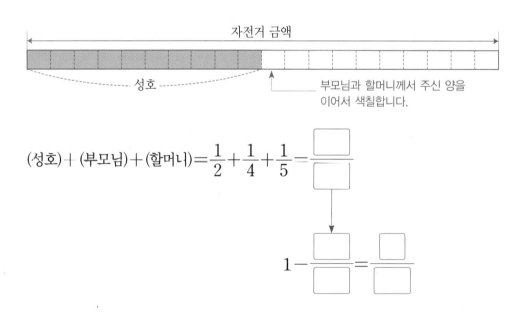

자전거 금액

성호

부모님과 할머니께서 주신 양을
이어서 색칠합니다.

$(성호) + (부모님) + (할머니) = \frac{1}{2} + \frac{1}{4} + \frac{1}{5} = \dfrac{\boxed{}}{\boxed{}}$

$1 - \dfrac{\boxed{}}{\boxed{}} = \dfrac{\boxed{}}{\boxed{}}$

7-1

빈 통에 물을 부었습니다. 지호가 전체의 $\frac{2}{5}$, 유미가 전체의 $\frac{1}{3}$을 부었다면 얼마나 더 부어야 통에 물이 가득 차겠습니까?

전체 물의 양을
1이라고 하자.

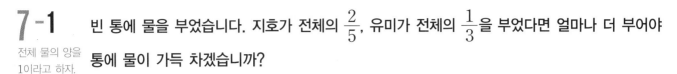

(   )

7-2

종이에 색칠을 하는데 민수는 전체의 $\frac{3}{8}$, 윤호는 전체의 $\frac{1}{4}$을 칠했습니다. 종이의 몇 분의 몇을 잘라 내면 더 칠하지 않아도 됩니까?

(   )

7-3

우유가 가득 들어 있는 통의 무게가 $1\frac{2}{9}$ kg입니다. 이 통에서 우유를 절반만 덜어 내고 무게를 재어 보니 $\frac{7}{10}$ kg이었습니다. 빈 통의 무게는 몇 kg입니까?

(   )

7-4

밤이 가득 들어 있는 상자의 무게가 $20\frac{2}{3}$ kg입니다. 이 상자에서 밤을 $\frac{1}{4}$만 덜어 내고 무게를 재어 보니 $15\frac{5}{8}$ kg이었습니다. 상자만의 무게는 몇 kg입니까?

(   )

A와 B 모두인 것은 A나 B인 것에 포함된다.

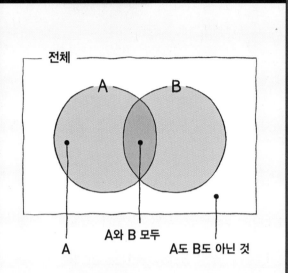

빵을 좋아하는 학생: 전체의 $\dfrac{5}{12}$, 떡을 좋아하는 학생: 전체의 $\dfrac{2}{9}$

빵과 떡을 모두 좋아하지 않는 학생: 전체의 $\dfrac{4}{9}$이면

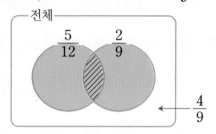

빵과 떡을 모두 좋아하는 학생을 ■라 하면

$$\dfrac{5}{12}+\dfrac{2}{9}-\blacksquare=1-\dfrac{4}{9} \Rightarrow \dfrac{23}{36}-\blacksquare=\dfrac{5}{9} \Rightarrow \blacksquare=\dfrac{1}{12}$$

축구를 좋아하는 학생은 전체의 $\dfrac{2}{5}$, 야구를 좋아하는 학생은 전체의 $\dfrac{8}{15}$, 축구와 야구 모두 좋아하지 않는 학생은 전체의 $\dfrac{4}{15}$입니다. 축구와 야구를 모두 좋아하는 학생은 전체의 몇 분의 몇인지 기약분수로 나타내시오.

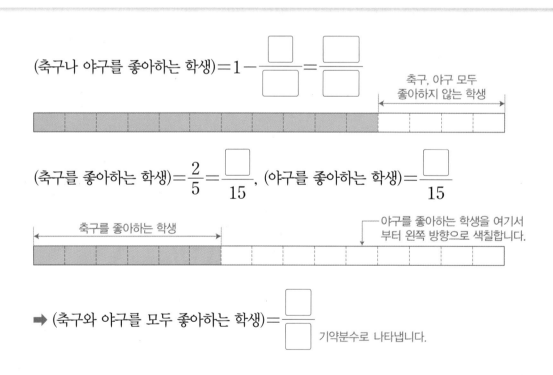

(축구나 야구를 좋아하는 학생)$=1-\dfrac{\Box}{\Box}=\dfrac{\Box}{\Box}$

축구, 야구 모두 좋아하지 않는 학생

(축구를 좋아하는 학생)$=\dfrac{2}{5}=\dfrac{\Box}{15}$, (야구를 좋아하는 학생)$=\dfrac{\Box}{15}$

축구를 좋아하는 학생

야구를 좋아하는 학생을 여기서부터 왼쪽 방향으로 색칠합니다.

➡ (축구와 야구를 모두 좋아하는 학생)$=\dfrac{\Box}{\Box}$ 기약분수로 나타냅니다.

8-1 사과나 귤을 좋아하는 학생은 전체의 $\dfrac{11}{12}$이고, 사과를 좋아하는 학생은 전체의 $\dfrac{7}{12}$, 귤을 좋아하는 학생은 전체의 $\dfrac{5}{12}$입니다. 사과와 귤을 모두 좋아하는 학생은 전체의 몇 분의 몇입니까?

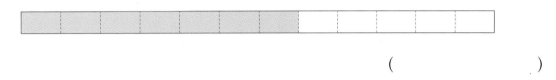

(   )

8-2 수영을 좋아하는 학생은 전체의 $\dfrac{3}{5}$, 스키를 좋아하는 학생은 전체의 $\dfrac{2}{7}$, 수영과 스키 모두 좋아하지 않는 학생은 전체의 $\dfrac{9}{35}$입니다. 수영과 스키를 모두 좋아하는 학생은 전체의 몇 분의 몇입니까?

(   )

8-3 강아지를 좋아하는 학생은 전체의 $\dfrac{1}{2}$, 고양이를 좋아하는 학생은 전체의 $\dfrac{2}{5}$, 강아지와 고양이를 모두 좋아하는 학생은 전체의 $\dfrac{3}{20}$입니다. 강아지와 고양이를 모두 좋아하지 않는 학생은 전체의 몇 분의 몇입니까?

(   )

8-4 다음을 보고 마을 주민은 몇 명인지 구하시오.

> • A를 좋아하는 주민은 전체의 $\dfrac{3}{8}$이고, B를 좋아하는 주민은 전체의 $\dfrac{3}{5}$입니다.
>
> • A나 B를 좋아하는 주민은 전체의 $\dfrac{9}{10}$입니다.
>
> • A와 B를 모두 좋아하는 주민은 12명입니다.

(   )

1 어떤 수에 $1\frac{5}{6}$ 를 더한 후 $2\frac{2}{3}$ 를 빼야 하는데 잘못하여 $1\frac{5}{6}$ 를 뺀 후 $2\frac{2}{3}$ 를 더했더니 $3\frac{1}{4}$ 이 되었습니다. 바르게 계산한 값을 구하시오.

(   )

서술형 2 $5\frac{3}{8}$ cm인 색 테이프 3장을 그림과 같이 $\frac{3}{7}$ cm씩 겹치게 이어 붙였을 때, 이어 붙인 색 테이프의 전체 길이를 구하려고 합니다. 풀이 과정을 쓰고 답을 구하시오.

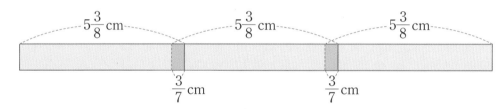

풀이

....

....

....

....

답 ....

3 물이 가득 들어 있는 물통의 무게가 $8\frac{1}{4}$ kg이라고 합니다. 이 물통에서 물의 절반을 사용하고 다시 무게를 재어 보니 $4\frac{3}{5}$ kg이었습니다. 물통만의 무게는 몇 kg입니까?

(   )

4 두 기약분수의 합이 $\frac{4}{5}$이고, 차가 $\frac{2}{15}$입니다. 두 기약분수를 구하시오.

(   )

5 왼쪽 식을 이용하여 $\frac{1}{12}$을 세 단위분수의 뺄셈식으로 나타내시오.

먼저 생각해 봐요!

$$1 = 6 - 3 - 2 \Rightarrow \frac{1}{12} = \frac{1}{\square} - \frac{1}{\square} - \frac{1}{\square}$$

6 어떤 일을 하는 데 갑은 12일, 을은 15일, 병은 20일이 걸린다고 합니다. 같은 일을 세 사람이 함께 한다면 며칠 만에 일을 끝낼 수 있습니까? (단, 세 사람이 하루에 하는 일의 양은 각각 일정합니다.)

먼저 생각해 봐요!

하루에 할 수 있는
일의 양은?

(   )

7 □ 안에 들어갈 수 있는 자연수를 모두 구하시오.

$$\frac{7}{8} + \frac{\square}{20} < 1\frac{1}{10}$$

(   )

8   보기 를 이용하여 분수의 합을 구하시오.

> **보기**
> $$\frac{1}{3} - \frac{1}{4} = \frac{1}{12} = \frac{1}{3 \times 4}$$

$$\frac{1}{30} + \frac{1}{42} + \frac{1}{56} + \frac{1}{72}$$

(   )

9   주머니 안에 빨간색 구슬과 파란색 구슬이 들어 있습니다. 빨간색 구슬은 전체의 $\frac{1}{5}$ 보다 8개 많고, 파란색 구슬은 전체의 $\frac{3}{4}$ 보다 2개 적습니다. 주머니 안에 들어 있는 구슬은 모두 몇 개입니까?

(   )

10   길이가 $6\frac{2}{5}$ m인 막대로 바닥이 평평한 저수지의 깊이를 재려고 합니다. 막대를 수면과 수직으로 세워서 저수지 바닥에 끝까지 넣어 보고 다시 꺼내어 거꾸로 바닥 끝까지 넣었을 때 젖지 않은 부분은 $1\frac{5}{7}$ m였습니다. 이 저수지의 깊이는 몇 m입니까?

(   )

먼저 생각해 봐요!

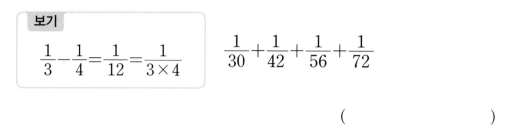

6

다각형의 둘레와 넓이

1 평면도형의 둘레

1-1
BASIC CONCEPT

- 선으로 둘러싸여 면이 생깁니다.
- 평면도형을 둘러싼 선 전체의 길이를 둘레라고 합니다.

정다각형의 둘레

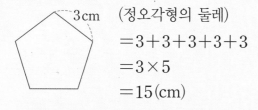

(정오각형의 둘레)
$$= 3+3+3+3+3$$
$$= 3 \times 5$$
$$= 15 \, (\text{cm})$$

(정다각형의 둘레) = (한 변) × (변의 수)

직사각형의 둘레

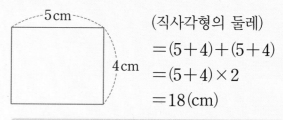

(직사각형의 둘레)
$$= (5+4)+(5+4)$$
$$= (5+4) \times 2$$
$$= 18 \, (\text{cm})$$

(직사각형의 둘레) = {(가로) + (세로)} × 2

둘레를 이용하여 변의 길이 구하기

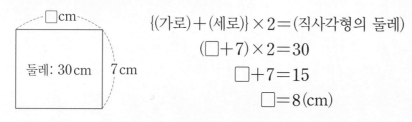

{(가로) + (세로)} × 2 = (직사각형의 둘레)
$$(\square + 7) \times 2 = 30$$
$$\square + 7 = 15$$
$$\square = 8 \, (\text{cm})$$

---

1 직사각형의 둘레를 구하시오.

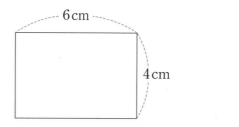

(   )

2 둘레가 긴 도형부터 차례로 기호를 쓰시오.

> ㉠ 한 변이 10 cm인 마름모
> ㉡ 한 변이 6 cm인 정팔각형
> ㉢ 가로가 16 cm, 세로가 5 cm인 직사각형

(   )

3 한 변이 11 cm인 정사각형과 둘레가 같은 직사각형이 있습니다. 이 직사각형의 가로가 12 cm라고 할 때 세로는 몇 cm입니까?

(   )

4 길이가 84 cm인 철사를 구부려 직사각형을 1개 만들었습니다. 만든 직사각형의 가로는 세로보다 8 cm 더 길다고 할 때, 직사각형의 가로를 구하시오. (단, 철사가 겹치거나 남는 부분은 없습니다.)

(   )

1-2
BASIC CONCEPT

정사각형을 이어 붙인 도형의 둘레 구하기

방법1 직사각형으로 만들어 구하기

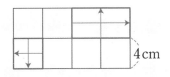
4 cm

(가로)=4×4=16 (cm)
(세로)=4×2=8 (cm)
➡ (둘레)=(16+8)×2=48 (cm)

방법2 정사각형 한 변의 몇 배인지 구하기

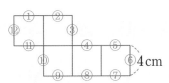
4 cm

둘레는 정사각형 한 변의 12배입니다.
➡ (둘레)=4×12=48 (cm)

5 정사각형을 겹치지 않게 이어 붙여 만든 도형의 둘레가 160 cm일 때, 정사각형의 한 변은 몇 cm인지 구하시오.

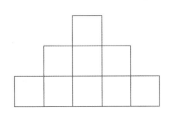

(   )

2 직사각형과 정사각형의 넓이

- 선이 모여서 면이 됩니다.
- 선이 모인 만큼의 크기가 면의 넓이입니다.

넓이의 단위

- 1 cm²(1 제곱센티미터): 한 변이 1 cm인 정사각형의 넓이
- 1 m²(1 제곱미터): 한 변이 1 m인 정사각형의 넓이
- 1 km²(1 제곱킬로미터): 한 변이 1 km인 정사각형의 넓이

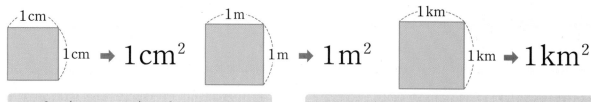

$$1 m^2 = (100 \times 100) cm^2 = 10000 cm^2$$

$$1 km^2 = (1000 \times 1000) m^2 = 1000000 m^2$$

직사각형의 넓이

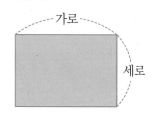

(직사각형의 넓이)=(가로)×(세로)

└── 정사각형은 가로와 세로가 같으므로
(정사각형의 넓이)=(한 변)×(한 변)입니다.

정사각형의 넓이

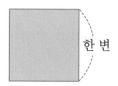

(정사각형의 넓이)=(한 변)×(한 변)

1 직사각형의 넓이를 구하시오.

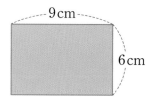

(   )

2 한 변이 6 cm인 정사각형의 넓이를 구하시오.

(   )

3 넓이가 56 cm^2인 직사각형입니다. 이 직사각형의 가로는 몇 cm입니까?

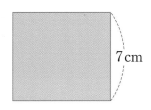

7 cm

(   )

4 둘레가 24 cm이고, 세로가 8 cm인 직사각형의 넓이를 구하시오.

(   )

BASIC CONCEPT 2-2

변의 길이를 늘인 도형의 넓이   중등연계

정사각형의 각 변을 2배로 늘이면

넓이는 $2 \times 2 = 4$(배)가 됩니다.

3 cm   6 cm

$3 \times 3 = 9(\text{cm}^2)$ $6 \times 6 = 36(\text{cm}^2)$

2배

4배

5 오른쪽 직사각형의 가로와 세로를 각각 2배씩 늘이면 넓이는 몇 배가 됩니까?

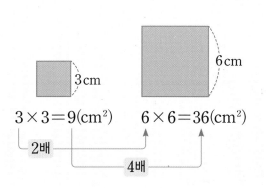

8 cm

4 cm

(   )

3 평행사변형과 삼각형의 넓이

- 평행사변형과 삼각형에서 높이는 밑변의 위치에 따라 정해집니다.
- 직사각형의 넓이를 이용하여 평행사변형과 삼각형의 넓이를 구할 수 있습니다.

평행사변형의 넓이

- 밑변: 평행한 두 변
- 높이: 두 밑변 사이의 거리

(평행사변형의 넓이)=(직사각형의 넓이)

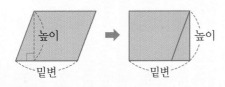

(평행사변형의 넓이)=(밑변)×(높이)

삼각형의 넓이

- 밑변: 삼각형의 한 변
- 높이: 밑변과 마주 보는 꼭짓점에서
  밑변에 수직으로 그은 선분의 길이

(삼각형의 넓이)=(직사각형의 넓이)÷2

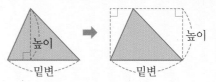

(삼각형의 넓이)=(밑변)×(높이)÷2

---

1 평행사변형과 삼각형의 넓이를 구하시오.

(1)

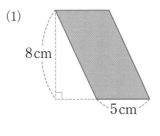

(   )

(2)

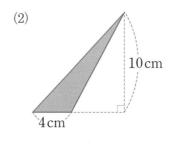

(   )

2 넓이가 $72\,\text{m}^2$인 평행사변형의 밑변이 $8\,\text{m}$라고 할 때, 높이를 구하시오.

(   )

3 ㉠에 알맞은 수를 구하시오.

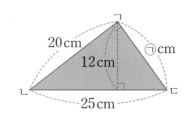

(   )

밑변과 높이가 같은 평행사변형

밑변과 높이가 같은 평행사변형은 모양이 달라도 넓이는 같습니다.

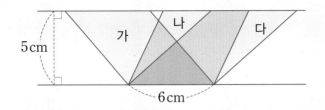

도형	넓이
가	$6 \times 5 = 30 (cm^2)$
나	$6 \times 5 = 30 (cm^2)$
다	$6 \times 5 = 30 (cm^2)$

4 넓이가 <u>다른</u> 평행사변형의 기호를 쓰시오.

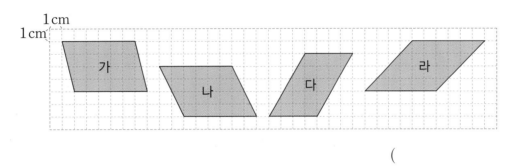

(   )

삼각형의 높이와 넓이의 관계

삼각형의 밑변의 길이가 일정할 때 높이가 2배, 3배, 4배……가 되면 넓이도 2배, 3배, 4배……가 됩니다.

높이 (cm)	1	2	3	4	5	6	7	……
넓이 (cm²)	3	6	9	12	15	18	21	……

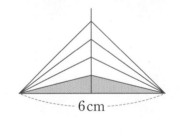

5 삼각형 가와 나의 밑변의 길이는 같습니다. 가의 넓이가 $20 \, cm^2$라고 할 때, 나의 넓이를 구하시오.

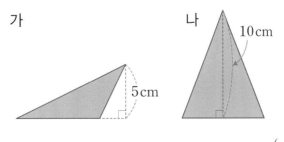

(   )

4 마름모와 사다리꼴의 넓이

- 직사각형의 넓이를 이용하여 마름모의 넓이를 구할 수 있습니다.
- 평행사변형의 넓이를 이용하여 사다리꼴의 넓이를 구할 수 있습니다.

4-1

BASIC CONCEPT

마름모의 넓이

(마름모의 넓이)＝(직사각형의 넓이)÷2
＝(가로)×(세로)÷2

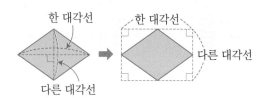

(마름모의 넓이)＝(한 대각선)
×(다른 대각선)÷2

사다리꼴의 넓이

- 밑변: 평행한 두 변(윗변, 아랫변)
- 높이: 두 밑변 사이의 거리

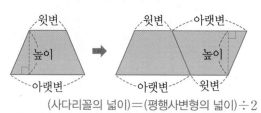

(사다리꼴의 넓이)＝(평행사변형의 넓이)÷2

(사다리꼴의 넓이)＝{(윗변)＋(아랫변)}
×(높이)÷2

---

1 마름모와 사다리꼴의 넓이를 구하시오.

(1)

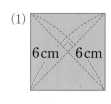

6 cm × 6 cm

(　　　　　　　)

(2)

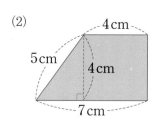

4 cm
5 cm
4 cm
7 cm

(　　　　　　　)

2 오른쪽 사다리꼴의 아랫변이 윗변보다 4 cm 더 길 때, 도형의 넓이를 구하시오.

(　　　　　　　)

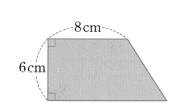

8 cm
6 cm

3 오른쪽 마름모의 넓이가 140 cm²일 때, 선분 ㄴㄹ의 길이를 구하시오.

(　　　　　　　)

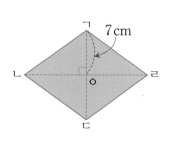

ㄱ
7 cm
ㄴ ──○── ㄹ
ㄷ

4 오른쪽 사다리꼴의 둘레가 30 cm일 때, 사다리꼴의 넓이를 구하시오.

(   )

다각형의 넓이

다각형의 넓이는 삼각형, 직사각형, 평행사변형 등의 넓이를 이용하여 구할 수 있습니다.

방법1 직사각형 ㉠과 ㉡의 넓이의 합으로 구합니다.

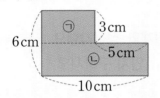

$$(5 \times 3) + (10 \times 3) = 15 + 30 = 45(\text{cm}^2)$$

방법2 큰 직사각형 ㉠의 넓이에서 작은 직사각형 ㉡의 넓이를 빼서 구합니다.

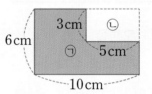

$$(10 \times 6) - (5 \times 3) = 60 - 15 = 45(\text{cm}^2)$$

5 직각으로 이루어진 오른쪽 도형의 넓이는 몇 cm²입니까?

(   )

6 오른쪽 도형에서 색칠한 부분의 넓이는 몇 cm²입니까?

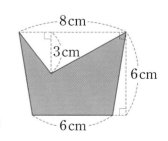

(   )

도형의 둘레는 테두리의 각 선분을 이은 것이다.

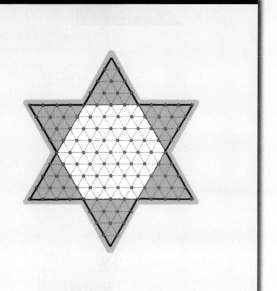

크기가 같은 정사각형 4개와
정삼각형으로 이루어진 도형 ➡

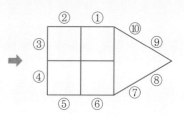

(정삼각형의 한 변)＝(정사각형의 한 변)×2
➡ (도형의 둘레)＝(정사각형의 한 변)×10

오른쪽 도형 ㄱㄴㄷㄹㅁ은 크기가 같은 정사각형 3개와 정삼각형으로 만든 것입니다. 도형 ㄱㄴㄷㄹㅁ의 둘레는 몇 cm인지 구하시오.

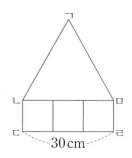

(선분 ㄴㄷ)＝(선분 ㅁㄹ)＝30÷3＝ ☐ (cm)

(선분 ㄱㄴ)＝(선분 ㄱㅁ)＝(선분 ㄴㅁ)＝(선분 ㄷㄹ)＝ ☐ (cm)

(도형 ㄱㄴㄷㄹㅁ의 둘레)

＝ ☐ ＋ ☐ ＋ ☐ ＋ ☐ ＋ ☐ ＝ ☐ (cm)

　선분 ㄱㄴ　선분 ㄴㄷ　선분 ㄷㄹ　선분 ㄹㅁ　선분 ㅁㄱ

1-1 다음은 정사각형 ㄱㄴㄷㅁ과 정삼각형 ㅁㄷㄹ로 이루어진 도형입니다. 도형 ㄱㄴㄷㄹㅁ의 둘레는 몇 cm입니까?

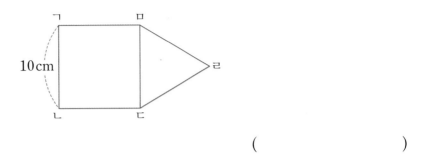

(   )

1-2 다음은 크기가 같은 정삼각형 2개와 정사각형 1개로 이루어진 도형입니다. 이 도형 전체의 둘레는 몇 cm입니까?

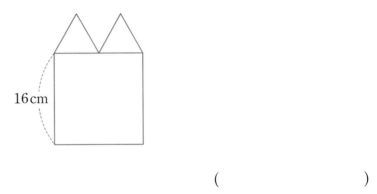

(   )

서술형 **1-3** 다음은 크기가 같은 정사각형 5개와 크기가 같은 정삼각형 2개, 작은 정삼각형 1개로 이루어진 도형입니다. 이 도형 전체의 둘레는 몇 cm인지 풀이 과정을 쓰고 답을 구하시오.

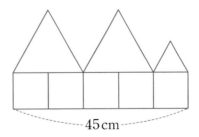

풀이 ....

....

....

답 ....

선을 움직여도 길이는 변하지 않는다.

둘레를 이루는 선분을 옮겨 직사각형을 만들 수 있습니다.

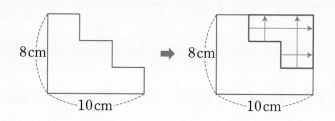

(도형의 둘레)=(직사각형의 둘레)

$$=(10+8)\times2=36\,(cm)$$

막대의 길이는 변하지 않아.

대표문제 2 직각으로 이루어진 오른쪽 도형의 둘레는 몇 cm인지 구하시오.

표시된 부분을 왼쪽으로 옮기면 직사각형 세로의 일부가 됩니다.

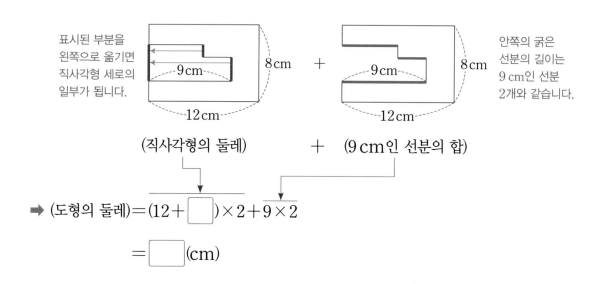

안쪽의 굵은 선분의 길이는 9 cm인 선분 2개와 같습니다.

(직사각형의 둘레) + (9 cm인 선분의 합)

➡ (도형의 둘레)=(12+☐)×2+9×2

= ☐ (cm)

2-1 직각으로 이루어진 다음 도형의 둘레는 몇 cm입니까?

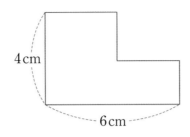

(   )

2-2 직각으로 이루어진 다음 도형의 둘레는 몇 cm입니까?

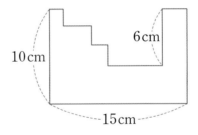

(   )

2-3 직각으로 이루어진 다음 도형의 둘레는 몇 m입니까?

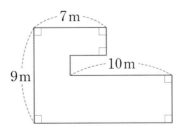

(   )

겹쳐서 생긴 도형의 변은 처음 도형들의 부분이다.

직사각형의 넓이가 정사각형 넓이의 반이면

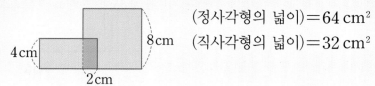

(정사각형의 넓이)$=64\,cm^2$

(직사각형의 넓이)$=32\,cm^2$

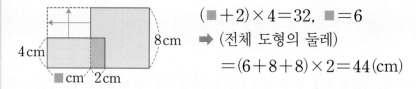

($\blacksquare+2)\times4=32$, $\blacksquare=6$

➡ (전체 도형의 둘레)

$=(6+8+8)\times2=44\,(cm)$

대표문제 3 오른쪽은 정사각형 위에 직사각형을 올려놓아 만든 도형입니다. 정사각형과 직사각형의 넓이가 같을 때 도형 전체의 둘레는 몇 m인지 구하시오.

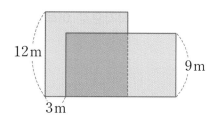

(직사각형의 넓이)=(정사각형의 넓이)$=$ ☐ $\times$ ☐ $=$ ☐ (m^2)

(직사각형의 가로)$=$ ☐ $\div9=$ ☐ (m)

(도형 전체의 둘레)$=(12+3+$ ☐ $)\times2$

$=$ ☐ (m)

3-1 정사각형 위에 직사각형을 올려놓아 만든 도형입니다. 정사각형과 직사각형의 넓이가 같을 때 도형 전체의 둘레는 몇 m입니까?

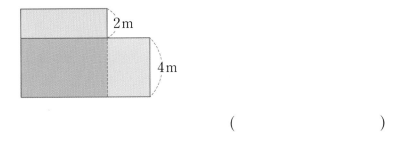

(   )

3-2 직사각형 위에 정사각형을 올려놓아 만든 도형입니다. 직사각형의 넓이가 정사각형 넓이의 3배일 때 도형 전체의 둘레는 몇 m입니까?

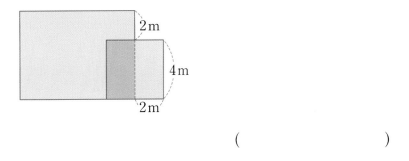

(   )

3-3 크기가 다른 정사각형 3개를 서로 겹치지 않게 이어 붙인 도형입니다. 이 도형의 넓이가 $404 \, cm^2$라고 할 때 도형 전체의 둘레는 몇 cm입니까?

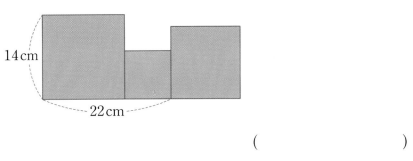

(   )

하나의 선분이 여러 도형의 변이 될 수 있다.

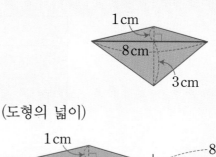

(도형의 넓이)

$= (8 \times 1 \div 2) + (8 \times 3 \div 2)$
$= 4 + 12 = 16 \, (\text{cm}^2)$

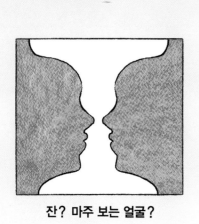

잔? 마주 보는 얼굴?

사다리꼴 ㄱㄴㄷㄹ의 넓이를 구하시오.

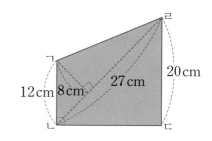

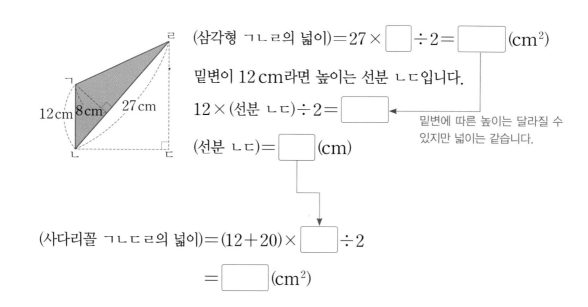

(삼각형 ㄱㄴㄹ의 넓이) $= 27 \times \boxed{} \div 2 = \boxed{} \, (\text{cm}^2)$

밑변이 12 cm라면 높이는 선분 ㄴㄷ입니다.

$12 \times (\text{선분 ㄴㄷ}) \div 2 = \boxed{}$

밑변에 따른 높이는 달라질 수 있지만 넓이는 같습니다.

(선분 ㄴㄷ) $= \boxed{} \, (\text{cm})$

(사다리꼴 ㄱㄴㄷㄹ의 넓이) $= (12 + 20) \times \boxed{} \div 2$

$= \boxed{} \, (\text{cm}^2)$

4-1 ☐ 안에 알맞은 수를 써넣으시오.

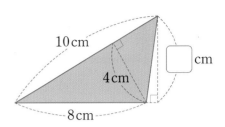

4-2 사다리꼴 ㄱㄴㄷㄹ의 넓이는 몇 cm²입니까?

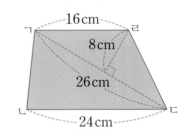

(   )

4-3 직사각형 ㄱㄴㄷㄹ의 넓이는 216 cm²입니다. 사다리꼴 ㅁㅂㄷㄹ의 넓이는 몇 cm²입니까?

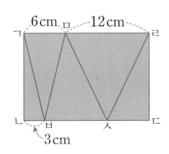

(   )

4-4 사다리꼴 ㄱㄴㄷㄹ의 넓이는 140 cm²입니다. ☐ 안에 알맞은 수를 써넣으시오.

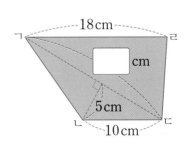

도형의 공통인 변을 이용하여 넓이를 구한다.

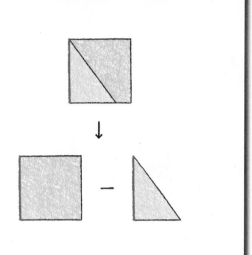

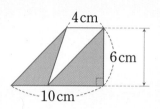

사다리꼴의 높이도 되고 밑변이 4 cm인 삼각형의 높이도 됩니다.

(전체 사다리꼴의 넓이)$=(4+10)\times6\div2=42\,(cm^2)$

(색칠하지 않은 삼각형의 넓이)$=4\times6\div2=12\,(cm^2)$

➡ (색칠한 부분의 넓이)$=42-12=30\,(cm^2)$

대표문제 5

삼각형 ㄱㄴㄷ과 삼각형 ㄹㅁㅂ은 모양과 크기가 같고, 삼각형 ㄱㅅㄹ과 삼각형 ㅅㅁㄷ도 모양과 크기가 같습니다. 색칠한 부분의 넓이를 구하시오.

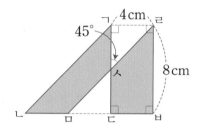

삼각형 ㄱㅅㄹ과 삼각형 ㅅㅁㄷ은 모양과 크기가 같은 이등변삼각형입니다.

(선분 ㄱㅅ)=(선분 ㄱㄹ)=(선분 ㅅㄷ)=(선분 ㅁㄷ)=□ cm

(선분 ㄴㅁ)=(선분 ㄷㅂ)=□ cm

(색칠한 부분의 넓이)=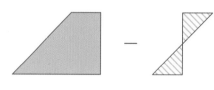

$=\{(4+□)\times8\div2\}-(4\times□\div2)\times2$

$=□-□$

$=□\,(cm^2)$

5-1 직사각형에서 색칠한 부분의 넓이는 몇 cm²입니까?

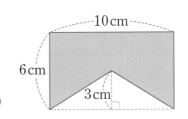

(　　　　)

5-2 사다리꼴 ㄱㄴㄷㄹ에서 색칠한 부분의 넓이는 몇 cm²입니까?

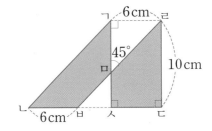

(　　　　)

5-3 정사각형 ㄱㄴㄷㄹ에서 |로 표시한 부분은 길이가 같음을 나타냅니다. 색칠한 부분의 넓이는 몇 cm²입니까?

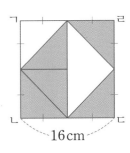

(　　　　)

5-4 직사각형 ㄱㄴㄷㄹ에서 색칠한 부분의 넓이는 몇 cm²입니까?

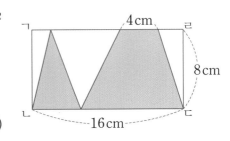

(　　　　)

같은 변을 갖는 두 도형은 겹치는 면을 갖는다.

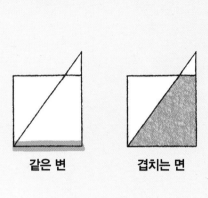

같은 변   겹치는 면

직사각형과 평행사변형을 겹친 도형에서

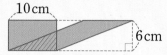

두 도형의 밑변과 높이가 같으므로

(직사각형의 넓이)＝(평행사변형의 넓이)입니다.

공통인 넓이이므로 ➡ 두 도형의 넓이는 같습니다.

대표문제 6   직사각형 ㅁㄴㄷㄹ과 평행사변형 ㄱㄴㄷㅂ을 겹쳐 놓은 도형입니다. 색칠한 부분의 넓이가 $132\,cm^2$ 일 때, 선분 ㅅㄴ은 몇 cm인지 구하시오.

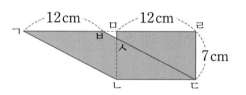

① (직사각형 ㅁㄴㄷㄹ의 넓이)＝12× ☐ ＝ ☐ (cm^2)

② (평행사변형 ㄱㄴㄷㅂ의 넓이)＝12× ☐ ＝ ☐ (cm^2)

삼각형 ㅅㄴㄷ의 넓이를 ★cm^2라고 하면

(색칠한 부분의 넓이)＝①＋②－★

$$132＝ ☐ ＋ ☐ －★$$

$$★＝ ☐ (cm^2)$$

➡ (선분 ㅅㄴ)＝ ☐ ×2÷12＝ ☐ (cm)

선분 ㅅㄴ이 밑변일 때 높이인 선분 ㄴㄷ의 길이

6-1 평행사변형 ㄱㄴㄷㄹ에서 삼각형 ㄹㅂㄷ의 넓이가 30 cm²일 때, 선분 ㄴㅂ은 몇 cm입니까?

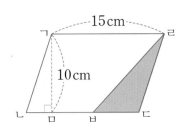

(   )

6-2 직사각형 ㄱㄴㄷㄹ과 평행사변형 ㄱㅁㅂㄹ을 겹쳐놓은 도형입니다. 색칠한 부분의 넓이가 144 cm²일 때, 선분 ㅅㄷ은 몇 cm입니까?

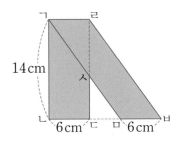

(   )

6-3 평행사변형 ㄱㄴㄷㄹ의 넓이는 168 cm²이고, 삼각형 ㅁㄴㄷ의 넓이는 36 cm²입니다. 선분 ㄹㅁ은 몇 cm입니까?

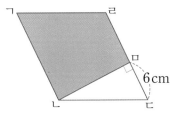

(   )

6-4 사다리꼴 ㄱㄴㄷㄹ에서 색칠한 부분의 넓이는 색칠하지 않은 부분의 넓이의 3배입니다. 선분 ㅁㅂ은 몇 cm입니까?

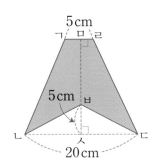

(   )

알 수 있는 것부터 차례로 구한다.

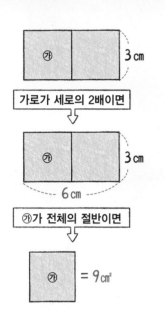

가로가 세로의 2배이면

⑦가 전체의 절반이면

⑦ = 9 cm²

정사각형과 평행사변형을 겹친 도형에서

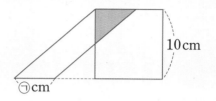

(정사각형의 넓이)＝(겹쳐진 부분의 넓이의 5배)이면

$$100＝(겹쳐진\ 부분)\times5$$
$$(겹쳐진\ 부분)＝20\,cm^2$$

(평행사변형의 넓이)＝(겹쳐진 부분의 넓이의 3배)이면

$$＝20\times3＝60\,(cm^2)$$
$$㉠\times10＝60,\ (㉠의\ 길이)＝6\,cm$$

7 대표문제

한 변이 10 cm인 정사각형과 마름모를 겹쳐 놓았습니다. 마름모의 넓이는 겹쳐진 부분의 넓이의 3배이고 정사각형의 넓이는 겹쳐진 부분의 넓이의 5배일 때, 선분 ㄴㄹ의 길이를 구하시오.

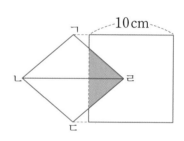

(정사각형의 넓이)＝$10\times10＝\boxed{}$(cm²)

(겹쳐진 부분의 넓이)＝(정사각형의 넓이)$\div5＝\boxed{}$(cm²)

(마름모의 넓이)＝(겹쳐진 부분의 넓이)$\times3＝\boxed{}$(cm²)

(마름모의 한 대각선)＝(선분 ㄱㄷ)
$$＝(정사각형의\ 한\ 변)$$
$$＝10\,cm$$

➡ $10\times(선분\ ㄴㄹ)\div2＝\boxed{}$

(선분 ㄴㄹ)＝$\boxed{}$(cm)

7-1 정사각형 2개를 겹쳐 놓은 도형입니다. 큰 정사각형의 넓이는 색칠한 부분의 넓이의 8배입니다. 색칠한 부분의 넓이는 몇 cm^2입니까?

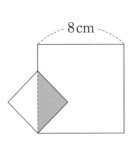

(   )

서술형 7-2 다음은 한 변이 6 cm인 정사각형과 한 대각선이 10 cm인 마름모를 겹쳐 놓은 도형입니다. 정사각형의 넓이는 겹쳐진 부분의 넓이의 4배이고, 마름모의 넓이는 겹쳐진 부분의 넓이의 10배입니다. 마름모의 다른 대각선은 몇 cm인지 풀이 과정을 쓰고 답을 구하시오.

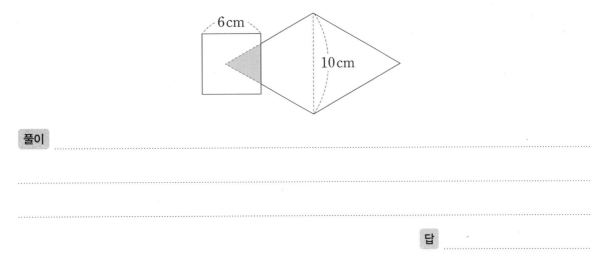

풀이 ....

....

....

답 ....

7-3 모양과 크기가 같은 직사각형 2개를 겹쳐 놓았습니다. 겹쳐진 부분은 정사각형이고, 도형 전체의 넓이가 $164 cm^2$라고 할 때, 선분 ㄱㄴ은 몇 cm입니까?

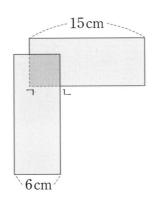

(   )

최상위 S

직사각형의
둘레를 '단위길이의 몇 배'로 나타낼 수 있다.

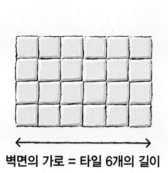

벽면의 가로 = 타일 6개의 길이

같은 직사각형 6개를 겹치지 않게 이어 붙여 만든 정사각형의 둘레가 48 cm이면

(정사각형의 한 변의 길이)$=48\div4=12$(cm)
(직사각형의 세로)$=12\div3=4$(cm)
(직사각형의 가로)$=12\div2=6$(cm)

대표문제 8

사각형 ㄱㄴㄷㄹ은 5개의 똑같은 직사각형을 겹치지 않게 이어 붙여 만든 것입니다. 사각형 ㄱㄴㄷㄹ의 둘레가 54 cm일 때, 이 도형의 넓이를 구하시오.

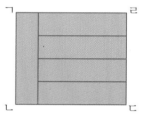

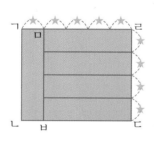

(선분 ㄱㅁ)$=$★cm라고 하면

(선분 ㄱㄴ)$=$(선분 ㅁㄹ)$=$(선분 ㄹㄷ)$=$(선분 ㄱㅁ의 4배)$=$★$\times4$

(가로)$=$(선분 ㄱㄹ)$=$(선분 ㄱㅁ)$+$(선분 ㅁㄹ)$=$★$\times$ □

(세로)$=$(선분 ㄱㄴ)$=$(선분 ㄹㄷ)　　　　　$=$★$\times$ □

─────────────────────

(가로)$+$(세로)　　　　　　　　　　　$=$★$\times$ □

(가로)$+$(세로)$=$(둘레)$\div2$ ➡ ★$\times9=54\div2=27$ ➡ ★$=$□(cm)

(도형의 넓이)$=($□$\times5)\times($□$\times4)=$□(cm²)
　　　　　　　　　가로　　　　　세로

8-1 똑같은 4개의 정사각형을 겹치지 않게 이어 붙여서 사각형 ㄱㄴㄷㄹ을 만들었습니다. 작은 정사각형의 둘레가 20 cm라고 할 때, 사각형 ㄱㄴㄷㄹ의 넓이는 몇 cm²입니까?

( )

8-2 같은 크기의 직사각형 5개를 겹치지 않게 이어 붙여서 사각형 ㄱㄴㄷㄹ을 만들었습니다. 사각형 ㄱㄴㄷㄹ의 둘레가 64 cm라고 할 때, 사각형 ㄱㄴㄷㄹ의 넓이는 몇 cm²입니까?

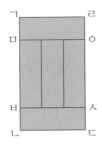

( )

서술형 **8-3** 다음은 3가지 종류의 정사각형을 겹치지 않게 이어 붙여서 만든 것입니다. 색칠한 부분의 둘레가 24 cm라고 할 때, 전체 직사각형의 넓이는 몇 cm²인지 풀이 과정을 쓰고 답을 구하시오.

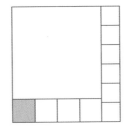

풀이 ....

....

....

답 ....

문제풀이 동영상

1 넓이가 $36\,cm^2$인 정사각형의 가로, 세로의 길이를 각각 2배로 늘여서 새로운 정사각형을 만들었습니다. 새로 만든 정사각형의 둘레와 넓이는 각각 처음 정사각형의 둘레와 넓이의 몇 배입니까?

둘레 (   )

넓이 (   )

서술형 **2** 넓이가 $81\,cm^2$인 정사각형 모양의 종이를 오른쪽 그림과 같이 같은 크기의 4개의 정사각형만큼씩 잘라 내었습니다. 잘라 낸 4개의 정사각형 넓이의 합이 $16\,cm^2$일 때 잘라 내고 남은 종이의 둘레는 몇 cm인지 풀이 과정을 쓰고 답을 구하시오.

풀이 ....

....

....

답 ....

3 가로가 $30\,m$, 세로가 $20\,m$인 밭에 다음과 같이 길을 냈습니다. 색칠한 부분의 넓이는 몇 m^2입니까?

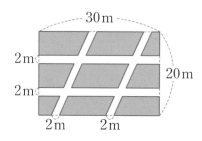

(   )

4 다음은 한 변이 $14\,$cm인 정사각형 안에 그림과 같이 정사각형을 그린 다음, 다시 그 정사각형의 네 변의 가운데 점을 연결한 것입니다. 색칠한 부분의 넓이는 몇 cm^2입니까?

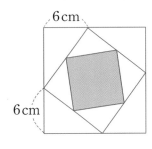

(   )

5 사각형 ㄱㄴㄷㄹ은 평행사변형입니다. 사다리꼴 ㄱㄴㄷㅂ의 넓이가 $240\,\text{cm}^2$일 때 마름모 ㅁㄹㄷㅂ의 넓이는 몇 cm^2입니까?

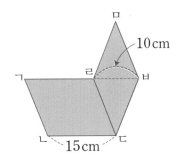

(   )

6 크기가 다른 4개의 정사각형으로 다음과 같은 도형을 만들었습니다. 색칠한 부분의 넓이는 몇 cm^2입니까?

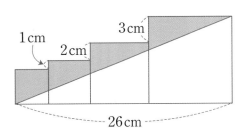

(   )

서술형 **7** 마름모의 대각선을 4 cm씩 늘여 가며 겹쳐서 그린 것입니다. 각 마름모의 두 대각선은 길이가 서로 같다고 할 때 다음 도형의 넓이는 몇 cm²인지 풀이 과정을 쓰고 답을 구하시오.

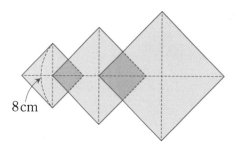

8 cm

풀이

답

8 사다리꼴 ㄱㄴㄷㄹ의 넓이는 228 cm²이고, 선분 ㄱㅁ과 선분 ㅁㄷ의 길이는 같습니다. 삼각형 ㄹㄴㅁ의 넓이는 몇 cm²입니까?

먼저 생각해 봐요!
밑변과 높이가 같으면
두 삼각형의 넓이는 같아.

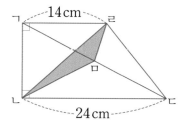

14 cm

24 cm

(   )

9 사각형 ㄱㄴㄷㄹ에서 변 ㄱㄴ과 변 ㄱㄹ의 길이가 같고, 각 ㄴㄱㄹ은 직각입니다. 각 ㄱㄹㅁ 이 60°일 때, 사각형 ㄱㄴㄷㄹ의 넓이는 몇 cm²입니까?

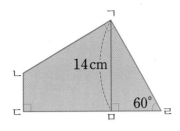

(   )

서술형 **10** 크기가 같은 정삼각형 3개를 겹치지 않게 이어 붙여 넓이가 48 cm²인 사다리꼴 ㄱㄴㄷㄹ 을 만들었습니다. (선분 ㄱㅁ)=(선분 ㅁㄹ)이라고 할 때, 삼각형 ㅁㄴㄷ의 넓이는 몇 cm²인지 풀이 과정을 쓰고 답을 구하시오.

먼저 생각해 봐요!
㉯의 넓이는 ㉮의 넓이의 몇 배일까?

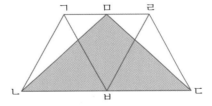

풀이 ....

....

....

....

답 ....

Brain👍

같은 도형끼리 하나의 선으로 길을 따라 연결해 보세요.
(단, 다른 도형을 연결한 선과 겹치거나 만나면 안 돼요.)

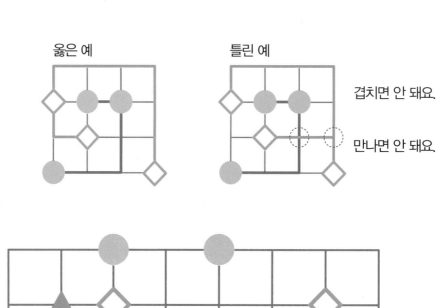

옳은 예 　　　　틀린 예　　　　겹치면 안 돼요.

만나면 안 돼요.

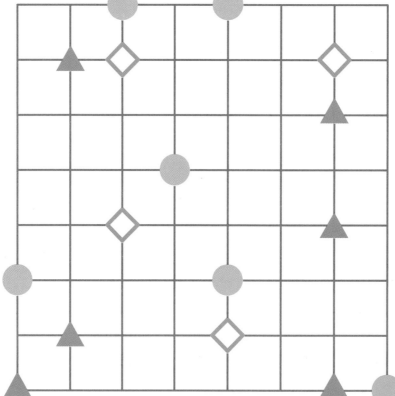

디딤돌과 함께하는 4가지 방법

NAVER 카페

http://cafe.naver.com/
didimdolmom

교재 선택부터 맞춤 학습 가이드,
이웃맘과 선배맘들의 경험담과 정보까지
가득한 디딤돌 학부모 대표 커뮤니티

디딤돌 홈페이지

www.didimdol.co.kr

교재 미리 보기와 정답지, 동영상 등
각종 자료들을 만날 수 있는
디딤돌 공식 홈페이지

Instagram

@didimdol_mom

카드 뉴스로 만나는 디딤돌 소식과
손쉽게 참여 가능한 리그램 이벤트가
진행되는 디딤돌 인스타그램

YouTube

검색창에 디딤돌교육 검색

생생한 개념 설명 영상과
문제 풀이 영상으로 학습에 도움을 주는
디딤돌 유튜브 채널

계산이 아닌 ✕

개념을 깨우치는 ○

수학을 품은 연산

디딤돌
연산
수학

은

이다.

1~6학년(학기용)

수학 공부의 새로운 패러다임

상위권의 기준

최상위 수학 S

초등 5·1

복습책

상위권의 기준

최상위 수학 S

복습책

디딤돌

1 자연수의 혼합 계산

본문 **14~29**쪽의 유사 문제입니다. 한 번 더 풀어 보세요.

S 1 어느 문구점에서 파는 공책 1권의 값은 700원, 연필 1타의 값은 3600원, 지우개 4개의 값은 1000원입니다. 공책 3권, 연필 5자루, 지우개 1개를 사려면 얼마를 내야 합니까?

( )

S 2 □ 안에 알맞은 수를 구하시오.

$$27 \times 4 - (\square \div 8 + 14) \times 3 = 48$$

( )

S 3 저울이 수평을 이루고 있습니다. 노란색 구슬 1개의 무게가 22 g, 초록색 구슬 1개의 무게가 16 g일 때 파란색 구슬 1개의 무게는 몇 g입니까?(단, 같은 색깔의 구슬은 무게가 같습니다.)

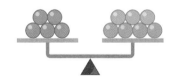

( )

4 다음과 같이 약속할 때 $(32 ◈ 4) ◈ 3$의 값을 구하시오.

$$가 ◈ 나 = (가 + 나) ÷ 나$$

(   )

5 계산 결과가 가장 작게 되도록 (   )로 묶고 가장 작은 계산 결과를 구하시오.

$$45 - 27 + 9 × 2 ÷ 3$$

(   )

6 어떤 수에서 36을 3으로 나눈 몫을 뺀 후 8과 5의 곱을 더해야 할 것을 잘못하여 36을 3으로 나눈 몫을 더한 후 8과 5의 곱을 뺐더니 32가 되었습니다. 바르게 계산하면 얼마입니까?

(   )

⟨S⟩ 7 어떤 상자에 똑같은 통조림 6개를 넣어 무게를 재어 보니 4 kg 436 g이고, 이 상자에 똑같은 통조림 8개를 넣어 무게를 재어 보니 5 kg 876 g이었습니다. 상자만의 무게는 몇 g입니까?

( )

⟨S⟩ 8 정우는 사탕과 아이스크림을 사려고 편의점에 갔습니다. 750원짜리 사탕과 900원짜리 아이스크림을 모두 30개 사고 30000원을 낸 후 5400원을 거슬러 받았습니다. 정우가 산 사탕과 아이스크림은 각각 몇 개입니까?

사탕 ( ), 아이스크림 ( )

본문 **30~32**쪽의 유사 문제입니다. 한 번 더 풀어 보세요.

1 등식이 성립하도록 ☐ 안에 $+$, $-$, $\times$, $\div$를 한 번씩 써넣으시오.

$$5 \boxed{} 4 \boxed{} 3 \boxed{} 2 \boxed{} 1 = 10$$

2 다음과 같이 약속할 때 ?5$-$!8의 값을 구하시오.

> !㉮$=$(1부터 ㉮까지 수들의 합)
>
> ?㉯$=$(1부터 ㉯까지 수들의 곱)

(   )

3 보기 와 같이 수 4를 4번 사용하여 계산 결과가 0이 되는 식을 2개 만들어 보시오.

> 보기
>
> $$4 \times 4 - 4 \times 4 = 0$$

(   ), (   )

4 □ 안에 들어갈 수 있는 자연수를 모두 구하시오.

$$7 \times \square + 24 \div 6 < 48 \div (3 \times 4) + 28$$

(   )

5 □ 안에 $+$, $-$, $\times$, $\div$를 한 번씩 써넣어 나올 수 있는 계산 결과 중 가장 큰 자연수와 가장 작은 자연수의 차를 구하시오.

$$81 \,\square\, 27 \,\square\, 9 \,\square\, 3 \,\square\, 1$$

(   )

6 #, ☆, *을 약속한 방법에 따라 계산한 것입니다. (9#4)☆(6*3)의 값을 구하시오.

1#2=3	2☆3=7	1*3=16
3#5=18	4☆6=14	4*4=64
5#8=45	8☆7=23	3*5=64

(   )

7 문구점에서 장난감 200개를 134000원에 사 와서 한 개에 230원의 이익을 남기고 팔기로 하였습니다. 그중 몇 개는 망가져서 버리고 남은 장난감을 모두 팔아 38800원의 이익을 남겼다면 망가져서 버린 장난감은 몇 개입니까?

(   )

8 가영이는 과일 가게에서 900원짜리 배, 700원짜리 사과, 600원짜리 귤을 모두 52개 사고 34700원을 냈습니다. 가영이가 산 귤의 수가 사과 수의 3배라면 배는 몇 개 샀습니까?

(   )

9 아버지는 해웅이에게 퀴즈 문제를 내어 한 문제를 맞힐 때마다 100점을 주고, 틀릴 때마다 50점을 뺐습니다. 해웅이가 30문제를 풀고 난 후 점수가 1050점이 되었다면 해웅이가 맞힌 문제는 몇 문제입니까?

(   )

10 할머니의 나이는 이모의 나이의 3배보다 6살 적고, 이모의 나이는 유진이의 나이의 2배보다 5살 많다고 합니다. 할머니의 나이가 유진이의 나이의 7배일 때, 유진이의 나이는 몇 살입니까?

(   )

S 1 두 수가 약수와 배수의 관계일 때 ㉠에 들어갈 수 있는 두 자리 수는 모두 몇 개입니까?

㉠, 56

(   )

S 2 쿠키 64개를 10명보다 많고 40명보다 적은 학생에게 남김없이 똑같이 나누어 주려고 합니다. 몇 명에게 나누어 줄 수 있는지 모두 구하시오.

(   )

S 3 14를 어떤 수로 나누면 2가 남고, 50을 어떤 수로 나누어도 2가 남습니다. 어떤 수 중 가장 작은 수를 구하시오.

(   )

4 어떤 두 수의 최소공배수는 160입니다. 두 수의 곱이 1280일 때 두 수의 최대공약수를 구하시오.

(   )

5 가 화분에는 15일마다 한 번씩 물을 주고, 나 화분에는 6일마다 한 번씩 물을 줍니다. 수요일인 오늘 가와 나 화분에 모두 물을 주었다면 다음번에 두 화분에 모두 물을 주는 날은 무슨 요일입니까?

(   )

6 다음과 같은 네 자리 수를 3의 배수도 되고, 5의 배수도 되게 만들려고 합니다. 만들 수 있는 네 자리 수는 모두 몇 개입니까?

$$4\bigcirc2\square$$

(   )

7 창의력

$<15>=4$와 같이 $<$가$>$는 가의 약수의 개수를 나타낼 때 다음을 계산하시오.

$$<<12>\times<35>>\times<30>$$

(   )

8 창의력

노란색 전구는 4초 동안 켜져 있다가 2초 동안 꺼지고, 초록색 전구는 7초 동안 켜져 있다가 3초 동안 꺼집니다. 두 전구를 동시에 켰을 때 90초 동안 두 전구가 모두 켜져 있는 시간은 몇 초입니까?

(   )

9 창의력

㈎, ㈏ 두 톱니바퀴가 맞물려 돌고 있습니다. 톱니 수는 ㈎가 24개, ㈏가 40개입니다. ㈎ 톱니바퀴가 한 바퀴 도는데 2분 30초 걸린다면 두 톱니바퀴가 회전하기 전 맞물렸던 곳에서 처음 다시 만나는 것은 몇 분 몇 초 후입니까?

(   )

본문 **58~60**쪽의 유사 문제입니다. 한 번 더 풀어 보세요.

1 1부터 300까지의 자연수 중에서 6의 배수도 8의 배수도 아닌 자연수는 모두 몇 개입니까?

( )

2 어떤 두 수의 최소공배수는 392이고, 두 수의 곱은 2744입니다. 이 두 수의 공약수의 개수를 구하시오.

( )

3 현아는 3일에 한 번씩 도서관에 가고, 선미는 7일에 한 번씩 도서관에 갑니다. 현아와 선미가 3월 15일 도서관에서 만났다면 4월에 두 번째로 다시 만나는 날은 4월 며칠입니까?

( )

4 두 수 67과 76을 어떤 수로 나누면 나머지가 모두 4라고 합니다. 어떤 수를 구하시오.

( )

5 200보다 작은 세 자리 수 중에서 4, 5, 8로 나누어도 항상 3이 남는 수를 모두 구하시오.

( )

6 가로가 $90\,\text{m}$, 세로가 $54\,\text{m}$인 직사각형 모양의 땅 둘레에 같은 간격으로 깃발을 꽂으려고 합니다. 깃발을 될 수 있는 대로 적게 꽂고 네 꼭짓점에는 반드시 깃발을 꽂으려면 깃발은 모두 몇 개가 필요합니까?

( )

7 가로 $24\,\text{cm}$, 세로 $20\,\text{cm}$, 높이 $8\,\text{cm}$인 직육면체 모양의 벽돌이 있습니다. 이 벽돌을 같은 방향으로 빈틈없이 쌓아 가능한 한 작은 정육면체를 만들려고 합니다. 벽돌은 적어도 몇 개 필요합니까?

( )

8 다음 조건을 모두 만족하는 두 수를 구하시오.

> • 두 수의 합은 126입니다.
> • 두 수의 최대공약수는 14입니다.
> • 두 수의 최소공배수는 280입니다.

(   )

9 3의 배수인 네 자리 수 ★42■를 만들려고 합니다. ■가 ★보다 2 작은 수라고 할 때, 만들 수 있는 수를 모두 구하시오.

(   )

10 {A, B}＝C에서 C는 A, B의 공약수의 개수라고 할 때 {108, □}＝9를 만족하는 수를 구하려고 합니다. □ 안에 들어갈 수 있는 수 중 가장 작은 수를 구하시오.

(   )

1 ◇와 ○ 사이의 대응 관계를 나타낸 표입니다. ◇가 18일 때 ○의 값을 구하시오.

◇	1	2	3	4	5	6
○	9	15	21	27	33	39

(   )

2 규칙에 따라 수를 늘어놓았습니다. 30번째 수를 구하시오.

2, 5, 8, 11, 14……

(   )

3 다음과 같이 성냥개비로 정육각형을 만들고 있습니다. 성냥개비 96개로 만든 정육각형은 몇 개입니까?

……

(   )

4 길이가 40 cm인 어떤 양초에 불을 붙이면 7분에 3 cm씩 길이가 짧아진다고 합니다. 남은 양초의 길이가 16 cm가 될 때는 양초에 불을 붙인지 몇 분 후입니까?

(   )

5 다음과 같은 방법으로 실을 잘라 여러 도막으로 나누려고 합니다. 자른 횟수를 ○, 도막의 수를 □라 할 때 ○와 □ 사이의 대응 관계를 식으로 나타내고, 실을 24번 잘랐을 때 나누어진 실은 몇 도막인지 구하시오.

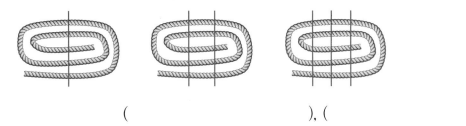

(   ), (   )

6 다음과 같은 규칙으로 붙임딱지를 붙일 때 19번째에 붙일  모양과 ★ 모양의 붙임딱지 수의 차는 몇 장입니까?

(   )

7 다음과 같이 만나는 점의 수가 최대가 되도록 직선을 그었습니다. 만나는 점이 55개가 되려면 직선을 적어도 몇 개 그어야 합니까?

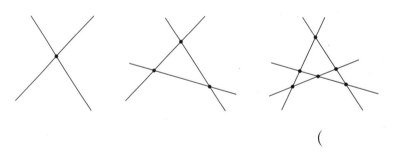

(   )

본문 **80~83**쪽의 유사 문제입니다. 한 번 더 풀어 보세요.

1 ○와 △ 사이의 대응 관계를 나타낸 표입니다. ○와 △ 사이의 대응 관계를 식으로 나타내어 보시오.

○	1	2	3	4	5	6
△	2	8	14	20	26	32

( )

2 온도가 80 ℃인 물을 공기 중에 놓아두면 3분이 지날 때마다 온도가 4 ℃씩 내려간다고 합니다. 물의 온도가 20 ℃가 되는 때는 물을 공기 중에 놓아둔지 몇 분 후입니까?

( )

3 규칙에 따라 수 카드를 두 장씩 짝 지어 놓을 때 ㉠에 알맞은 수를 구하시오.

[5] [13]　　[8] [19]　　[12] [27]　　[㉠] [49]

( )

4 서울이 오후 4시일 때 두바이는 같은 날 오전 11시입니다. 서울에 사는 유찬이는 5월 4일 오전 9시에 출발하여 6시간 동안 비행기를 타고 두바이에 도착했습니다. 유찬이가 두바이에 도착했을 때 두바이는 몇 월 며칠 몇 시 몇 분입니까?

(   )

5 다음과 같이 바둑돌을 육각형 모양으로 늘어놓고 있습니다. 육각형을 9개 만들려면 필요한 바둑돌은 몇 개입니까?

 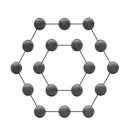 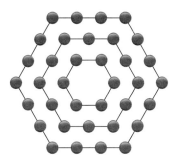

(   )

6 동석이가 집을 출발한지 11분 후에 누나가 동석이를 만나기 위해 뒤따라 출발했습니다. 동석이는 1분에 80 m씩 걸어가고, 누나는 1분에 135 m씩 뛰어갔습니다. 누나는 출발한지 몇 분 후에 동석이를 만날 수 있습니까?

(   )

7 다음과 같이 정삼각형 ㄱㄴㄷ의 각 꼭짓점에 0부터 500까지의 수를 순서대로 쓰고 있습니다. 꼭짓점 ㄷ에 150번째로 쓸 수를 구하시오.

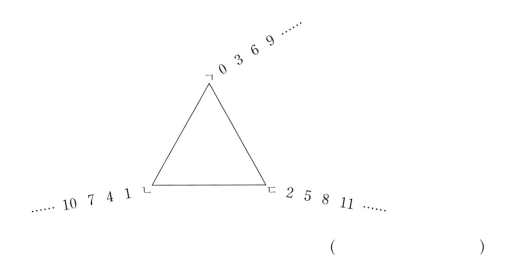

(   )

8 긴 막대를 18도막으로 자르려고 합니다. 한 번 자르는 데 5분이 걸리고 한 번 자르고 나면 2분씩 쉰다고 합니다. 오후 3시에 막대를 자르기 시작했다면 막대 자르기가 끝나는 시각은 오후 몇 시 몇 분입니까?

(   )

9 다음과 같은 규칙에 따라 수를 늘어놓았습니다. 빨간색 화살표 방향으로 10번째 수를 구하시오.

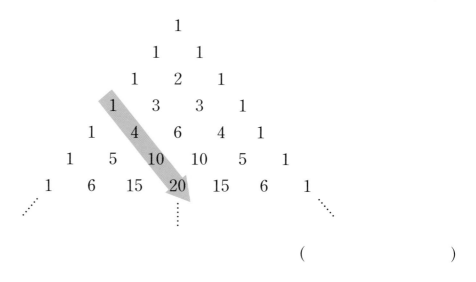

(   )

10 정사각형의 네 변을 각각 3등분하여 만든 정사각형 중 가운데 정사각형만 색칠하고 있습니다. 이 과정을 반복하여 그릴 때, 다섯 번째 그림에서 색칠한 정사각형은 모두 몇 개입니까?

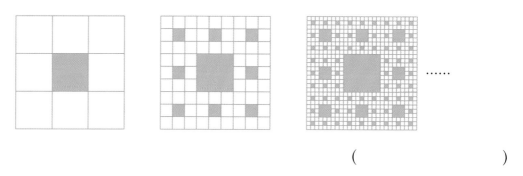

(   )

본문 92~107쪽의 유사 문제입니다. 한 번 더 풀어 보세요.

1 $\frac{2}{3}$보다 크고 $\frac{21}{25}$보다 작은 분수 중에서 분모가 75인 기약분수는 모두 몇 개입니까?

(   )

2 분모가 56인 진분수 중 $\frac{11}{42}$에 가장 가까운 분수를 구하시오.

(   )

3 분모와 분자의 합이 54이고, 기약분수로 나타내면 $\frac{2}{7}$인 분수를 구하시오.

(   )

4 □ 안에 들어갈 수 있는 자연수는 모두 몇 개입니까?

$$\frac{7}{15} < \frac{4}{\square} < \frac{2}{3}$$

(   )

5 분모가 15인 어떤 분수의 분모와 분자에 각각 7을 더한 다음 기약분수로 나타내었더니 $\frac{1}{2}$이 되었습니다. 처음 분수를 구하시오.

(   )

6 기약분수로 나타내면 $\frac{5}{7}$가 되는 분수 중에서 다음 조건을 모두 만족하는 분수는 몇 개입니까?

· 분모와 분자의 합이 50보다 크고 100보다 작습니다.
· 분모는 20보다 크고 50보다 작습니다.

(   )

7 분모가 147인 진분수 중에서 기약분수가 아닌 분수는 모두 몇 개입니까?

( )

8 두 식을 모두 만족하는 자연수 ㉠, ㉡을 구하시오.

$$\frac{㉠}{㉡+2}=\frac{1}{6}, \frac{㉠}{㉡+3}=\frac{1}{7}$$

㉠ ( ), ㉡ ( )

4 약분과 통분

본문 108~110쪽의 유사 문제입니다. 한 번 더 풀어 보세요.

1 분모가 12인 기약분수 중에서 1보다 작은 분수를 모두 더하면 얼마입니까?

( )

2 분모가 20보다 작은 6의 배수인 진분수 중에서 기약분수는 모두 몇 개입니까?

( )

3 $\frac{2}{5}$보다 크고 $\frac{5}{8}$보다 작은 분수 중에서 분모가 40인 기약분수를 모두 구하시오.

( )

4 분모와 분자의 곱이 336이고, 기약분수로 나타내면 $\frac{3}{7}$인 분수를 구하시오.

( )

5 $\dfrac{6}{13}$의 분모에 65를 더했을 때 분수의 크기가 변하지 않으려면 분자에 얼마를 더해야 합니까?

(   )

6 $\dfrac{31}{65}$의 분모와 분자에 각각 같은 수를 더하여 약분하였더니 $\dfrac{3}{5}$이 되었습니다. 분모와 분자에 더한 수는 얼마입니까?

(   )

7 분모와 분자의 합이 80인 분수의 분모에서 4를 빼고, 분자에서 7을 뺀 후 약분하였더니 $\dfrac{7}{16}$이 되었습니다. 처음의 분수를 구하시오.

(   )

8 5장의 수 카드 중 2장을 골라 한 장은 분모로, 다른 한 장은 분자로 하는 진분수를 만들려고 합니다. 이때 $\frac{1}{2}$보다 작은 진분수 중 가장 큰 분수를 구하시오.

(   )

9 분자와 분모가 각각 2씩 커지는 분수들을 늘어놓은 것입니다. 기약분수로 나타내었을 때 $\frac{17}{20}$이 되는 분수는 몇 번째에 놓입니까?

$$\frac{6}{12}, \frac{8}{14}, \frac{10}{16}, \frac{12}{18} \cdots\cdots$$

(   )

10 다음 식을 만족하는 서로 다른 자연수 ■와 ▲가 있습니다. ■와 ▲에 알맞은 수 중 가장 작은 자연수를 각각 구하시오.

$$\frac{\blacktriangle}{\blacksquare \times \blacksquare \times \blacksquare} = \frac{1}{200}$$

■ (   ), ▲ (   )

본문 118~133쪽의 유사 문제입니다. 한 번 더 풀어 보세요.

S 1 다음 설명이 맞는지 틀린지 쓰시오.

> $360\,\text{kg}$의 밀가루가 있습니다. 진호는 전체의 $\dfrac{1}{8}$을 사용하였고, 수현이는 전체의 $\dfrac{1}{3}$을 사용하였습니다. 사용한 밀가루의 양은 $200\,\text{kg}$이 안 됩니다.

( )

S 2 어떤 직사각형의 세로는 가로보다 $1\dfrac{2}{3}\,\text{cm}$ 더 깁니다. 이 직사각형의 둘레가 $8\dfrac{3}{4}\,\text{cm}$일 때 가로를 구하시오.

( )

S 3 수 카드를 모두 한 번씩만 사용하여 합이 가장 큰 (대분수)＋(진분수)를 만들려고 합니다. 합을 구하여 기약분수로 나타내시오.

$$\boxed{1} \quad \boxed{3} \quad \boxed{4} \quad \boxed{5} \quad \boxed{9}$$

( )

4 어떤 수에 $2\frac{3}{7}$ 을 더해야 할 것을 잘못하여 뺐더니 $4\frac{1}{3}$ 이 되었습니다. 바르게 계산하여 기약분수로 나타내시오.

(   )

5 $\dfrac{7}{18}$ 을 서로 다른 세 단위분수의 합으로 나타내시오.

$$\frac{7}{18}=\frac{1}{\boxed{}}+\frac{1}{\boxed{}}+\frac{1}{\boxed{}}$$

6 케이크를 만들기 위해 걸린 시간이 반죽은 $\dfrac{1}{2}$ 시간, 발효에 $2\frac{2}{3}$ 시간, 굽는 데 $\dfrac{5}{12}$ 시간이 걸렸습니다. 케이크를 만드는 데 걸린 시간은 모두 몇 시간 몇 분입니까?

(   )

7 우유가 가득 들어 있는 통의 무게가 $2\frac{3}{8}$ kg입니다. 이 통에서 우유 $\frac{1}{4}$ 을 덜어 내고 무게를 재어 보니 $1\frac{11}{12}$ kg이었습니다. 빈 통의 무게는 몇 kg입니까?

(   )

8 쿠키를 좋아하는 학생은 전체의 $\frac{7}{10}$ 이고, 사탕을 좋아하는 학생은 전체의 $\frac{7}{18}$ 이고, 쿠키와 사탕을 모두 좋아하지 않는 학생은 전체의 $\frac{1}{9}$ 입니다. 쿠키와 사탕을 모두 좋아하는 학생은 전체의 몇 분의 몇입니까?

(   )

5 분수의 덧셈과 뺄셈

본문 134~136쪽의 유사 문제입니다. 한 번 더 풀어 보세요.

1 어떤 수에 $1\frac{3}{4}$을 더한 후 $2\frac{2}{5}$를 빼야 하는데 잘못하여 $1\frac{3}{4}$을 뺀 후 $2\frac{2}{5}$를 더했더니 $4\frac{3}{5}$이 되었습니다. 바르게 계산한 값을 구하시오.

( )

2 $3\frac{3}{8}$ cm인 색 테이프 4장을 $\frac{5}{12}$ cm씩 겹치게 이어 붙였습니다. 이어 붙인 색 테이프의 전체 길이를 구하시오.

( )

3 귤이 가득 들어 있는 상자의 무게가 $6\frac{7}{10}$ kg이라고 합니다. 이 상자에서 귤의 절반을 먹고 다시 무게를 재어 보니 $3\frac{3}{4}$ kg이었습니다. 상자만의 무게는 몇 kg입니까?

( )

4 두 기약분수의 합이 $\frac{23}{24}$이고, 차가 $\frac{5}{24}$입니다. 두 기약분수를 구하시오.

( )

5 왼쪽 식을 이용하여 $\frac{1}{18}$을 세 단위분수의 뺄셈식으로 나타내시오.

$$1=9-6-2 \implies \frac{1}{18}=\frac{1}{\boxed{}}-\frac{1}{\boxed{}}-\frac{1}{\boxed{}}$$

6 어떤 일을 하는 데 갑은 8일, 을은 6일, 병은 24일이 걸린다고 합니다. 같은 일을 세 사람이 함께 한다면 며칠 만에 일을 끝낼 수 있습니까? (단, 세 사람이 하루 동안 하는 일의 양은 각각 일정합니다.)

(   )

7 □ 안에 들어갈 수 있는 자연수는 모두 몇 개입니까?

$$\frac{5}{6}+\frac{\square}{9}<2\frac{2}{15}$$

(   )

8 보기 를 이용하여 분수의 합을 구하시오.

보기
$\dfrac{1}{2} - \dfrac{1}{3} = \dfrac{1}{6} = \dfrac{1}{2 \times 3}$

$\dfrac{1}{12} + \dfrac{1}{20} + \dfrac{1}{30} + \dfrac{1}{42}$

(   )

9 주머니 안에 빨간색 구슬과 파란색 구슬이 들어 있습니다. 빨간색 구슬은 전체의 $\dfrac{1}{2}$ 보다 10개 많고, 파란색 구슬은 전체의 $\dfrac{4}{9}$ 보다 5개 적습니다. 주머니 안에 들어 있는 구슬은 모두 몇 개입니까?

(   )

10 길이가 $7\dfrac{4}{7}$ m인 막대로 바닥이 평평한 저수지의 깊이를 재려고 합니다. 막대를 수면과 수직으로 세워서 저수지 바닥에 끝까지 넣어 보고 다시 꺼내어 거꾸로 바닥에 끝까지 넣었을 때 젖지 않은 부분은 $2\dfrac{3}{5}$ m였습니다. 이 저수지의 깊이는 몇 m입니까?

(   )

본문 146~161쪽의 유사 문제입니다. 한 번 더 풀어 보세요.

S 1 다음 그림은 크기가 같은 정사각형 6개와 크기가 서로 다른 정삼각형 3개로 이루어진 도형입니다. 이 도형의 둘레는 몇 cm입니까?

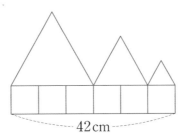

(   )

S 2 다음 그림은 직각으로 이루어진 도형입니다. 이 도형의 둘레는 몇 cm입니까?

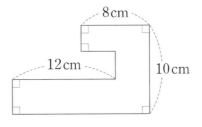

(   )

S 3 크기가 다른 정사각형 3개를 서로 겹치지 않게 이어 붙였습니다. 이 도형의 넓이가 217cm²라고 할 때 전체 도형의 둘레는 몇 cm입니까?

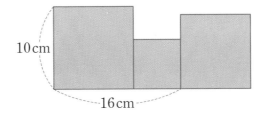

(   )

4 다음 사다리꼴 ㄱㄴㄷㄹ의 넓이는 110 cm²입니다. ☐ 안에 알맞은 수를 써넣으시오.

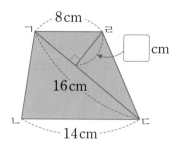

5 사각형 ㄱㄴㄷㄹ은 정사각형입니다. 색칠한 부분의 넓이는 몇 cm²입니까?

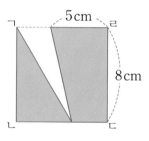

(   )

6 사다리꼴 ㄱㄴㄷㄹ에서 색칠한 부분의 넓이는 색칠하지 않은 부분의 넓이의 2배입니다. 변 ㄱㄹ은 몇 cm입니까?

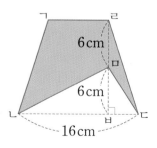

(   )

7 모양과 크기가 같은 직사각형 2개를 겹쳐 놓았습니다. 겹쳐진 부분은 정사각형이고, 도형 전체의 넓이가 359 cm²일 때 선분 ㄱㄴ은 몇 cm입니까?

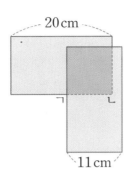

(   )

8 정사각형 모양의 종이를 다음 그림과 같이 선을 따라 잘라서 크기가 같은 작은 정사각형 3개와 직사각형 1개를 만들려고 합니다. 직사각형 가의 둘레가 50 cm일 때 자르기 전의 정사각형 모양 종이의 넓이는 몇 cm²입니까?

(   )

1 넓이가 9 cm^2인 정사각형의 가로, 세로의 길이를 각각 3배로 늘여서 새로운 정사각형을 만들었습니다. 새로 만든 정사각형의 둘레와 넓이는 각각 처음 정사각형의 둘레와 넓이의 몇 배입니까?

둘레 (　　　　　　　　)

넓이 (　　　　　　　　)

2 넓이가 121 cm^2인 정사각형 모양의 종이를 다음 그림과 같이 8개의 정사각형만큼씩 잘라 내었습니다. 잘라낸 8개의 정사각형 넓이의 합이 32 cm^2일 때 잘라 내고 남은 종이의 둘레는 몇 cm입니까?

(　　　　　　　　)

3 가로가 28 m, 세로가 16 m인 밭에 다음과 같이 길을 냈습니다. 색칠한 부분의 넓이는 몇 m^2입니까?

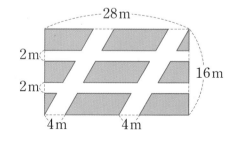

(　　　　　　　　)

4 다음은 한 변이 20 cm인 정사각형 안에 그림과 같이 정사각형을 그린 다음, 다시 그 정사각형의 네 변의 가운데 점을 연결한 것입니다. 색칠한 부분의 넓이는 몇 cm²입니까?

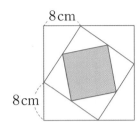

(   )

5 사각형 ㄱㄴㄷㄹ은 평행사변형입니다. 사다리꼴 ㄱㄴㄷㅂ의 넓이가 60 cm²일 때 마름모 ㅁㄹㄷㅂ의 넓이는 몇 cm²입니까?

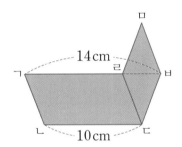

(   )

6 크기가 다른 5개의 정사각형으로 다음과 같은 도형을 만들었습니다. 색칠한 부분의 넓이는 몇 cm²입니까?

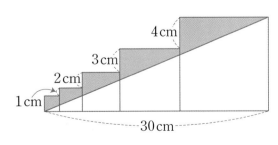

(   )

7 마름모의 대각선을 2배씩 늘여 가며 겹쳐서 그린 것입니다. 각 마름모의 두 대각선은 길이가 같다고 할 때 다음 도형의 넓이는 몇 cm²입니까?

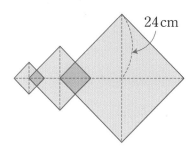

(   )

8 다음 사다리꼴 ㄱㄴㄷㄹ의 넓이는 224 cm²이고, 선분 ㄱㅁ의 길이와 선분 ㅁㄷ의 길이는 같습니다. 삼각형 ㄹㄴㅁ의 넓이는 몇 cm²입니까?

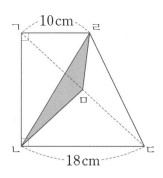

(   )

9 사각형 ㄱㄴㄷㄹ에서 변 ㄱㄴ과 변 ㄱㄹ의 길이가 같고, 각 ㄴㄱㄹ은 직각입니다.
각 ㄱㄹㅁ이 50°일 때, 사각형 ㄱㄴㄷㄹ의 넓이는 몇 cm²입니까?

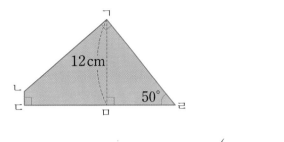

(   )

10 크기가 같은 정삼각형 3개를 다음과 같이 겹치지 않게 이어 붙여 넓이가 39 cm²인 사다
리꼴 ㄱㄴㄷㄹ을 만들었습니다. 선분 ㄱㄹ 위의 점 ㅁ에 대하여 삼각형 ㅁㄴㄷ의 넓이를
구하시오.

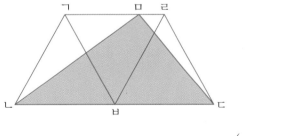

(   )

상위권을 위한
사고력

생각하는 방법도
최상위!

수능까지 연결되는 독해 로드맵

디딤돌 독해력은 수능까지 연결되는 체계적인 라인업을 통하여

수능에서 요구하는 핵심 독해 원리에 대한 이해는 물론,

단계 별로 심화되며 연결되는 학습의 과정을 통해

깊이 있고 종합적인 독해 사고의 능력까지 기를 수 있도록 도와줍니다.

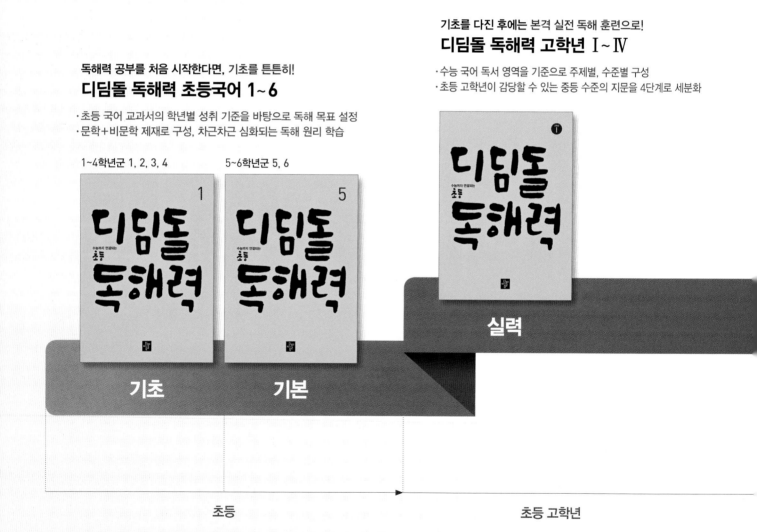

기초를 다진 후에는 본격 실전 독해 훈련으로!
디딤돌 독해력 고학년 Ⅰ~Ⅳ

· 수능 국어 독서 영역을 기준으로 주제별, 수준별 구성
· 초등 고학년이 감당할 수 있는 중등 수준의 지문을 4단계로 세분화

독해력 공부를 처음 시작한다면, 기초를 튼튼히!
디딤돌 독해력 초등국어 1~6

· 초등 국어 교과서의 학년별 성취 기준을 바탕으로 독해 목표 설정
· 문학+비문학 제재로 구성, 차근차근 심화되는 독해 원리 학습

1~4학년군 1, 2, 3, 4   5~6학년군 5, 6

실력

기초   **기본**

초등   초등 고학년

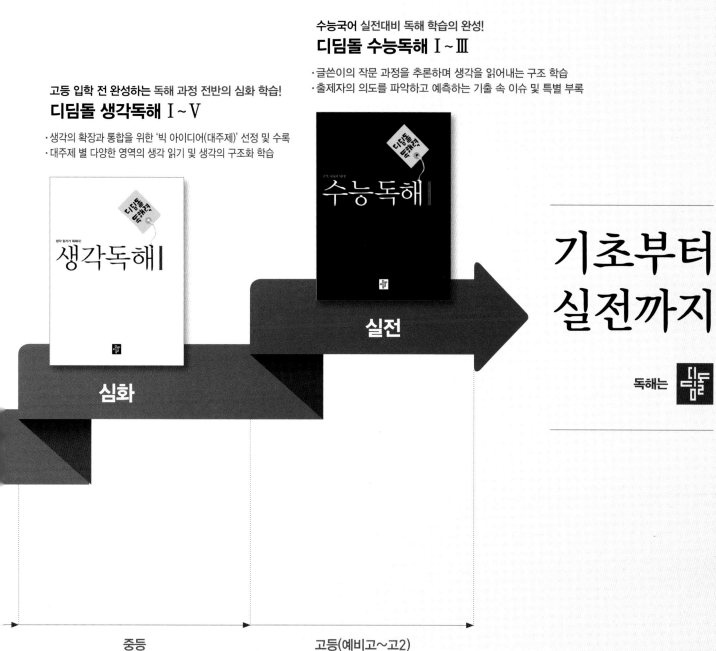

고등 입학 전 완성하는 독해 과정 전반의 심화 학습!
디딤돌 생각독해 I ~ V
· 생각의 확장과 통합을 위한 '빅 아이디어(대주제)' 선정 및 수록
· 대주제 별 다양한 영역의 생각 읽기 및 생각의 구조화 학습

수능국어 실전대비 독해 학습의 완성!
디딤돌 수능독해 I ~ III
· 글쓴이의 작문 과정을 추론하며 생각을 읽어내는 구조 학습
· 출제자의 의도를 파악하고 예측하는 기출 속 이슈 및 특별 부록

생각 읽기가 독해다!
생각독해 I

공부, 독해가 답이다!
수능독해 I

심화

실전

기초부터
실전까지

독해는 디딤돌

중등

고등(예비고~고2)

상위권의 기준

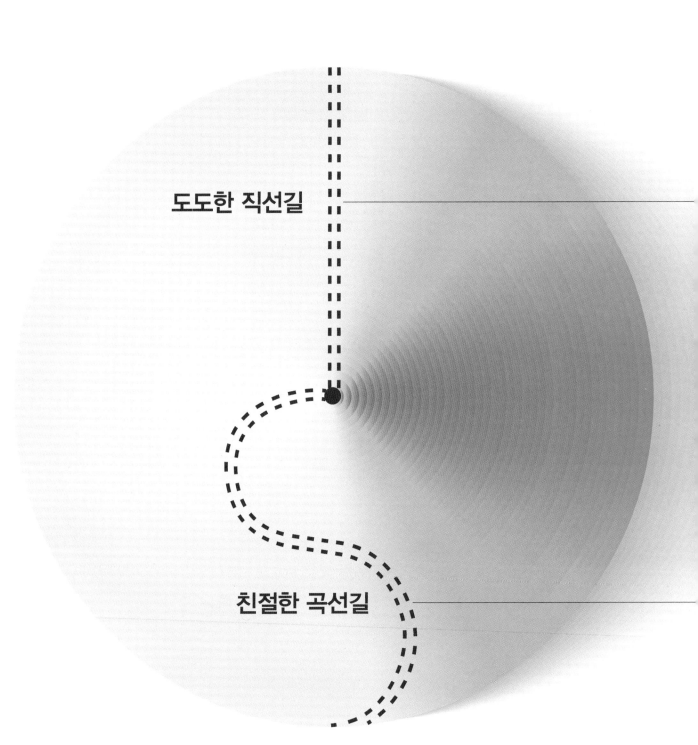

도도한 직선길

친절한 곡선길

초등 5·1

상위권의 기준

최상위 수학 S

정답과 풀이

SPEED 정답 체크

1 자연수의 혼합 계산

08~13쪽

BASIC CONCEPT

1 덧셈과 뺄셈, 곱셈과 나눗셈이 섞여 있는 식

1 (1) 38 (2) 72

2 >

3 ㉡

4 $72 \div (3 \times 2) \div 4 = 3$

5 16명

6 9개

7 (1) 21 (2) 36

2 덧셈, 뺄셈, 곱셈·나눗셈이 섞여 있는 식

1 (1) 7 (2) 61

2 $45 + (36 - 12) \div 6 = 45 + 24 \div 6 = 45 + 4 = 49$

3 $18 \times (3 + 7) - 29 = 151$

4 $42 - (3 + 2) \times 4 = 22$ / 22개

5 $72 \div 3 + 68 \div 4 - 5 = 36$ / 36 cm

6 ✕✕✕

3 덧셈, 뺄셈, 곱셈, 나눗셈이 섞여 있는 식

1 (1) 5 (2) 23

2 ㉡, ㉢, ㉣, ㉠, ㉤

3 <

4 $7 + 36 \div (2 \times 3) - 9 = 4$

5 $\times, -, \div$

6 20 ℃

7 15, 5

4 7, 5, 7, 5, 12, 2, 24 / 24, 24, 24, 56, 8, 448

4-1 20 4-2 48 4-3 96 4-4 11

5 크게에 ◯표 / $10 \times (8 + 5) - 16 \div 4$ / (위에서부터) 126, 13, 130, 4, 126 / 126

5-1 $78 \div (4 + 9) - 3$ / 3

5-2 $(27 + 8) \times 5 - 18 \div 6$ / 172

5-3 $(14 + 35) \div 7 - (4 + 2)$ / 1

5-4 $(24 + 9 - 6 \div 3) \times (12 + 18)$ / 930

6 6, 12, 3, 16 / 6, 4, 16, 6, 12, 2, 4 / 6, 12, 3, 4, 6, 12, 3, 6, 6, 12, 3, 36, 4, 40

6-1 90 6-2 51 6-3 6 6-4 37

7 5 / 5, 455, 2, 150 / 150, 2 / 150, 2, 3, 75, 3, 225, 230

7-1 28 g 7-2 130 g 7-3 85 g 7-4 450 g

8 500, 7500, 200, 200 / 7500, 200, 4, 15, 4, 11 / 11, 4

8-1 27마리, 13마리 8-2 8개, 10개

8-3 6개 8-4 1월 10일

14~29쪽

최상위 S

1 4, 4 / 2, 3, 4, 2, 3, 20, 2, 3, 40, 3, 37

1-1 410번 1-2 2 kg 1-3 1500원

2 36 / 36, 12 / 12, 6 / 6, 4 / 4

2-1 3 2-2 9 2-3 8 2-4 6

3 5, 3, 2, 5, 3, 2, 120, 84, 2, 36, 2, 18

3-1 43 g 3-2 16 g 3-3 63 g

30~32쪽

MATH MASTER

1 예 $+, \times, \div, -$

2 8

3 예 $7 \times 7 \div 7 \div 7 = 1$, 예 $7 \div 7 \times 7 \div 7 = 1$

4 4개

5 130

6 229

7 16개

8 11자루

9 9문제

10 11살

2 약수와 배수

3 규칙과 대응

62~65쪽
BASIC CONCEPT

1 두 양 사이의 관계

1 30, 60

2 30개

3 예 삼각형의 수를 3배 하면 사각형의 수와 같습니다.

4 4, 6, 8, 10, 12

5 42개

6 예 삼각형의 수는 사각형의 수의 2배보다 2개 많습니다.

2 대응 관계를 식으로 나타내기

1 $\square \times 6 = \triangle$(또는 $\triangle \div 6 = \square$)

2 $\triangle \times 130 = \bigcirc$(또는 $\bigcirc \div 130 = \triangle$)

3 예 동생의 나이($\bigcirc$)는 내 나이($\diamond$)보다 2살 적습니다.

4 (위에서부터) 30 / 2, 3 /

$\triangle \times 3 = ☆$(또는 $☆ \div 3 = \triangle$)

5 $\triangle + 6 = \bigcirc$(또는 $\bigcirc - 6 = \triangle$)

66~79쪽
최상위 S

1 3, 3 / 3, 6, 9, 12, 15, 18, 1 / 3, 1 / 25, 3, 1, 74

1-1 81   **1-2** 136   **1-3** 18

2 3, 2 / 30, 3, 2, 90, 2, 88 / 88

2-1 55   **2-2** 138   **2-3** 14번째   **2-4** 16장

3 13, 17, 21 / 4, 1, 4 / 1, 4, 20, 1, 80, 81 / 81

3-1 81개   **3-2** 151개   **3-3** 12개

4 5, 12, 5, 12 / 5, 12, 12, 5, 12, 108, 108, 12, 9 / 9

4-1 12분 후   **4-2** 30분 후   **4-3** 35분 후

4-4 1시간 50분

5 10, 13, 16, 19 / 3, 1 / 10, 3, 1, 31, 31

5-1 예 $\square = \bigcirc + 1$, 16개

5-2 예 $\square = \bigcirc \times 4 + 1$, 81도막

5-3 512개

6 3×3, 4×4, 5×5 / 4×4, 5×4, 6×4 / ○, ○, 1, 4 / 30, 30, 900, 30, 1, 4, 124 / 900, 124, 776 / 776

6-1 42개   **6-2** 399장   **6-3** 10번째

7 11, 16 / 4, 5 / 5, 6, 7, 8, 9, 46 / 46

7-1 66개   **7-2** 121개   **7-3** 8개

80~83쪽
MATH MASTER

1 (위에서부터) 5 / 15, 23 / 예 $\triangle = \bigcirc \times 4 - 1$

2 6 km

3 18

4 7월 2일 오전 1시 45분   **5** 188개

6 10분 후

7 799

8 오전 11시 31분

9 171

10 1093개

4 약분과 통분

86~91쪽
BASIC CONCEPT

1 약분

1 ②, ⑤

2 8개

3 6, 2

4 25, 60

5 $\dfrac{5}{6}$

2 통분

1 3개

2 $\dfrac{63}{84}, \dfrac{60}{84}$

3 8

4 $\dfrac{5}{12}, \dfrac{7}{18}$

5 9

3 분수의 크기 비교

1 $\dfrac{13}{20}, \dfrac{67}{100}$에 ○표

2 3, 4, 5, 6, 7

3 0.85

4 $\dfrac{11}{12}, \dfrac{8}{9}, \dfrac{7}{8}$

5 (1) $<$ (2) $>$

1

1 27, 32 / 27, 32 / 28, 29, 30, 31

1-1 $\frac{13}{20}$, $\frac{14}{20}$ **1-2** 20개 **1-3** $\frac{53}{60}$ **1-4** 2개

2

2 40 / 40, 36, $\frac{32}{40}$ / 40, 36 / $\frac{32}{40}$, $\frac{9}{10}$

2-1 $\frac{3}{5}$ **2-2** $\frac{13}{15}$ **2-3** $1\frac{2}{9}$ **2-4** $\frac{12}{25}$

3

3 5 / 5, 5, $\frac{20}{35}$

3-1 $\frac{9}{15}$ **3-2** $\frac{15}{27}$ **3-3** $\frac{10}{25}$ **3-4** $\frac{9}{12}$

4

4 20, ㉠×2, 20, ㉠×2 / 20 / 9

4-1 19 **4-2** 13 **4-3** 6개 **4-4** 6개

5

5 $\frac{24}{28}$ / $\frac{21}{28}$ / $\frac{21}{32}$ / $\frac{21}{32}$

5-1 $\frac{4}{25}$ **5-2** $\frac{24}{41}$ **5-3** $\frac{12}{17}$ **5-4** $\frac{8}{67}$

6

6 3, 8 / 3, 14 / 8, 4

6-1 3개 **6-2** 4개 **6-3** 4개 **6-4** 3개

7

7 13 / 6 / 13, 6, 55 / 55, 42

7-1 8개 **7-2** 54개 **7-3** 64개 **7-4** 44개

8

8 5 / 5 / 20 / 16, 5

8-1 3, 4 **8-2** 4, 12 **8-3** 6, 13

8-4 43, 8

MATH MASTER

1 8개 **2** 10개

3 $\frac{16}{35}$, $\frac{17}{35}$, $\frac{18}{35}$, $\frac{19}{35}$, $\frac{22}{35}$, $\frac{23}{35}$, $\frac{24}{35}$

4 $\frac{16}{24}$ **5** 75 **6** 5

7 $\frac{24}{32}$ **8** $\frac{5}{9}$ **9** 24번째

10 9

5 분수의 덧셈과 뺄셈

BASIC CONCEPT

1 진분수의 덧셈과 뺄셈

1 $1\frac{1}{9}$ **2** (1) $\frac{1}{6}$ (2) $\frac{1}{12}$ (3) $\frac{1}{20}$

3 $1\frac{7}{12}$ **4** $\frac{11}{36}$

5 1, 2, 3, 4, 5 **6** (1) $\frac{1}{3}+\frac{1}{2}$ (2) $\frac{1}{5}+\frac{1}{2}$

2 대분수의 덧셈과 뺄셈

1 (1) $6\frac{11}{42}$ (2) $1\frac{19}{40}$ **2** $\frac{19}{36}$

3 $\frac{1}{18}$ **4** $3\frac{31}{35}$ L

5 $\frac{11}{12}$ 시간

3 세 분수의 덧셈과 뺄셈

1 (1) $4\frac{17}{72}$ (2) $1\frac{5}{36}$ **2** $10\frac{1}{40}$ cm

3 $3\frac{23}{40}$ L **4** $4\frac{1}{2}$

5 $4\frac{5}{6}$

1

1 8, $\frac{11}{24}$ / $\frac{11}{24}$, <, 틀립니다에 ○표

1-1 틀립니다 **1-2** 맞습니다 **1-3** 틀립니다

1-4 지호

2

2 $4\frac{4}{5}$ / $4\frac{4}{5}$, $\frac{202}{35}$ / $\frac{101}{35}$, 2, 31

2-1 $6\frac{2}{15}$ cm **2-2** $3\frac{2}{9}$ **2-3** $4\frac{33}{35}$ cm

2-4 $6\frac{2}{3}$ cm

3 4, 7 / 4, 7, 36, 35, 71, 1, 26

3-1 $\frac{5}{6}$ / $1\frac{7}{12}$ **3-2** $1\frac{17}{24}$ **3-3** $\frac{22}{45}$

3-4 $17\frac{2}{15}$

4 $3\frac{4}{5}$ / $3\frac{4}{5}$, $3\frac{32}{35}$ / $3\frac{32}{35}$, $\frac{4}{35}$

4-1 $● + \frac{1}{3} = 2$, $1\frac{1}{3}$ **4-2** $12\frac{5}{28}$

4-3 $1\frac{8}{21}$ **4-4** $4\frac{3}{5}$

5 예 1, 3, 10 / 1, 3, 10, 30, 10, 3

5-1 예 8, 2   **5-2** 예 9, 6, 2   **5-3** 2, 5

5-4 4, 2

6 $2\frac{10}{12} + \frac{4}{12} + \frac{1}{12}$ / $3\frac{1}{4}$, 3, $\frac{1}{4}$ / 3, 15

6-1 39분   **6-2** 4시간   **6-3** 1시간 8분 후

6-4 3시간 10분 후

7 $\frac{19}{20}$ / $\frac{19}{20}$, $\frac{1}{20}$

7-1 $\frac{4}{15}$ **7-2** $\frac{3}{8}$ **7-3** $\frac{8}{45}$ kg   **7-4** $\frac{1}{2}$ kg

8 $\frac{4}{15}$, $\frac{11}{15}$, 6, 8 / $\frac{1}{5}$

8-1 $\frac{1}{12}$ **8-2** $\frac{1}{7}$ **8-3** $\frac{1}{4}$ **8-4** 160명

MATH MASTER

1 $1\frac{7}{12}$ **2** $15\frac{15}{56}$ cm

3 $\frac{19}{20}$ kg   **4** $\frac{1}{3}$, $\frac{7}{15}$

5 2, 4, 6   **6** 5일

7 1, 2, 3, 4   **8** $\frac{4}{45}$

9 120개   **10** $2\frac{12}{35}$ m

6 다각형의 둘레와 넓이

BASIC CONCEPT

1 평면도형의 둘레

1 20 cm   **2** ㉡, ㉢, ㉠   **3** 10 cm

4 25 cm   **5** 10 cm

2 직사각형과 정사각형의 넓이

1 54 cm²   **2** 36 cm²   **3** 8 cm

4 32 cm²   **5** 4배

3 평행사변형과 삼각형의 넓이

1 (1) 40 cm² (2) 20 cm²   **2** 9 m

3 15   **4** 다   **5** 40 cm²

4 마름모와 사다리꼴의 넓이

1 (1) 18 cm² (2) 22 cm²   **2** 60 cm²

3 20 cm   **4** 48 cm²   **5** 52 cm²

5 30 cm²

최상위 SS

1 10 / 30 / 30, 10, 30, 10, 30, 110

1-1 50cm   **1-2** 80cm   **1-3** 153cm

2 8, 58

2-1 20cm   **2-2** 62cm   **2-3** 52m

3 12, 12, 144 / 144, 16 / 16 / 16, 62

3-1 30m   **3-2** 32m   **3-3** 104cm

4 8, 108, 108, 18, 18, 288

4-1 5   **4-2** 260cm²   **4-3** 162cm²   **4-4** 20

5 4, 4, 12, 4, 64, 16, 48

5-1 45cm²   **5-2** 84cm²   **5-3** 160cm²

5-4 80cm²

6 7, 84 / 7, 84 / 84, 84, 36 / 36, 6

6-1 9 cm   **6-2** 6 cm   **6-3** 8 cm   **6-4** 11 cm

7 100, 20, 60, 60, 12

7-1 8 cm²   **7-2** 18 cm   **7-3** 4 cm

8 5, 4, 9, 3, 3, 3, 180

8-1 100 cm²   **8-2** 240 cm²   **8-3** 870 cm²

MATH MASTER   162~165쪽

1 2배, 4배	**2** 52 cm
3 416 m²	**4** 50 cm²
5 120 cm²	**6** 60 cm²
7 206 cm²	**8** 30 cm²
9 196 cm²	**10** 32 cm²

복습책

1. 자연수의 혼합 계산

다시푸는 최상위 S   2~4쪽

1 3850원	**2** 48
3 26 g	**4** 4
5 12	**6** 88
7 116 g	**8** 16개, 14개

다시푸는 MATH MASTER   5~7쪽

1 +, ×, ÷, −	**2** 84
3 예 4÷4−4÷4=0, 예 (4+4)−(4+4)=0	
4 1, 2, 3	**5** 2192
6 171	**7** 8개
8 8개	**9** 17문제
10 9살	

2 약수와 배수

다시푸는 최상위 S   8~10쪽

1 3개	**2** 16명, 32명
3 3	**4** 8
5 금요일	**6** 7개
7 64	**8** 42초
9 12분 30초 후	

다시푸는 MATH MASTER   11~13쪽

1 225개	**2** 2개
3 4월 26일	**4** 9
5 123, 163	**6** 16개
7 450개	**8** 56, 70
9 4422, 7425	**10** 36

3 규칙과 대응

14~16쪽

1 111	2 89
3 19개	4 56분 후
5 ⑩ □=○×5+1, 121도막	
6 39장	7 11개

17~20쪽

1 ⑩ △=○×6−4	2 45분 후
3 23	4 5월 4일 오전 10시
5 270개	6 16분 후
7 449	8 오후 4시 57분
9 220	10 4681개

4 약분과 통분

21~23쪽

1 7개	2 $\frac{15}{56}$
3 $\frac{12}{42}$	4 2개
5 $\frac{4}{15}$	6 3개
7 62개	8 1, 4

24~26쪽

1 2	2 12개
3 $\frac{17}{40}$, $\frac{19}{40}$, $\frac{21}{40}$, $\frac{23}{40}$	4 $\frac{12}{28}$
5 30	6 20
7 $\frac{28}{52}$	8 $\frac{3}{7}$
9 15번째	10 10, 5

5 분수의 덧셈과 뺄셈

27~29쪽

1 맞습니다	2 $1\frac{17}{48}$ cm
3 $10\frac{2}{15}$	4 $9\frac{4}{21}$
5 ⑩ 18, 12, 4	6 3시간 35분
7 $\frac{13}{24}$ kg	8 $\frac{1}{5}$

30~32쪽

1 $3\frac{3}{10}$	2 $12\frac{1}{4}$ cm
3 $\frac{4}{5}$ kg	4 $\frac{7}{12}$, $\frac{3}{8}$
5 2, 3, 9	6 3일
7 11개	8 $\frac{4}{21}$
9 90개	10 $2\frac{17}{35}$ m

6 다각형의 둘레와 넓이

33~35쪽

1 140 cm	2 60 cm
3 76 cm	4 5
5 52 cm²	6 8 cm
7 9 cm	8 225 cm²

36~39쪽

1 3배, 9배	2 60 cm
3 240 m²	4 104 cm²
5 20 cm²	6 66 cm²
7 1422 cm²	8 32 cm²
9 144 cm²	10 26 cm²

1 자연수의 혼합 계산

1 덧셈과 뺄셈, 곱셈과 나눗셈이 섞여 있는 식

1 (1) 38 (2) 72

(1) $35+6-12+9=41-12+9=29+9=38$
(2) $27\times4\div3\times2=108\div3\times2=36\times2=72$

2 >

$74-25+38=49+38=87$
$74-(25+38)=74-63=11$
➡ $87>11$

3 ㉡

㉠ $47+(12-9)=47+3=50$, $47+12-9=59-9=50$
㉡ $36\div(3\times2)=36\div6=6$, $36\div3\times2=12\times2=24$

4 $72\div(3\times2)\div4=3$

$12\div4=3$에서 $12=72\div6$이므로 $72\div6\div4=3$이고,
$72\div6\div4=3$에서 $6=3\times2$이므로 $72\div(3\times2)\div4=3$입니다.

5 16명

(안경을 쓰지 않은 학생 수)
$=$(남학생 수)$+$(여학생 수)$-$(안경을 쓴 학생 수)
$=18+13-15=31-15=16$(명)

6 9개

(한 상자에 담은 딸기 수)
$=$(한 바구니의 딸기 수)$\times$(바구니 수)$\div$(상자 수)
$=24\times3\div8=72\div8=9$(개)

7 (1) 21 (2) 36

(1)　　　$\square-9+15=27$
　　　$\square-9+15-15=27-15$
　　　　　$\square-9=12$
　　　$\square-9+9=12+9$
　　　　　　$\square=21$
(2)　　　$\square\div3\times4=48$
　　$\square\div3\times4\div4=48\div4$
　　　　　$\square\div3=12$
　　$\square\div3\times3=12\times3$
　　　　　　$\square=36$

1 (1) 7 (2) 61

(1) $19+23-5\times7=19+23-35=42-35=7$
(2) $56-72\div4+23=56-18+23=38+23=61$

2 $45+(36-12)\div6$
$=45+24\div6$
$=45+4=49$

( )가 있는 식은 ( ) 안을 먼저 계산해야 하는데 나눗셈을 먼저 계산해서 틀렸습니다.

3 $18\times(3+7)-29$
$=151$

$18\times(3+7)-29=18\times10-29$
$\qquad\qquad\qquad=180-29$
$\qquad\qquad\qquad=151$

4 $42-(3+2)\times4=22$
/ 22개

(남은 귤의 수)$=42-(3+2)\times4$
$\qquad\qquad\qquad=42-5\times4$
$\qquad\qquad\qquad=42-20$
$\qquad\qquad\qquad=22$(개)

5 $72\div3+68\div4-5$
$=36$ / 36 cm

(이어 붙인 종이테이프의 전체 길이)$=72\div3+68\div4-5$
$\qquad\qquad\qquad\qquad\qquad\qquad=24+17-5$
$\qquad\qquad\qquad\qquad\qquad\qquad=41-5$
$\qquad\qquad\qquad\qquad\qquad\qquad=36$ (cm)

6

$(15+6)\times3=15\times3+6\times3=63$
$(15-6)\div3=15\div3-6\div3=3$
$(15+6)\div3=15\div3+6\div3=7$
$(15-6)\times3=15\times3-6\times3=27$

1 (1) 5 (2) 23

(1) $18+7-16\times5\div4=18+7-80\div4=18+7-20=25-20=5$
(2) $56\div7+4\times6-9=8+4\times6-9=8+24-9=32-9=23$

2 ⓒ, ⓒ, ⓔ, ⓘ, ⓜ

$56+(8-4)\times3\div6-31$
① ② ③ ④ ⑤

3 <

$$35-8\times(10-4)\div2=35-8\times6\div2=35-48\div2=35-24=11$$
$$(35-8)\times10-4\div2=27\times10-4\div2=270-4\div2=270-2=268$$
➡ $11<268$

4 $7+36\div(2\times3)-9$
$=4$

$$7+36\div(2\times3)-9=7+36\div6-9$$
$$=7+6-9$$
$$=13-9$$
$$=4$$

5 ×, −, ÷

$$6\times5-9\div3=30-9\div3=30-3=27$$

6 20 ℃

(섭씨 온도)=((화씨 온도)−32)×5÷9이므로
현재 기온이 화씨로 68 °F일 때 섭씨로 나타내면
$$(68-32)\times5\div9=36\times5\div9=180\div9=20\,(℃)$$

7 15, 5

계산 결과가 가장 클 때는 54를 나누는 수 □×□가 가장 작을 때이므로
$$54\div(2\times3)+6=54\div6+6=9+6=15$$이고
계산 결과가 가장 작을 때는 54를 나누는 수 □×□가 가장 클 때이므로
$$54\div(6\times3)+2=54\div18+2=3+2=5$$입니다.

14~15쪽

대표문제 1

① (다온이의 나이)=12살
② (동생의 나이)=(다온이의 나이)−4
$$=12-4(살)$$
③ (어머니의 나이)=((다온이의 나이)+(동생의 나이))×2−3
$$=(12+12-4)\times2-3$$
$$=20\times2-3$$
$$=40-3$$
$$=37(살)$$

서술형 **1-1** 410번

예 (운호가 한 줄넘기 횟수)=(7−3)×50, (채린이가 한 줄넘기 횟수)=7×30
➡ (운호와 채린이가 한 줄넘기 횟수)=(7−3)×50+7×30
$$=4\times50+7\times30$$
$$=200+210=410(번)$$

채점 기준	배점
운호와 채린이가 한 줄넘기 횟수를 구하는 식을 세웠나요?	2점
운호와 채린이가 한 줄넘기 횟수를 구했나요?	3점

1-2 2 kg

(달에서 잰 효우의 몸무게)=(42÷6) kg

(달에서 잰 지아의 몸무게)=(36÷6) kg

➡ (달에서 잰 선생님의 몸무게)−(달에서 잰 효우와 지아의 몸무게의 합)

$\qquad$ =15−(42÷6+36÷6)

$\qquad$ =15−(7+6)

$\qquad$ =15−13=2 (kg)

1-3 1500원

(떡 3인분의 가격)=4500원

(파 3인분의 가격)=(800×3)원

(어묵 3인분의 가격)=(3200÷2)원

➡ (재료를 사고 남은 돈)

$\qquad$ =10000−(4500+800×3+3200÷2)

$\qquad$ =10000−(4500+2400+1600)

$\qquad$ =10000−8500=1500(원)

대표문제 2

$$72÷(10-\square)×3-27=9$$

① ② ③ ④

· ④의 계산에서 72÷(10−□)×3=9+27=36

· ③의 계산에서 72÷(10−□)=36÷3=12

· ②의 계산에서 10−□=72÷12=6

· ①의 계산에서 □=10−6=4

따라서 □ 안에 알맞은 수는 4입니다.

2-1 3

28÷(4+□)×8−15=17

$\qquad$ 28÷(4+□)×8=17+15=32

$\qquad$ 28÷(4+□)=32÷8=4

$\qquad$ 4+□=28÷4=7

$\qquad$ □=7−4=3

2-2 9

42÷6+(□÷3+4)×2=21

$\qquad$ 7+(□÷3+4)×2=21

$\qquad$ (□÷3+4)×2=21−7=14

$\qquad$ □÷3+4=14÷2=7

$\qquad$ □÷3=7−4=3

$\qquad$ □=3×3=9

2-3 8

$$64 \div 4 + 3 \times 6 = 16 + 18 = 34$$
$$\Rightarrow 5 \times 9 - (7 + \square \div 2) = 34$$
$$45 - (7 + \square \div 2) = 34$$
$$7 + \square \div 2 = 45 - 34 = 11$$
$$\square \div 2 = 11 - 7 = 4$$
$$\square = 4 \times 2 = 8$$

2-4 6

$56 \div 8 \times (3 + 2 \times \square) = 91$이라 생각하면
$$7 \times (3 + 2 \times \square) = 91$$
$$3 + 2 \times \square = 91 \div 7 = 13$$
$$2 \times \square = 13 - 3 = 10$$
$$\square = 10 \div 2 = 5$$
$\square > 5$이므로 $\square$ 안에 들어갈 수 있는 가장 작은 자연수는 6입니다.

18~19쪽

대표문제 3

$(\bullet$의 무게$) = 24$g, $(\bullet$의 무게$) = 28$g
$(\bullet$의 무게$) = ((\bullet$의 무게$) \times 5 - (\bullet$의 무게$) \times 3) \div 2$
$$= (24 \times 5 - 28 \times 3) \div 2$$
$$= (120 - 84) \div 2$$
$$= 36 \div 2$$
$$= 18 \text{ (g)}$$

3-1 43 g

$($빨간색 구슬의 무게$) = 15 \text{ g}$, $($파란색 구슬의 무게$) = 21 \text{ g}$
$($노란색 구슬의 무게$) = (($빨간색 구슬의 무게$) \times 3 + ($파란색 구슬의 무게$) \times 4) \div 3$
$$= (15 \times 3 + 21 \times 4) \div 3$$
$$= (45 + 84) \div 3$$
$$= 129 \div 3$$
$$= 43 \text{ (g)}$$

3-2 16 g

$($노란색 구슬의 무게$) \times 3 = ($초록색 구슬의 무게$) \times 5$
$\Rightarrow ($초록색 구슬의 무게$) = ($노란색 구슬의 무게$) \times 3 \div 5$
$($파란색 구슬의 무게$) \times 3 = ($초록색 구슬의 무게$) \times 4$
$\Rightarrow ($파란색 구슬의 무게$) = ($초록색 구슬의 무게$) \times 4 \div 3$
$($파란색 구슬의 무게$) = (($노란색 구슬의 무게$) \times 3 \div 5) \times 4 \div 3$
$$= (20 \times 3 \div 5) \times 4 \div 3$$
$$= 12 \times 4 \div 3$$
$$= 48 \div 3$$
$$= 16 \text{ (g)}$$

3-3 63 g

(풀의 무게)×2=(지우개의 무게)×3 ➡ (지우개의 무게)=(풀의 무게)×2÷3
(지우개의 무게)×7=(가위의 무게)×2 ➡ (가위의 무게)=(지우개의 무게)×7÷2
(가위의 무게)=((풀의 무게)×2÷3)×7÷2
$\qquad\qquad$ =(27×2÷3)×7÷2=(54÷3)×7÷2
$\qquad\qquad$ =18×7÷2=126÷2=63 (g)

먼저 ( ) 안의 식부터 약속된 식으로 나타내어 계산합니다.
7◎5=(7+5)×(7−5)
$\qquad$ =12×2
$\qquad$ =24

32◎(7◎5)=32◎24
$\qquad\qquad$ =(32+24)×(32−24)
$\qquad\qquad$ =56×8
$\qquad\qquad$ =448

4-1 20

16◈24=16×2−24÷2
$\qquad$ =32−12
$\qquad$ =20

4-2 48

25♥8=25×8÷5=200÷5=40
(25♥8)♥6=40♥6
$\qquad\qquad$ =40×6÷5
$\qquad\qquad$ =240÷5
$\qquad\qquad$ =48

4-3 96

18▲9=(18−9)÷3=9÷3=3
21●(18▲9)=21●3
$\qquad\qquad$ =(21+3)×4
$\qquad\qquad$ =24×4
$\qquad\qquad$ =96

4-4 11

12★8=12×(12−8)=12×4=48
(12★8)☆4=48☆4
$\qquad\qquad$ =(48−4)÷4
$\qquad\qquad$ =44÷4
$\qquad\qquad$ =11

계산 결과가 가장 크게 되려면 곱하는 수가 더 ((크게) , 작게) 되도록 (　　)로 묶습니다.

➡ $10 \times (8 + 5) - 16 \div 4 = 126$

13

130　　4

126

따라서 가장 큰 계산 결과는 126입니다.

5-1 $78 \div (4+9) - 3$ / 3

계산 결과가 가장 작게 되려면 나누는 수가 더 크게 되도록 (　　)로 묶습니다.

➡ $78 \div (4+9) - 3 = 78 \div 13 - 3 = 6 - 3 = 3$

5-2 $(27+8) \times 5 - 18 \div 6$ / 172

계산 결과가 가장 크게 되려면 곱하는 수가 더 크게 되도록 (　　)로 묶습니다.

➡ $(27+8) \times 5 - 18 \div 6 = 35 \times 5 - 18 \div 6 = 175 - 3 = 172$

5-3 $(14+35) \div 7 - (4+2)$ / 1

계산 결과가 가장 작게 되려면 가능한 큰 수를 나누고 빼는 수가 더 크게 되도록 (　　)로 묶습니다.

➡ $(14+35) \div 7 - (4+2) = 49 \div 7 - (4+2) = 49 \div 7 - 6 = 7 - 6 = 1$

5-4 $(24+9-6 \div 3) \times (12+18)$ / 930

계산 결과가 가장 크게 되려면 곱해지는 수와 곱하는 수가 각각 더 크게 되도록 (　　)로 묶습니다.

➡ $(24+9-6 \div 3) \times (12+18) = (24+9-2) \times (12+18) = 31 \times 30 = 930$

어떤 수를 ■라 하면 잘못 계산한 식은 $(■-2) \times 6 + 12 \div 3 = 16$입니다.

어떤 수를 구하면

$(■-2) \times 6 + 4 = 16$

$(■-2) \times 6 = 12$

$■-2 = 2$

$■ = 4$

따라서 바르게 계산하면

$(■+2) \times 6 + 12 \div 3 = (4+2) \times 6 + 12 \div 3$

$\quad\quad\quad\quad\quad = 6 \times 6 + 12 \div 3$

$\quad\quad\quad\quad\quad = 36 + 4$

$\quad\quad\quad\quad\quad = 40$

6-1 90

어떤 수를 □라 하면 잘못 계산한 식은 (□+3)÷(7−4)=12이므로
(□+3)÷3=12, □+3=36, □=33입니다.
따라서 어떤 수는 33이므로 바르게 계산하면
(33−3)×(7−4)=30×3=90입니다.

6-2 51

㉄ 어떤 수를 □라 하면 □×8−54÷9=34이므로 □×8−6=34, □×8=40,
□=5입니다.
따라서 어떤 수는 5이므로 어떤 수와 9의 곱에 42를 7로 나눈 몫을 더하면
5×9+42÷7=45+6=51입니다.

채점 기준	배점
어떤 수를 구했나요?	2점
어떤 수와 9의 곱에 42를 7로 나눈 몫을 더한 수를 구했나요?	3점

6-3 6

어떤 수를 □라 하면 잘못 계산한 식은 (63+□×4)÷3=41이므로
63+□×4=123, □×4=60, □=15입니다.
따라서 어떤 수는 15이므로 바르게 계산하면
63−15×4+3=63−60+3=6입니다.

6-4 37

어떤 수를 □라 하면 (□+6)×5−7=(79−3)÷2이므로
(□+6)×5−7=76÷2, (□+6)×5−7=38, (□+6)×5=45, □+6=9,
□=3입니다.
따라서 어떤 수는 3이므로 어떤 수의 8배에 52를 4로 나눈 몫을 더하면
3×8+52÷4=24+13=37입니다.

26~27쪽

대표문제 7

비누 3개가 들어 있는 상자에 비누 2개를 더 넣으면 5개가 됩니다.

$$(비누의 무게) \times 5 + (상자의 무게) = 605 \text{ g} \cdots\cdots ①$$
$$-\ )\ (비누의 무게) \times 3 + (상자의 무게) = 455 \text{ g} \cdots\cdots ②$$
$$\overline{(비누의 무게) \times 2 \qquad\qquad = 150 \text{ g} \cdots\cdots ③}$$

③에서 (비누의 무게)=(150÷2) g이므로
②에서 (상자의 무게)=455−150÷2×3
$$= 455 − 75 \times 3$$
$$= 455 − 225$$
$$= 230 \text{ (g)}$$

7-1 28 g

책 5권이 들어 있는 상자에 책 4권을 더 넣으면 9권이 됩니다.

$$
\begin{array}{l}
\text{(책의 무게)} \times 9 + \text{(상자의 무게)} = 1504\,\text{g} \quad \cdots\cdots① \\
-\ )\ \text{(책의 무게)} \times 5 + \text{(상자의 무게)} = \ \ 848\,\text{g} \quad \cdots\cdots② \\
\hline
\ \ \ \text{(책의 무게)} \times 4 \qquad\qquad\qquad = \ \ 656\,\text{g} \quad \cdots\cdots③
\end{array}
$$

③에서 (책의 무게)$=(656 \div 4)$ g이므로

②에서 (상자의 무게)$=848-656 \div 4 \times 5 = 848 - 164 \times 5 = 848 - 820 = 28$ (g)

7-2 130 g

야구공 17개가 들어 있는 바구니에서 야구공 8개를 빼면 9개가 됩니다.

$$
\begin{array}{l}
\text{(야구공의 무게)} \times 17 + \text{(바구니의 무게)} = 674\,\text{g} \quad \cdots\cdots① \\
-\ )\ \text{(야구공의 무게)} \times \ \ 9 + \text{(바구니의 무게)} = 418\,\text{g} \quad \cdots\cdots② \\
\hline
\ \ \ \text{(야구공의 무게)} \times \ \ 8 \qquad\qquad\qquad = 256\,\text{g} \quad \cdots\cdots③
\end{array}
$$

③에서 (야구공의 무게)$=(256 \div 8)$ g이므로

②에서 (바구니의 무게)$=418-256 \div 8 \times 9 = 418 - 32 \times 9 = 418 - 288 = 130$(g)

7-3 85 g

2 kg 435 g$=2435$ g, 1 kg 730 g$=1730$ g

음료수 10개가 들어 있는 상자에서 음료수 3개를 빼면 7개가 됩니다.

$$
\begin{array}{l}
\text{(음료수의 무게)} \times 10 + \text{(상자의 무게)} = 2435\,\text{g} \quad \cdots\cdots① \\
-\ )\ \text{(음료수의 무게)} \times \ \ 7 + \text{(상자의 무게)} = 1730\,\text{g} \quad \cdots\cdots② \\
\hline
\ \ \ \text{(음료수의 무게)} \times \ \ 3 \qquad\qquad\qquad = \ \ 705\,\text{g} \quad \cdots\cdots③
\end{array}
$$

③에서 (음료수의 무게)$=(705 \div 3)$ g이므로

②에서 (상자의 무게)$=1730-705 \div 3 \times 7 = 1730 - 235 \times 7$

$\qquad\qquad\qquad\qquad = 1730 - 1645 = 85$ (g)

7-4 450 g

4 kg 650 g$=4650$ g, 3 kg 50 g$=3050$ g, 2 kg 450 g$=2450$ g

사과 5개가 들어 있는 바구니에서 사과 2개를 빼면 3개가 됩니다.

$$
\begin{array}{l}
\text{(사과의 무게)} \times 5 + \text{(바구니의 무게)} = 4650\,\text{g} \quad \cdots\cdots① \\
-\ )\ \text{(사과의 무게)} \times 3 + \text{(바구니의 무게)} = 3050\,\text{g} \quad \cdots\cdots② \\
\hline
\ \ \ \text{(사과의 무게)} \times 2 \qquad\qquad\qquad = 1600\,\text{g} \quad \cdots\cdots③
\end{array}
$$

③에서 (사과의 무게)$=(1600 \div 2)$ g이므로

②에서 (바구니의 무게)$=3050-1600 \div 2 \times 3 = 3050 - 800 \times 3$

$\qquad\qquad\qquad\qquad = 3050 - 2400 = 650$ (g)

(귤의 무게)$\times 4 + $(바구니의 무게)$=2450$이므로

(귤의 무게)$=(2450-650) \div 4 = 1800 \div 4 = 450$(g)

대표문제 **8**

과자를 15개 샀을 때의 물건값은 $500 \times 15 = 7500$(원)이고

우유는 과자보다 $700-500=200$(원) 더 비싸므로

과자 1개 대신 우유 1개를 더 살 때마다 금액이 200원씩 늘어납니다.

➡ (우유 수)$=(8300-7500)\div200=4$(개)

(과자 수)$=15-4=11$(개)

따라서 우진이는 과자를 11개, 우유를 4개 샀습니다.

8-1 27마리, 13마리

40마리가 모두 오리라면 다리는 $2\times40=80$(개)여야 하는데 다리는 모두 106개이므로 다리가 남습니다.

돼지는 오리보다 다리가 2개 더 많으므로 오리 1마리를 돼지 1마리로 바꿀 때마다 다리는 2개씩 늘어납니다.

➡ (돼지 수)$=(106-80)\div2=26\div2=13$(마리)

(오리 수)$=40-13=27$(마리)

➡ (오리와 돼지의 다리 수)$=2\times27+4\times13=54+52=106$(개)

따라서 오리는 27마리, 돼지는 13마리입니다.

8-2 8개, 10개

18개 모두 가위를 샀다면 물건값은 $350\times18=6300$(원)이어야 하는데 물건값으로 낸 돈이 4800원이므로 물건값이 모자랍니다.

풀은 가위보다 $350-200=150$(원) 더 싸므로 가위 1개 대신 풀 1개를 더 살 때마다 금액이 150원씩 줄어듭니다.

➡ (풀 수)$=(6300-4800)\div150=10$(개)

(가위 수)$=18-10=8$(개)

➡ (가위와 풀의 물건값)$=350\times8+200\times10=2800+2000=4800$(원)

따라서 가위를 8개, 풀을 10개 샀습니다.

8-3 6개

20개 모두 단팥빵을 샀다면 빵값은 $500\times20=10000$(원)이어야 하는데 빵값으로 낸 돈이 $15000-2900=12100$(원)이므로 빵값이 남습니다.

크림빵은 단팥빵보다 $800-500=300$(원) 더 비싸므로 단팥빵 1개 대신 크림빵 1개를 더 살 때마다 빵값이 300원씩 늘어납니다.

➡ (크림빵 수)$=(12100-10000)\div300=2100\div300=7$(개)

(단팥빵 수)$=20-7=13$(개)

➡ (거스름돈)$=15000-(500\times13+800\times7)$

$=15000-(6500+5600)=2900$(원)

단팥빵을 13개, 크림빵을 7개 샀으므로 단팥빵이 크림빵보다 $13-7=6$(개) 더 많습니다.

8-4 1월 10일

1월 1일부터 31일까지 인상되기 전의 가격으로 먹었다면 우윳값은 $380\times31=11780$(원)이어야 하는데 우윳값으로 낸 돈이 13320원이므로 금액이 남습니다.

인상 후 가격은 인상 전 가격보다 $450-380=70$(원) 더 비싸므로 인상 후 날짜가 하루씩 늘어날 때마다 우윳값은 70원씩 늘어납니다.

➡ (인상 후 먹은 날수)$=(13320-11780)\div70=1540\div70=22$(일)

(인상 전 먹은 날수)$=31-22=9$(일)

➡ (우윳값)$=380\times9+450\times22=3420+9900=13320$(원)

따라서 1월 1일부터 9일까지 9일 동안 인상 전 가격으로 먹었으므로 우윳값이 오른 날짜는 1월 10일입니다.

MATH MASTER

1 예 $+$, $\times$, $\div$, $-$

$5+5\times5\div5-5=5+25\div5-5=5+5-5=10-5=5$

참고

$5\times5\div5+5-5$, $5+5\div5\times5-5$, $5\div5\times5+5-5$ 등도 모두 답이 될 수 있습니다.

---

2 8

$\begin{vmatrix} 25 & \square \\ 96 & 11 \end{vmatrix}=25\times11-96\div\square=263$

➡ $25\times11-96\div\square=263$

$275-96\div\square=263$

$96\div\square=275-263=12$

$\square=96\div12=8$

3 예 $7\times7\div7\div7=1$.
예 $7\div7\times7\div7=1$

이외에도 여러 가지 방법이 있습니다.

예 $7\div7+7-7=1$

$(7+7-7)\div7=1$

서술형

4 4개

예 $8+45\div(2+7)=8+45\div9=8+5=13$이므로 $27\div9+\square\times2<13$입니다.

$27\div9+\square\times2<13$, $3+\square\times2<13$, $\square\times2<10$, $\square<5$

따라서 $\square$ 안에 들어갈 수 있는 자연수는 1, 2, 3, 4로 4개입니다.

채점 기준	배점
$\square$ 안에 들어갈 수 있는 자연수의 범위를 구했나요?	3점
$\square$ 안에 들어갈 수 있는 자연수의 개수를 구했나요?	2점

5 130

계산 결과 중 가장 큰 값: $16\times8+4-2\div1=128+4-2=132-2=130$

6 229

$3▲5=3\times5+1=16$, $4▲3=4\times3+1=13$, $5▲4=5\times4+1=21$,

$7▲5=7\times5+1=36$

→ $㉠▲㉡=㉠\times㉡+1$

➡ $(8▲7)▲4=(8\times7+1)▲4=(56+1)▲4$

$=57▲4=57\times4+1=228+1=229$

7 16개

(복숭아 한 개의 원가는 $(135000\div300)$원이고

복숭아 한 개의 정가는 $(135000\div300+250)$원이므로

판 복숭아는 $(135000+63800)\div(135000\div300+250)=198800\div700=284$(개)

입니다.

따라서 버린 복숭아는 $300-284=16$(개)입니다.

8 11자루

47자루 모두 700원짜리 연필을 샀다면 연필값은 $700 \times 47 = 32900$(원)이어야 하는데 연필값으로 낸 돈이 24500원이므로 연필값이 $32900 - 24500 = 8400$(원) 모자랍니다. 400원짜리 연필을 1자루씩 살 때마다 500원짜리 연필은 2자루씩 늘어나고 700원짜리 연필은 3자루씩 줄어들게 되므로 연필값은 $300 + 200 \times 2 = 700$(원)씩 줄어듭니다. $8400 \div 700 = 12$이므로 400원짜리 연필을 12자루, 500원짜리 연필을 $12 \times 2 = 24$(자루), 700원짜리 연필을 $47 - 12 - 24 = 11$(자루) 샀습니다.

➡ (연필값)$= 700 \times 11 + 500 \times 24 + 400 \times 12 = 7700 + 12000 + 4800$
$\qquad = 24500$(원)

9 9문제

24문제를 모두 맞혔다면 구슬을 $5 \times 24 = 120$(개) 받아야 하는데 받은 구슬이 없으므로 구슬이 모자랍니다. 한 문제를 틀리면 구슬 5개도 받지 못하고 3개를 주어야 하므로 한 문제를 틀릴 때마다 받은 구슬은 $5 + 3 = 8$(개)씩 적어집니다.

➡ (틀린 문제 수)$= 120 \div (5 + 3) = 120 \div 8 = 15$(문제)
(맞힌 문제 수)$= 24 - 15 = 9$(문제)

➡ (받은 구슬 수)$= 5 \times 9 - 3 \times 15 = 45 - 45 = 0$(개)

따라서 도현이가 맞힌 문제는 9문제입니다.

10 11살

재범이의 나이를 □살이라고 하면 (아버지의 나이)$=$(삼촌의 나이)$\times 2 + 1$, (삼촌의 나이)$= □ \times 3 - 6$이므로 (아버지의 나이)$= (□ \times 3 - 6) \times 2 + 1$입니다.
또한 (아버지의 나이)$= □ \times 5$이므로
$(□ \times 3 - 6) \times 2 + 1 = □ \times 5$, $□ \times 6 - 12 + 1 = □ \times 5$, $□ \times 6 - 11 = □ \times 5$,
$□ \times 6 - □ \times 5 = 11$, $□ = 11$

따라서 재범이의 나이는 11살입니다.

2 약수와 배수

1 약수와 배수

1 4개

48의 약수는 1, 2, 3, 4, 6, 8, 12, 16, 24, 48이므로 48의 약수가 아닌 것은 15, 9, 18, 32로 모두 4개입니다.

> **참고**
> $48 \div 15 = 3 \cdots 3$, $48 \div 9 = 5 \cdots 3$, $48 \div 18 = 2 \cdots 12$, $48 \div 32 = 1 \cdots 16$에서 15, 9, 18, 32는 48을 나누어떨어지게 하는 수가 아니므로 약수가 아닙니다.

2 36

30보다 크고 40보다 작은 4의 배수는 32, 36입니다.

32의 약수는 1, 2, 4, 8, 16, 32로 6개이고, 36의 약수는 1, 2, 3, 4, 6, 9, 12, 18, 36으로 9개입니다.

따라서 주어진 조건을 모두 만족하는 수 중 약수의 개수가 가장 많은 수는 36입니다.

3 ②, ⑤

큰 수를 작은 수로 나누었을 때 나누어떨어지면 두 수는 약수와 배수의 관계입니다.

① $51 \div 13 = 3 \cdots 12$ ② $72 \div 12 = 6$ ③ $84 \div 8 = 10 \cdots 4$

④ $95 \div 7 = 13 \cdots 4$ ⑤ $56 \div 14 = 4$

따라서 12는 72의 약수, 14는 56의 약수입니다.

또한 72는 12의 배수, 56은 14의 배수입니다.

4 10개

10과 70은 모두 6의 배수가 아니므로

10보다 크면서 10에 가장 가까운 6의 배수 ➡ $6 \times 2 = 12$

70보다 작으면서 70에 가장 가까운 6의 배수 ➡ $6 \times 11 = 66$

따라서 10에서 70까지의 수 중에서 6의 배수는 $11 - 2 + 1 = 10$(개)입니다.

5 100개

세 자리 수 중에서 가장 작은 9의 배수 ➡ $9 \times 12 = 108$

세 자리 수 중에서 가장 큰 9의 배수 ➡ $9 \times 111 = 999$

따라서 세 자리 수 중에서 9의 배수는 $111 - 12 + 1 = 100$(개)입니다.

6 10, 5 / 1, 2, 3, 5, 6, 10, 15, 30

30의 약수: 1, 2, 3, 5, 2×3, 2×5, 3×5, $3 \times 2 \times 5$

➡ 1, 2, 3, 5, 6, 10, 15, 30

> **참고**
> 30을 나누어떨어지게 하는 수는 1, 2, 3, 5, 6, 10, 15, 30입니다.
> ➡ 30의 약수: 1, 2, 3, 5, 6, 10, 15, 30

1 4개

30의 약수: 1, 2, 3, 5, 6, 10, 15, 30
48의 약수: 1, 2, 3, 4, 6, 8, 12, 16, 24, 48
따라서 30과 48의 공약수는 1, 2, 3, 6으로 4개입니다.

2 12

24와 36의 최대공약수를 구합니다.

$$
\begin{array}{r}
2\,)\underline{\ 24\quad 36\ } \\
2\,)\underline{\ 12\quad 18\ } \\
3\,)\underline{\ \ 6\quad\ \ 9\ } \\
\ \ \ 2\quad\ \ 3
\end{array}
$$

➡ 24와 36의 최대공약수: $2 \times 2 \times 3 = 12$

다른 풀이
$24 = 2 \times 2 \times 2 \times 3$, $36 = 2 \times 2 \times 3 \times 3$ ➡ 24와 36의 최대공약수: $2 \times 2 \times 3 = 12$
---

3 1, 2, 3, 6, 9, 18

두 수의 공약수는 최대공약수의 약수입니다.
최대공약수가 18이므로 18의 약수를 구하면 1, 2, 3, 6, 9, 18입니다.

4 4개

36과 28의 최대공약수를 구합니다.

$$
\begin{array}{r}
2\,)\underline{\ 36\quad 28\ } \\
2\,)\underline{\ 18\quad 14\ } \\
\ \ \ 9\quad\ \ 7
\end{array}
$$

➡ 최대공약수: $2 \times 2 = 4$
따라서 접시 4개까지 담을 수 있습니다.

5 30개

직사각형을 남는 부분이 없이 같은 크기의 가장 큰 정사각형으로 나누어 잘랐을 때, 자른 정사각형의 한 변은 가로와 세로의 최대공약수와 같습니다.
$24 = 2 \times 2 \times 2 \times 3$, $20 = 2 \times 2 \times 5$에서 24와 20의 최대공약수는 $2 \times 2 = 4$이므로 자른 정사각형의 한 변은 4 cm입니다.
따라서 가로는 $24 \div 4 = 6$(개), 세로는 $20 \div 4 = 5$(개)이므로 $6 \times 5 = 30$(개)입니다.

6 ⑤

$$
\begin{array}{r}
2\,)\underline{\ 48\quad 72\quad 60\ } \\
2\,)\underline{\ 24\quad 36\quad 30\ } \\
3\,)\underline{\ 12\quad 18\quad 15\ } \\
\ \ \ 4\quad\ \ 6\quad\ \ 5
\end{array}
$$

➡ 48, 72, 60의 최대공약수: $2 \times 2 \times 3 = 12$

1 96

12의 배수	12	24	36	48	60	72	84	96	……
16의 배수	16	32	48	64	80	96	112	128	……

12와 16의 공배수는 48, 96……으로 가장 큰 두 자리 수는 96입니다.

2 4개

$8=2\times4=2\times2\times2$, $12=2\times6=2\times2\times3$이므로 두 수의 최소공배수는
$2\times2\times2\times3=24$입니다.

공배수는 최소공배수의 배수이므로 100보다 작은 수 중에서 8과 12의 공배수는 24, 48, 72, 96으로 4개입니다.

참고

100보다 작은 수 중에서 24의 배수의 개수는 100을 24로 나눈 몫과 같습니다. 즉, $100\div24=4\cdots4$에서 몫이 4이므로 24의 배수의 개수는 4개입니다.

3 126

공배수는 최소공배수의 배수이므로 18, 36, 54, 72……입니다.
따라서 공배수 중에서 7번째로 작은 수는 $18\times7=126$입니다.

4 24 cm

$$
\begin{array}{r|ll}
2 & 12 & 8 \\
\hline
2 & 6 & 4 \\
\hline
 & 3 & 2 \\
\end{array}
$$

➡ 최소공배수: $2\times2\times3\times2=24$
따라서 정사각형의 한 변은 24 cm입니다.

5 280분 후

35와 40의 최소공배수를 구합니다.

$$
\begin{array}{r|ll}
5 & 35 & 40 \\
\hline
 & 7 & 8 \\
\end{array}
$$

➡ 최소공배수: $5\times7\times8=280$
따라서 다음번에 두 버스가 동시에 출발하는 시각은 280분 후입니다.

6 7 / 7, 336

세 수의 최소공배수를 구할 때에는 세 수 중에서 두 수의 공약수가 1뿐일 때까지 공약수로 나눕니다. 공약수가 없을 경우에는 그대로 내려 씁니다. 공약수와 나머지 수를 모두 곱하면 최소공배수를 구할 수 있습니다.

40~41쪽

① ㉠이 48의 약수인 경우
    48의 약수: 1, 2, 3, 4, 6, 8, 12, 16, 24, 48
    48의 약수 중 두 자리 수: 12, 16, 24, 48

② ㉠이 48의 배수인 경우

　　48의 배수: 48, 96, 144, 192……

　　48의 배수 중 두 자리 수: 48, 96

➡ ㉠에 들어갈 수 있는 두 자리 수는 12, 16, 24, 48, 96이므로 모두 5개입니다.

1-1 1, 2, 3, 5, 6, 10, 15 / 60, 90, 120 / 10, 15, 30, 60, 90

30의 약수: 1, 2, 3, 5, 6, 10, 15, 30

30의 배수: 30, 60, 90, 120, 150……

따라서 ㉠이 될 수 있는 수는 10, 15, 30, 60, 90입니다.

1-2 4개

36의 약수: 1, 2, 3, 4, 6, 9, 12, 18, 36

➡ 36의 약수 중 두 자리 수는 12, 18, 36입니다.

36의 배수: 36, 72, 108…… ➡ 36의 배수 중 두 자리 수는 36, 72입니다.

따라서 ㉠과 36이 약수와 배수의 관계일 때 ㉠에 들어갈 수 있는 두 자리 수는 12, 18, 36, 72로 4개입니다.

1-3 14, 28, 56, 84, 112, 140

28의 약수는 1, 2, 4, 7, 14, 28이고 이중 10보다 큰 수는 14, 28입니다.

28의 배수는 28, 56, 84, 112, 140, 168……이고 이중 150보다 작은 수는 28, 56, 84, 112, 140입니다.

따라서 주어진 조건을 모두 만족하는 ㉠은 14, 28, 56, 84, 112, 140입니다.

1-4 7개

36의 약수는 1, 2, 3, 4, 6, 9, 12, 18, 36이고 이중 짝수는 2, 4, 6, 12, 18, 36입니다.

36의 배수는 36, 72, 108……이고 이중 100보다 작은 짝수는 36, 72입니다.

따라서 어떤 수가 될 수 있는 수는 2, 4, 6, 12, 18, 36, 72로 7개입니다.

42~43쪽

48을 약수의 곱으로 나타냅니다.

48＝48×1 ――――――→ 48명에게 1개씩

48＝24×2 ――――――→ 24명에게 2개씩

48＝16×3 ――――――→ 16명에게 3개씩

48＝12×4 ――――――→ 12명에게 4개씩

48＝8×6 ――――――→ 8명에게 6개씩

따라서 10명보다 많은 학생에게 나누어 줄 수 있는 방법은 모두 4가지입니다.

2-1 2가지

40＝40×1, 40＝20×2, 40＝10×4, 40＝8×5

40의 약수 중에서 15보다 큰 수는 20, 40입니다.

20명에게 2장씩, 40명에게 1장씩 나누어 주면 되므로 나누어 줄 수 있는 방법은 2가지입니다.

2-2 8명

$56=56\times1,\ 56=28\times2,\ 56=14\times4,\ 56=8\times7$

인형을 10명보다 적은 학생에게 나누어 주는 경우는 학생이 1명, 2명, 4명, 7명, 8명일 때입니다.

10명보다 적고, 되도록 많은 학생에게 나누어 주려면 8명에게 나누어 줄 수 있습니다.

2-3 12명, 16명, 24명

예 연필 1타는 12자루이므로 연필 4타는 $4\times12=48$(자루)입니다.

$48=48\times1,\ 48=24\times2,\ 48=16\times3,\ 48=12\times4,\ 48=8\times6$

48의 약수 중 10보다 크고 30보다 작은 수는 12, 16, 24입니다.

따라서 12명, 16명, 24명에게 남김없이 똑같이 나누어 줄 수 있습니다.

채점 기준	배점
연필이 몇 자루인지 구했나요?	2점
몇 명에게 나누어 줄 수 있는지 구했나요?	3점

2-4 48 cm

$96=96\times1,\ 96=48\times2,\ 96=32\times3,\ 96=24\times4,\ 96=16\times6,\ 96=12\times8$

96의 약수 중 20보다 크고 50보다 작은 수는 24, 32, 48로 가장 길게 자를 수 있는 한 도막의 길이는 48 cm입니다.

44~45쪽

$148\div(어떤 수)=(몫)\cdots4$ 　　　 $165\div(어떤 수)=(몫)\cdots5$

↓　　↓　　↓　　　　　　　　↓　　↓　　↓

$(어떤 수)\times(몫)+4=148$　　 $(어떤 수)\times(몫)+5=165$

$(어떤 수)\times(몫)=148-4$　　 $(어떤 수)\times(몫)=165-5$

$(어떤 수)\times(몫)=144$　　　 $(어떤 수)\times(몫)=160$

⬇　　　　　　　　　　　 ⬇

$(어떤 수)$: 144의 약수 $\cdots$ ㉠　　 $(어떤 수)$: 160의 약수 $\cdots$ ㉡

㉠과 ㉡을 만족하는 수 중 가장 큰 수는 144와 160의 최대공약수이므로 16입니다.

참고

```
2 ) 144   160
2 )  72    80
2 )  36    40
2 )  18    20
     9     10   ➡ 144와 160의 최대공약수: 2×2×2×2=16
```

3-1 30

$184\div(어떤 수)=(몫)\cdots4$ ➡ $(어떤 수)\times(몫)=184-4$ ➡ $(어떤 수)\times(몫)=180$

$153\div(어떤 수)=(몫)\cdots3$ ➡ $(어떤 수)\times(몫)=153-3$ ➡ $(어떤 수)\times(몫)=150$

따라서 어떤 수 중에서 가장 큰 수는 180과 150의 최대공약수인 30입니다.

3-2 10

나누어지는 수에서 나머지를 뺀 수를 어떤 수로 나누면 나누어떨어집니다.

어떤 수는 $161-1=160$, $193-3=190$의 공약수이며, 그중 가장 큰 수는 최대공약수입니다. 따라서 160과 190의 최대공약수는 10입니다.

3-3 4

어떤 수는 $67-3=64$, $75-3=72$의 공약수입니다.

64와 72의 최대공약수는 8이고, 공약수는 최대공약수의 약수이므로 64와 72의 공약수는 1, 2, 4, 8입니다.

이 중 나머지인 3보다 큰 수는 4, 8이고, 구하는 수는 가장 작은 수이므로 4입니다.

3-4 5개

어떤 수는 $164-4=160$, $242-2=240$의 공약수입니다.

160과 240의 최대공약수는 80이고, 공약수는 최대공약수의 약수이므로 160과 240의 공약수는 1, 2, 4, 5, 8, 10, 16, 20, 40, 80입니다.

이 중 두 자리 수는 10, 16, 20, 40, 80이므로 주어진 조건을 모두 만족하는 어떤 수는 5개입니다.

방법 1

두 수의 곱은 최대공약수와 최소공배수의 곱과 같습니다.

(어떤 수)$\times 36=$(최대공약수)$\times$(최소공배수)

(어떤 수)$\times 36=2160$

(어떤 수)$=60$

방법 2

어떤 수와 36의 최소공배수를 구하는 식으로 나타냅니다.

$$12\ )\overline{\ (어떤\ 수)\quad 36\ } $$
$$\qquad\quad\ \star\qquad\ 3$$

(어떤 수)와 36의 최소공배수: $12\times\star\times 3=180$

$36\times\star=180$, $\star=5$

→ (어떤 수)$=12\times\star=12\times 5=60$

4-1 10

어떤 수를 □라고 합니다.

$$5\ )\overline{\ \square\qquad 45\ }$$
$$\quad\ \star\qquad\ 9$$
➡ (최소공배수)$=5\times\star\times 9$

$5\times\star\times 9=90$, $45\times\star=90$, $\star=2$

따라서 □$=$(최대공약수)$\times\star=5\times 2=10$입니다.

서술형 4-2 120

예 (두 수의 곱)$=$(최대공약수)$\times$(최소공배수)

➡ (최소공배수)$=$(두 수의 곱)$\div$(최대공약수)$=960\div 8=120$

채점 기준	배점
두 수의 곱과 최대공약수, 최소공배수의 관계를 알고 있나요?	3점
최소공배수를 구했나요?	2점

4-3 60, 75

$\bigcirc=15\times\text{♥}$, $\bigcirc=15\times5=75$

(최소공배수)=(최대공약수)×(나머지 수들의 곱)

➡ $15\times\text{♥}\times5=300$, $75\times\text{♥}=300$, $\text{♥}=4$

$\bigcirc=15\times\text{♥}=15\times4=60$

4-4 50, 40

최소공배수가 200이므로 $2\times\text{♥}\times5\times4=200$, $40\times\text{♥}=200$, $\text{♥}=5$입니다.

따라서 $\text{★}=\text{♥}\times5=5\times5=25$, $\text{♠}=\text{♥}\times4=5\times4=20$이고,

$\bigcirc=2\times\text{★}=2\times25=50$, $\bigcirc=2\times\text{♠}=2\times20=40$입니다.

두 기차가 동시에 출발하는 시각의 간격은 8분과 6분의 최소공배수이므로
두 기차는 24분마다 동시에 출발합니다.
다음번에 두 기차가 동시에 출발하는 시각은
8시 40분+24분=9시 4분입니다.

참고

$$2\overline{)\begin{array}{cc} 8 & 6 \\ \hline 4 & 3 \end{array}}$$

➡ 8과 6의 최소공배수: $2\times4\times3=24$

5-1 84분

$$2\overline{)\begin{array}{cc} 12 & 14 \\ \hline 6 & 7 \end{array}}$$

➡ 12와 14의 최소공배수: $2\times6\times7=84$

두 지하철은 84분마다 동시에 출발합니다.

5-2 오전 10시 12분

$$\begin{array}{c} 2\,)\,\overline{\begin{array}{cc} 24 & 18 \end{array}} \\ 3\,)\,\overline{\begin{array}{cc} 12 & 9 \end{array}} \\ \hline \begin{array}{cc} 4 & 3 \end{array} \end{array}$$

➡ 24와 18의 최소공배수: $2\times3\times4\times3=72$

두 버스가 동시에 출발하는 시간의 간격은 72분=1시간 12분입니다.

따라서 다음번에 두 버스가 동시에 출발하는 시각은 오전 9시+1시간 12분= 오전 10시 12분입니다.

5-3 목요일

$$\begin{array}{c} 2\,)\,\overline{\begin{array}{cc} 12 & 8 \end{array}} \\ 2\,)\,\overline{\begin{array}{cc} 6 & 4 \end{array}} \\ \hline \begin{array}{cc} 3 & 2 \end{array} \end{array}$$

➡ 12와 8의 최소공배수: $2\times2\times3\times2=24$

두 화분에 모두 물을 주는 날은 24일마다 돌아옵니다.

$24\div7=3\cdots3$이므로 다음번에 두 화분에 모두 물을 주는 날은 3주 후인 월요일에서 3일 후인 목요일입니다.

5-4 20장

$$2 \,)\,\underline{16 \quad 20}$$
$$2 \,)\,\underline{8 \quad 10}$$
$$4 \qquad 5$$

➡ 16과 20의 최소공배수: $2 \times 2 \times 4 \times 5 = 80$

겹치지 않게 이어 붙여 될 수 있는 대로 작은 정사각형 모양을 만들었을 때 한 변은 80 cm
가 되어야 합니다.

따라서 가로에는 $80 \div 16 = 5$(장), 세로에는 $80 \div 20 = 4$(장)이 필요하므로
색종이는 모두 $5 \times 4 = 20$(장) 필요합니다.

6의 배수는 각 자리의 숫자의 합이 3의 배수이면서 짝수여야 합니다.

$2+8+4+$■$=14+$■가 3의 배수이므로 $14+$■는 15, 18, 21, 24……가 될 수
있습니다.

■는 한 자리 수이므로 ■가 될 수 있는 수는 1, 4, 7입니다.

■ 안에 수를 넣었을 때 짝수인 것은 2844이므로 ■ 안에 들어갈 수 있는 숫자는
1개입니다.

6-1 2, 5, 8

3의 배수는 각 자리의 숫자의 합이 3의 배수입니다.

$3+4+$□$=7+$□가 3의 배수여야 하므로

$7+$□는 3의 배수 9, 12, 15, 18……이 될 수 있습니다.

$7+$□$=9$ ➡ □$=2$, $7+$□$=12$ ➡ □$=5$, $7+$□$=15$ ➡ □$=8$,

$7+$□$=18$ ➡ □$=11$(□는 한 자리 수이므로 알맞지 않습니다.)

따라서 □ 안에 들어갈 수 있는 숫자는 2, 5, 8입니다.

6-2 2, 8

6의 배수는 각 자리의 숫자의 합이 3의 배수이면서 짝수여야 합니다.

일의 자리 수가 짝수여야 하므로 □ 안에 들어갈 수 있는 수는 0, 2, 4, 6, 8입니다.

또한 각 자리 숫자의 합이 3의 배수여야 하므로

$8+4+7+$□$=19+$□가 3의 배수이고

$19+$□는 21, 24, 27, 30……이 되어야 합니다.

$19+$□$=21$ ➡ □$=2$

$19+$□$=24$ ➡ □$=5$(□가 짝수여야 하므로 알맞지 않습니다.)

$19+$□$=27$ ➡ □$=8$

$19+$□$=30$ ➡ □$=11$(□는 한 자리 수이므로 알맞지 않습니다.)

따라서 □ 안에 들어갈 수 있는 숫자는 2, 8입니다.

6-3 2520, 2550, 2580

5의 배수는 일의 자리 숫자가 0 또는 5여야 하고, 6의 배수는 각 자리의 숫자의 합이 3
의 배수이면서 짝수여야 합니다.

5의 배수이면서 짝수가 되려면 일의 자리 수인 ▲는 0이어야 합니다.

각 자리의 숫자의 합인 $2+5+\blacksquare+0=7+\blacksquare$는 3의 배수여야 하므로

$7+\blacksquare$는 9, 12, 15, 18, 21……이 될 수 있습니다.

$7+\blacksquare=9 \Rightarrow \blacksquare=2$, $7+\blacksquare=12 \Rightarrow \blacksquare=5$, $7+\blacksquare=15 \Rightarrow \blacksquare=8$,

$7+\blacksquare=18 \Rightarrow \blacksquare=11$($\blacksquare$는 한 자리 수이므로 알맞지 않습니다.)

따라서 $\blacksquare$ 안에 알맞은 수는 2, 5, 8이고, 만들 수 있는 네 자리 수는 2520, 2550, 2580입니다.

6-4 2개

4의 배수가 되려면 끝의 두 자리 수가 00이거나 4의 배수여야 하므로 ⓒ에 알맞은 수는 2, 6입니다.

주어진 수가 9의 배수가 되려면 각 자리 숫자의 합이 9의 배수여야 합니다.

1) ⓒ이 2일 경우: $\bigcirc+9+8+9+2=\bigcirc+28$이 9의 배수여야 하므로

36, 45, 54, 63……이 될 수 있습니다.

$\bigcirc+28=36 \Rightarrow \bigcirc=8$

$\bigcirc+28=45 \Rightarrow \bigcirc=17$(⊙은 한 자리 수이므로 알맞지 않습니다.)

➡ ⓒ이 2일 경우 ⊙은 8입니다.

2) ⓒ이 6일 경우: $\bigcirc+9+8+9+6=\bigcirc+32$가 9의 배수여야 하므로 36, 45, 54, 63……이 될 수 있습니다.

$\bigcirc+32=36 \Rightarrow \bigcirc=4$

$\bigcirc+32=45 \Rightarrow \bigcirc=13$(⊙은 한 자리 수이므로 알맞지 않습니다.)

➡ ⓒ이 6일 경우 ⊙은 4입니다.

따라서 만들 수 있는 수는 49896, 89892로 2개입니다.

대표문제 7

① $48 \star 64 \Rightarrow$ 48과 64의 최대공약수 ⇨ 16

② $[48 \star 64] \Rightarrow$ 16의 약수의 개수 ⇨ 5개

③ $[48 \star 64] \blacklozenge 12 \Rightarrow$ 16의 약수의 개수와 12의 최소공배수

➡ 5와 12의 최소공배수 ⇨ 60

참고

```
2 ) 48   64
2 ) 24   32
2 ) 12   16
2 )  6    8
     3    4    ➡ 48과 64의 최대공약수: 2×2×2×2=16
```

7-1 4

$30 \star 72$는 30과 72의 최대공약수이므로 6입니다.

$[30 \star 72]=[6]$이고 6의 약수는 1, 2, 3, 6으로 4개이므로 $[6]=4$입니다.

7-2 6

36★64는 36과 64의 최대공약수이므로 4입니다.

[36★64]＝[4]이고, 4의 약수는 1, 2, 4로 3개이므로 [36★64]＝3입니다.

12의 약수는 1, 2, 3, 4, 6, 12이므로 [12]＝6입니다.

[36★64]◈[12]＝3◈6

3◈6은 3과 6의 최소공배수이므로 6입니다.

7-3 13

36◎20은 36과 20의 최대공약수이므로 4입니다.

➡ 4의 약수는 1, 2, 4로 3개이므로 [36◎20]＝[4]＝3입니다.

24◨16은 24와 16의 최소공배수이므로 48입니다.

➡ 48의 약수는 1, 2, 3, 4, 6, 8, 12, 16, 24, 48로 10개이므로

[24◨16]＝[48]＝10입니다.

따라서 [36◎20]＋[24◨16]＝[4]＋[48]＝3＋10＝13입니다.

7-4 20

24의 약수는 1, 2, 3, 4, 6, 8, 12, 24로 8개이므로 ＜24＞는 8입니다.

18의 약수는 1, 2, 3, 6, 9, 18로 6개이므로 ＜18＞은 6입니다.

＜24＞＋＜18＞＝8＋6＝14

＜＜24＞＋＜18＞＞＝＜14＞이고 14의 약수는 1, 2, 7, 14로 4개이므로

＜14＞＝4입니다.

16의 약수는 1, 2, 4, 8, 16으로 5개이므로 ＜16＞＝5입니다.

$$＜＜24＞＋＜18＞＞×＜16＞＝＜8＋6＞×＜16＞$$
$$＝＜14＞×＜16＞$$
$$＝4×5＝20$$

대표문제 8

하얀색 전구는 9＋6＝15(초)마다 켜지고, 노란색 전구는 7＋3＝10(초)마다 켜집니다.

15와 10의 최소공배수인 30초마다 두 전구는 동시에 켜집니다.

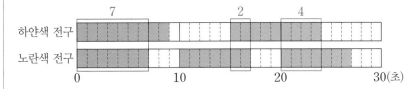

30초 동안 두 전구가 모두 켜져 있는 시간은 7＋2＋4＝13(초)입니다.

➡ 1분 동안 두 전구가 모두 켜져 있는 시간: 13×2＝26(초)

8-1 20초 후

파란색 전구는 4＋1＝5(초)마다 켜지고, 빨간색 전구는 3＋1＝4(초)마다 켜집니다.

5와 4의 최소공배수는 20이므로 두 전구가 다음번에 동시에 켜지는 시각은 20초 후입니다.

8-2 9초

노란색 전구는 $3+1=4$(초)마다 켜지고, 초록색 전구는 $6+4=10$(초)마다 켜집니다.
4와 10의 최소공배수는 20이므로 두 전구는 20초마다 동시에 켜집니다.
따라서 20초 동안 두 전구가 모두 켜져 있는 시간은 $3+2+1+3=9$(초)입니다.

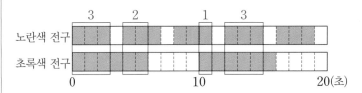

8-3 280초

A 등대는 $10+5=15$(초)마다 켜지고, B 등대는 $14+6=20$(초)마다 켜집니다.
15와 20의 최소공배수는 60이므로 두 등대는 60초마다 동시에 켜집니다.

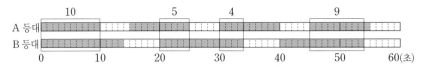

두 등대가 60초(1분) 동안 모두 켜져 있는 시간은 $10+5+4+9=28$(초)입니다.
따라서 10분 동안 두 등대가 모두 켜져 있는 시간은 $28\times10=280$(초)입니다.

8-4 840초

초록색 등대는 $7+5=12$(초)마다 켜지고, 빨간색 등대는 $12+3=15$(초)마다 켜집니다.
12와 15의 최소공배수는 60이므로 두 등대는 60초마다 동시에 켜집니다.

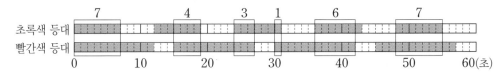

두 등대가 60초(1분) 동안 모두 켜져 있는 시간은 $7+4+3+1+6+7=28$(초)입니다.
따라서 30분 동안 두 등대가 모두 켜져 있는 시간은 $28\times30=840$(초)입니다.

56~57쪽

움직인 톱니 수가 두 톱니바퀴 수의 최소공배수일 때 처음 맞물렸던 톱니바퀴끼리 다시
만납니다.
24와 18의 최소공배수 ➡ 72
(톱니바퀴의 회전수)=(톱니 수의 최소공배수)÷(톱니바퀴의 톱니 수)
(가): $72\div24=3$(바퀴)
(나): $72\div18=4$(바퀴)

참고

두 톱니바퀴는 맞물려 돌아가므로 한 톱니바퀴가 한 톱니만큼 움직이면 다른 톱니바퀴도 한 톱니만큼 움
직입니다.
(가) 톱니바퀴와 (나) 톱니바퀴가 어느 지점에서 맞물렸다고 할 때 두 톱니가 다시 만나려면 그 지점으로
다시 돌아와야 합니다.
(가) 톱니바퀴가 그 지점으로 돌아가려면 톱니가 ($24\times$ ▲)개만큼 움직여야 하고, (나) 톱니바퀴가 그 지점
으로 돌아가려면 톱니가 ($18\times$ ■)개만큼 움직여야 합니다.

두 톱니바퀴는 맞물려 돌아가므로 움직인 톱니 수는 같습니다.

움직인 톱니 수를 ㉠이라고 하면 ㉠＝24×▲＝18×■입니다.

따라서 ㉠은 24의 배수이면서 18의 배수이므로 24와 18의 공배수이고, 처음으로 다시 만나게 되는 경우는 24와 18의 최소공배수만큼 돌았을 때입니다.

9-1 60개

두 톱니바퀴의 톱니 수를 이용하여 최소공배수를 구하면 60입니다.

처음에 맞물렸던 두 톱니바퀴가 다시 만나려면 적어도 60개의 톱니가 돌아야 합니다.

9-2 3바퀴, 2바퀴

두 톱니바퀴의 톱니 수를 이용하여 최소공배수를 구하면 84이므로 톱니가 84개 돈 후에 처음으로 다시 만나게 됩니다.

처음에 맞물렸던 톱니가 다시 만나려면 (가) 톱니바퀴는 84÷28＝3(바퀴), (나) 톱니바퀴는 84÷42＝2(바퀴)씩 돌아야 합니다.

9-3 16분 후

두 톱니바퀴의 톱니 수를 이용하여 최소공배수를 구하면 240이므로 톱니가 240개 돈 후에 처음으로 다시 만나게 됩니다.

처음에 맞물렸던 톱니가 다시 만나려면 (가) 톱니바퀴는 240÷30＝8(바퀴)를 돌아야 합니다.

(가) 톱니바퀴는 1바퀴 도는 데 2분이 걸리므로 8바퀴 돌려면 8×2＝16(분) 걸립니다.

따라서 두 톱니바퀴가 회전하기 전 맞물렸던 곳에서 처음 다시 만날 때는 16분 후입니다.

9-4 30초

톱니 수를 이용하여 두 톱니바퀴의 최소공배수를 구하면 189이므로 톱니가 189개 돈 후에 처음으로 다시 만나게 됩니다.

처음에 맞물렸던 톱니가 다시 만나려면 (가) 톱니바퀴는 189÷27＝7(바퀴) 돌아야 합니다.

3분 30초＝180초＋30초＝210초

(가) 톱니바퀴는 210초 만에 7바퀴를 돌아야 하므로 1바퀴를 도는 데 210÷7＝30(초) 걸립니다.

MATH MASTER

58~60쪽

1 133개

전체에서 4의 배수이거나 6의 배수인 경우를 빼 줍니다.

200÷4＝50이므로 4의 배수는 50개이고, 200÷6＝33…2이므로 6의 배수는 33개입니다.

이 중 4의 배수이면서 동시에 6의 배수인 수는 두 번 빠지게 되는데 4와 6의 공배수는 12의 배수이고 200÷12＝16…8이므로 12의 배수는 16개입니다.

따라서 구하려는 수의 개수는 200−50−33＋16＝133(개)입니다.

2 4개

두 수의 곱은 최소공배수와 최대공약수의 곱과 같습니다.

두 수의 최대공약수를 ★이라고 하면 ★×72＝576, ★＝8입니다.

최대공약수가 8이므로 공약수의 개수는 8의 약수(1, 2, 4, 8)의 개수인 4개입니다.

3 6월 12일

4와 5의 최소공배수는 20이므로 선미와 윤호는 20일마다 도서관에서 만납니다.

5월 3일에 만났으므로 다음번에 다시 만나는 날은 5월 23일입니다.

6월에 첫 번째로 다시 만나는 날은 5월 23일에서 20일 후이고

5월은 31일까지 있으므로 6월 12일입니다.

4 5, 25

어떤 수는 53－3＝50과 78－3＝75의 공약수입니다.

50과 75의 최대공약수는 25이므로 두 수의 공약수는 25의 약수입니다.

25의 약수는 1, 5, 25이며 나머지가 3이라고 했으므로 어떤 수가 될 수 있는 자연수는 3보다 큰 5, 25입니다.

주의

25의 약수인 1, 5, 25로 생각할 수 있으나 나눈 수는 나머지보다 커야 하므로 공약수 중에서 나머지보다 큰 수를 구해야 합니다.

서술형 **5** 122, 182

예 구하는 수를 □라고 하면 □－2는 3, 4, 5의 공배수입니다.

3, 4, 5의 최소공배수는 60이므로 □－2는 60의 배수입니다.

200보다 작은 세 자리 수 중에서 60의 배수는 120, 180입니다.

□－2＝120 ➡ □＝122, □－2＝180 ➡ □＝182

따라서 주어진 조건을 만족하는 수는 122, 182입니다.

채점 기준	배점
세 수의 최소공배수를 구했나요?	3점
주어진 조건을 만족하는 세 자리 수를 모두 구했나요?	2점

6 24개

깃발을 될 수 있는 대로 적게 꽂으려면 깃발 사이의 간격을 될 수 있는 대로 넓게 해야 합니다. 따라서 가로와 세로의 최대공약수를 구합니다.

84와 60의 최대공약수는 12이므로 깃발 사이의 간격이 12 m 가 되도록 꽂으면 됩니다.

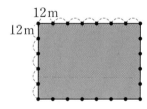

따라서 오른쪽 그림과 같이 깃발을 꽂을 수 있으므로 깃발은 모두 24개 필요합니다.

7 400개

가로, 세로, 높이의 최소공배수를 구합니다.

16, 10, 8의 최소공배수는 80이므로 한 모서리가 80 cm인 정육면체를 만들 수 있습니다.

가로에는 80÷16＝5(개), 세로에는 80÷10＝8(개), 높이에는 80÷8＝10(개)의 벽돌을 놓아야 하므로 벽돌은 적어도 5×8×10＝400(개) 필요합니다.

8 48, 72

두 수를 A, B라고 하면 $A = 24 \times a$, $B = 24 \times b$입니다.

두 수의 최소공배수가 144이므로 $144 = 24 \times a \times b$, $a \times b = 6$입니다.

$a = 1$, $b = 6$일 때: $A = 24 \times 1 = 24$, $B = 24 \times 6 = 144$

➡ $A + B = 24 + 144 = 168$이므로 구하고자 하는 수가 아닙니다.

$a = 2$, $b = 3$일 때: $A = 24 \times 2 = 48$, $B = 24 \times 3 = 72$

➡ $A + B = 48 + 72 = 120$입니다.

따라서 조건을 모두 만족하는 두 수는 48, 72입니다.

9 2개

6의 배수는 3의 배수이면서 짝수여야 하는데 8★■6은 일의 자리 수가 6으로 짝수이므로 3의 배수만 되면 됩니다.

3의 배수는 각 자리의 숫자의 합이 3의 배수여야 합니다.

■ = ★+3이므로 8+★+■+6 = 8+★+(★+3)+6 = ★+★+17은 3의 배수여야 합니다.

그러므로 ★+★+17은 18, 21, 24, 27……이 될 수 있습니다.

★+★+17 = 18 ➡ ★+★ = 1(만족하는 자연수가 없습니다.)

★+★+17 = 21 ➡ ★+★ = 4, ★ = 2, ■ = 2+3 = 5

★+★+17 = 24 ➡ ★+★ = 7(만족하는 자연수가 없습니다.)

★+★+17 = 27 ➡ ★+★ = 10, ★ = 5, ■ = 5+3 = 8

★+★+17 = 30 ➡ ★+★ = 13(만족하는 자연수가 없습니다.)

★+★+17 = 33 ➡ ★+★ = 16, ★ = 8,

■ = 8+3 = 11(■는 한 자리 수이므로 알맞지 않습니다.)

따라서 만들 수 있는 수는 8256, 8586으로 2개입니다.

10 12

두 수의 공약수는 두 수의 최대공약수의 약수와 같습니다.

72의 약수는 1, 2, 3, 4, 6, 8, 9, 12, 18, 24, 36, 72입니다.

2의 약수: 1, 2 ➡ 2개

3의 약수: 1, 3 ➡ 2개

4의 약수: 1, 2, 4 ➡ 3개

6의 약수: 1, 2, 3, 6 ➡ 4개

8의 약수: 1, 2, 4, 8 ➡ 4개

9의 약수: 1, 3, 9 ➡ 3개

12의 약수: 1, 2, 3, 4, 6, 12 ➡ 6개

18의 약수: 1, 2, 3, 6, 9, 18 ➡ 6개

24의 약수: 1, 2, 3, 4, 6, 8, 12, 24 ➡ 8개

36의 약수: 1, 2, 3, 4, 6, 9, 12, 18, 36 ➡ 9개

72의 약수 ➡ 12개

72의 약수 중에서 약수의 개수가 6개인 것은 12, 18이고, 이 중 작은 수는 12입니다.

3 규칙과 대응

1 두 양 사이의 관계

1 30, 60

삼각형 1개에 사각형이 3개씩 필요하므로 삼각형이 10개이면 사각형은 30개 필요하고, 삼각형이 20개이면 사각형은 60개 필요합니다.

2 30개

사각형 3개에 삼각형이 1개씩 필요하므로 사각형이 90개이면 삼각형은 30개입니다.

3 예 삼각형의 수를 3배 하면 사각형의 수와 같습니다.

삼각형 1개에 사각형이 3개씩 필요하므로 사각형의 수는 삼각형의 수의 3배와 같습니다.

사각형 3개에 삼각형이 1개씩 필요하므로 삼각형의 수는 사각형의 수의 $\frac{1}{3}$배입니다.

4 풀이 참조

사각형의 수(개)	1	2	3	4	5	……
삼각형의 수(개)	4	6	8	10	12	……

5 42개

삼각형은 사각형의 양옆에 2개가 항상 있고 위쪽과 아래쪽에 사각형의 수의 2배만큼 있습니다. 따라서 사각형이 20개이면 삼각형은 위쪽과 아래쪽에 40개, 양옆에 2개가 있으므로 42개입니다.

6 풀이 참조

예 삼각형의 수는 사각형의 수의 2배보다 2개 많습니다.

2 대응 관계를 식으로 나타내기

1 □×6=△
(또는 △÷6=□)

모둠의 수에 6을 곱하면 학생의 수가 됩니다. ➡ □×6=△
학생의 수를 6으로 나누면 모둠의 수가 됩니다. ➡ △÷6=□

2 △×130=○
(또는 ○÷130=△)

이동하는 시간에 130을 곱하면 이동하는 거리가 됩니다. ➡ △×130=○
이동하는 거리를 130으로 나누면 이동하는 시간이 됩니다. ➡ ○÷130=△

3 풀이 참조

예 동생의 나이(○)는 내 나이(◇)보다 2살 적습니다.

4 (위에서부터) 30 / 2, 3 /
△×3=☆
(또는 ☆÷3=△)

응원 도구의 수에 3을 곱하면 색종이의 수가 됩니다. ➡ △×3=☆
색종이의 수를 3으로 나누면 응원 도구의 수가 됩니다. ➡ ☆÷3=△

5 $\triangle + 6 = \bigcirc$
(또는 $\bigcirc - 6 = \triangle$)

내가 말한 수에 6을 더하면 짝이 답한 수가 됩니다. ➡ $\triangle + 6 = \bigcirc$
짝이 답한 수에서 6을 빼면 내가 말한 수가 됩니다. ➡ $\bigcirc - 6 = \triangle$

$\heartsuit$	1	2	3	4	5	6
$\triangle$	2	5	8	11	14	17

($+1$ 위, $+3$ 아래)

$\heartsuit$가 1씩 커질 때마다 $\triangle$는 3씩 커지므로 $\heartsuit \times 3$과 $\triangle$를 비교합니다.

$\heartsuit \times 3$	3	6	9	12	15	18
$\triangle$	2	5	8	11	14	17

$\big\}-1$

➡ $\triangle = \heartsuit \times 3 - 1$
따라서 $\heartsuit$가 25일 때 $\triangle = 25 \times 3 - 1 = 74$입니다.

1-1 81

$\star$이 1씩 커질 때마다 $\bigcirc$는 5씩 커지므로 $\star \times 5$와 $\bigcirc$를 비교해 봅니다.

$\star$	1	2	3	4	5	6
$\star \times 5$	5	10	15	20	25	30
$\bigcirc$	6	11	16	21	26	31

$\big\}\times 5$
$\big\}+1$

$\bigcirc = \star \times 5 + 1$이므로 $\star = 16$일 때 $\bigcirc = 16 \times 5 + 1 = 80 + 1 = 81$입니다.

1-2 136

$\diamondsuit$가 1씩 커질 때마다 $\heartsuit$는 6씩 커지므로 $\diamondsuit \times 6$과 $\heartsuit$를 비교해 봅니다.

$\diamondsuit$	1	2	3	4	5	6
$\diamondsuit \times 6$	6	12	18	24	30	36
$\heartsuit$	4	10	16	22	28	34

$\big\}\times 6$
$\big\}-2$

$\heartsuit = \diamondsuit \times 6 - 2$이므로 $\diamondsuit = 23$일 때 $\heartsuit = 23 \times 6 - 2 = 138 - 2 = 136$입니다.

1-3 18

$\square$가 1씩 커질 때마다 $\triangle$는 4씩 커지므로 $\square \times 4$와 $\triangle$를 비교해 봅니다.

$\square$	1	2	3	4	5	6
$\square \times 4$	4	8	12	16	20	24
$\triangle$	7	11	15	19	23	27

$\big\}\times 4$
$\big\}+3$

➡ $\triangle = \square \times 4 + 3$
따라서 $\triangle = 75$일 때 $\square \times 4 + 3 = 75$, $\square \times 4 = 75 - 3 = 72$,
$\square = 72 \div 4 = 18$입니다.

순서	1	2	3	4	5	......
수	1	4	7	10	13	......

$1 \times 3 - 2 \quad 2 \times 3 + 1 \quad 3 \times 3 - 2 \quad 4 \times 3 - 2 \quad 5 \times 3 - 2$

순서를 ○, 수를 ◇라고 하면 ◇＝○×3－2입니다.

○＝30일 때 ◇＝30×3－2

$\qquad\qquad$ ＝90－2

$\qquad\qquad$ ＝88

따라서 30번째 수는 88입니다.

2-1 55

순서	1	2	3	4	5	......
수	3	5	7	9	11	......

$1 \times 2 + 1 \quad 2 \times 2 + 1 \quad 3 \times 2 + 1 \quad 4 \times 2 + 1 \quad 5 \times 2 + 1$

순서를 ○, 수를 ◇라고 하면 ◇＝○×2＋1입니다.

○＝27일 때 ◇＝27×2＋1＝54＋1＝55

따라서 27번째 수는 55입니다.

2-2 138

순서	1	2	3	4	5	......
수	2	6	10	14	18	......

$1 \times 4 - 2 \quad 2 \times 4 - 2 \quad 3 \times 4 - 2 \quad 4 \times 4 - 2 \quad 5 \times 4 - 2$

순서를 ○, 수를 ◇라고 하면 ◇＝○×4－2입니다.

○＝35일 때 ◇＝35×4－2＝140－2＝138

따라서 35번째 수는 138입니다.

2-3 14번째

순서	1	2	3	4	5	......
수	1	6	11	16	21	......

$1 \times 5 - 4 \quad 2 \times 5 - 4 \quad 3 \times 5 - 4 \quad 4 \times 5 - 4 \quad 5 \times 5 - 4$

순서를 ○, 수를 ◇라고 하면 ◇＝○×5－4입니다.

◇＝66일 때 ○×5－4＝66, ○×5＝66＋4＝70, ○＝70÷5＝14

따라서 66은 14번째 수입니다.

2-4 16장

순서	1	2	3	4	5	......
수	9	15	21	27	33	......

$1 \times 6 + 3 \quad 2 \times 6 + 3 \quad 3 \times 6 + 3 \quad 4 \times 6 + 3 \quad 5 \times 6 + 3$

순서를 ○, 수를 ◇라고 하면 ◇＝○×6＋3입니다.

○＝16일 때 ◇＝16×6＋3＝96＋3＝99

○＝17일 때 ◇＝17×6＋3＝102＋3＝105

따라서 늘어놓은 수 카드 중에서 100보다 작은 수가 쓰여 있는 카드는 모두 16장입니다.

정오각형의 수(☆)	1	2	3	4	5	……
성냥개비의 수(△)	5	9	13	17	21	……
	1+4×1	1+4×2	1+4×3	1+4×4	1+4×5	

정오각형이 1개 늘어날 때마다 성냥개비는 4개씩 늘어나므로

$\triangle = 1 + 4 \times$ ☆입니다.

☆$= 20$일 때 $\triangle = 1 + 4 \times 20$

$\qquad\qquad\quad = 1 + 80$

$\qquad\qquad\quad = 81$

따라서 정오각형을 20개 만들려면 필요한 성냥개비는 81개입니다.

3-1 81개

정삼각형의 수(□)	1	2	3	4	5	……
성냥개비의 수(△)	3	5	7	9	11	……

정삼각형이 1개 늘어날 때마다 성냥개비는 2개씩 늘어나므로 $\triangle = 1 + 2 \times$ □입니다.

□$= 40$일 때 $\triangle = 1 + 2 \times 40 = 1 + 80 = 81$

따라서 정삼각형을 40개 만들려면 필요한 성냥개비는 81개입니다.

3-2 151개

정육각형의 수(○)	1	2	3	4	5	……
성냥개비의 수(□)	6	11	16	21	26	……

정육각형이 1개 늘어날 때마다 성냥개비는 5개씩 늘어나므로 □$= 1 + 5 \times$ ○입니다.

○$= 30$일 때 □$= 1 + 5 \times 30 = 1 + 150 = 151$

따라서 정육각형을 30개 만들려면 필요한 성냥개비는 151개입니다.

3-3 12개

마름모의 수(□)	1	2	3	4	5	……
성냥개비의 수(△)	4	7	10	13	16	……

마름모가 1개 늘어날 때마다 성냥개비는 3개씩 늘어나므로 $\triangle = 1 + 3 \times$ □입니다.

$\triangle = 37$일 때 $1 + 3 \times$ □$= 37$, $3 \times$ □$= 37 - 1 = 36$, □$= 36 \div 3 = 12$

따라서 성냥개비 37개로 만든 마름모는 12개입니다.

욕조에 담긴 물의 양은 5 L에서 1분이 지날 때마다 12 L씩 늘어나므로

샤워기를 틀어 놓은 시간을 ◇(분), 욕조에 담긴 물의 양을 △(L)라고 하면

$5 + 12 \times$ ◇$= \triangle$입니다.

$\triangle = 113$일 때 $5 + 12 \times$ ◇$= 113$

$\qquad\qquad\qquad 12 \times$ ◇$= 113 - 5$

$\qquad\qquad\qquad 12 \times$ ◇$= 108$

$\qquad\qquad\qquad\qquad$ ◇$= 108 \div 12$

$\qquad\qquad\qquad\qquad$ ◇$= 9$

따라서 욕조에 담긴 물이 113 L가 될 때는 샤워기를 틀어 놓은지 9분 후입니다.

예 물의 온도는 28 ℃에서 1분이 지날 때마다 6℃씩 높아지므로 물을 끓인 시간을 ◇(분), 물의 온도를 △(℃)라고 하면 $28+6×◇=△$ 입니다.

$△=100$ 일 때 $28+6×◇=100$, $6×◇=100-28=72$, $◇=72÷6=12$ 입니다. 따라서 물의 온도가 100℃가 될 때는 물을 끓이기 시작한지 12분 후입니다.

채점 기준	배점
물을 끓인 시간과 물의 온도 사이의 대응 관계를 구했나요?	2점
물의 온도가 100℃가 될 때는 물을 끓이기 시작하고 몇 분 후인지 구했나요?	3점

4-2 30분 후

남은 물의 양은 400 L에서 1분이 지날 때마다 5 L씩 적어지므로 물을 사용한 시간을 ◇(분), 남은 물의 양을 △(L)라고 하면 $400-◇×5=△$ 입니다.

$△=250$ 일 때 $400-◇×5=250$, $◇×5=400-250=150$,

$◇=150÷5=30$

따라서 남은 물이 250 L가 될 때는 물을 사용한지 30분 후입니다.

4-3 35분 후

양초는 24 cm에서 5분이 지날 때마다 2 cm씩 길이가 짧아지므로 양초가 탄 시간을 ◇(분), 남은 양초의 길이를 △(cm)라고 하면 $24-◇÷5×2=△$ 입니다.

$△=10$ 일 때 $24-◇÷5×2=10$, $◇÷5×2=24-10=14$,

$◇÷5=14÷2=7$, $◇=7×5=35$

따라서 남은 양초의 길이가 10 cm가 될 때는 양초에 불을 붙인지 35분 후입니다.

4-4 1시간 50분

10 km＝10000 m이고 민호는 1분에 80 m씩 걸어가므로 민호가 걸은 시간을 ◇(분), ㉴ 지점까지 남은 거리를 △(km)라고 하면 $10000-◇×80=△$ 입니다.

1.2 km＝1200 m이므로 $△=1200$ 일 때 $10000-◇×80=1200$,

$◇×80=10000-1200=8800$, $◇=8800÷80=110$ 입니다.

따라서 민호는 110분＝1시간 50분 동안 걸었습니다.

대표문제 **5**

자른 횟수(번)	1	2	3	4	5	6
도막의 수(도막)	4	7	10	13	16	19

1×3+1　2×3+1　3×3+1　4×3+1　5×3+1　6×3+1

➡ $□=○×3+1$

○가 10일 때 $□=10×3+1=31$ 이므로

실을 10번 잘랐을 때 나누어진 실은 31도막입니다.

5-1 예 $\square = \bigcirc + 1$, 16개

자른 횟수(번)	1	2	3	4	5	......
조각의 수(개)	2	3	4	5	6	......
	1+1	2+1	3+1	4+1	5+1	

$\square = \bigcirc + 1$이므로 $\bigcirc = 15$일 때 $\square = 15 + 1 = 16$입니다.

따라서 종이 띠를 15번 잘랐을 때 나누어진 조각은 16개입니다.

5-2 예 $\square = \bigcirc \times 4 + 1$, 81도막

자른 횟수(번)	1	2	3	4	5	......
도막의 수(도막)	5	9	13	17	21	......
	1×4+1	2×4+1	3×4+1	4×4+1	5×4+1	

$\square = \bigcirc \times 4 + 1$이므로 $\bigcirc = 20$일 때 $\square = 20 \times 4 + 1 = 80 + 1 = 81$입니다.

따라서 실을 20번 잘랐을 때 나누어진 실은 81도막입니다.

5-3 512개

색종이를 접었다 펼친 후 접힌 선을 그림으로 나타내면 다음과 같습니다.

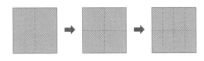

접은 횟수(번)	1	2	3	4	5	......
조각의 수(개)	2	4	8	16	32	......

접은 횟수가 1씩 커질 때마다 조각의 수는 2배로 커지므로 접은 횟수를 $\bigcirc$, 조각의 수를 $\square$라고 하면 $\square = \underbrace{2 \times 2 \times \cdots \times 2 \times 2}_{\bigcirc번}$입니다.

$\bigcirc = 9$일 때 $\square = \underbrace{2 \times 2 \times 2 \times 2 \times 2 \times 2 \times 2 \times 2 \times 2}_{9번} = 512$

따라서 색종이를 9번 접었다 펼친 후 접힌 선을 따라 자르면 나누어진 조각은 512개입니다.

순서($\bigcirc$)	1	2	3	4	5	......
흰색 바둑돌 수($\square$)	1×1	2×2	3×3	4×4	5×5	......
검은색 바둑돌 수($\triangle$)	2×4	3×4	4×4	5×4	6×4	......

➡ $\square = \bigcirc \times \bigcirc$, $\triangle = (\bigcirc + 1) \times 4$

$\bigcirc$가 30일 때 $\square = 30 \times 30 = 900$

$\triangle = (30 + 1) \times 4 = 124$

➡ $\square - \triangle = 900 - 124 = 776$

따라서 30번째에 놓을 흰색 바둑돌과 검은색 바둑돌 수의 차는 776개입니다.

6-1 42개

순서(○)	1	2	3	4	5	……
파란색 단추 수(□)	1	2	3	4	5	……
보라색 단추 수(△)	2×2	3×2	4×2	5×2	6×2	……

➡ $□=○$, $△=(○+1)\times2$

$○=40$일 때 $□=40$, $△=(40+1)\times2=41\times2=82$

따라서 40번째에 놓을 파란색 단추와 보라색 단추 수의 차는 $82-40=42$(개)입니다.

6-2 399장

순서(○)	1	2	3	4	5	……
노란 색종이 수(□)	$1+1$	$2+1$	$3+1$	$4+1$	$5+1$	……
초록 색종이 수(△)	1×2	2×3	3×4	4×5	5×6	……

➡ $□=○+1$, $△=○\times(○+1)$

$○=20$일 때 $□=20+1=21$, $△=20\times(20+1)=20\times21=420$

따라서 20번째에 붙일 노란 색종이와 초록 색종이 수의 차는 $420-21=399$(장)입니다.

6-3 10번째

순서(○)	1	2	3	4	5	……
흰색 바둑돌 수(□)	4×1	4×2	4×3	4×4	4×5	……
검은색 바둑돌 수(△)	$1\times1+4$	$2\times2+4$	$3\times3+4$	$4\times4+4$	$5\times5+4$	……

➡ $□=○\times4$, $△=○\times○+4$

흰색 바둑돌과 검은색 바둑돌 수의 차가 64개인 정사각형 모양에서

$△>□$이므로 $○\times○+4-○\times4=64$입니다. $○\times○-○\times4=60$이고

$10\times10-10\times4=100-40=60$이므로 $○=10$입니다.

따라서 흰색 바둑돌과 검은색 바둑돌 수의 차가 64개인 정사각형은 10번째입니다.

78~79쪽

대표문제 7

원을 나눈 부분의 수가 최대가 되도록 직선을 그으려면 직선끼리 모두 한 번씩 만나도록 그어야 합니다.

직선의 수(□)	1	2	3	4	5	……
부분의 수(△)	2	4	7	11	16	……

$+2$ $+3$ $+4$ $+5$

➡ $△=2+2+3+4+\cdots\cdots+□$

$□=9$일 때 $△=2+2+3+4+5+6+7+8+9=46$

따라서 직선을 9개 그었을 때 원을 나눈 부분은 46개입니다.

7-1 66개

만나는 점의 수가 최대가 되도록 직선을 그으려면 직선끼리 모두 한 번씩 만나도록 그어야 합니다.

직선의 수($\square$)	2	3	4	5	……
만나는 점의 수($\triangle$)	1	1+2	1+2+3	1+2+3+4	……

➡ $\triangle = 1+2+3+4+ \cdots +(\square-1)$

$\square=12$일 때 $\triangle = 1+2+3+4+ \cdots +9+10+11=66$

따라서 직선을 12개 그었을 때 만나는 점은 66개입니다.

7-2 121개

예 직선의 수($\square$)	1	2	3	4	……
부분의 수($\triangle$)	2	2+2	2+2+3	2+2+3+4	……

$\triangle = 2+2+3+4+ \cdots +\square$이므로

$\square=15$일 때 $\triangle = 2+2+3+4+ \cdots +13+14+15=121$입니다.

따라서 직선을 15개 그었을 때 사각형을 나눈 부분은 121개입니다.

채점 기준	배점
직선의 수와 부분의 수 사이의 대응 관계를 구했나요?	2점
직선을 15개 그었을 때 부분의 수를 구했나요?	3점

7-3 8개

마름모를 나눈 부분의 수가 최대가 되도록 직선을 그으려면 직선끼리 모두 한 번씩 만나도록 그어야 합니다.

직선의 수($\square$)	1	2	3	4	……
부분의 수($\triangle$)	2	2+2	2+2+3	2+2+3+4	……

➡ $\triangle = 2+2+3+4+ \cdots +\square$

$\triangle=37$일 때 $2+2+3+4+ \cdots +\square=37$이고

$2+2+3+4+5+6+7+8=37$이므로 $\square=8$입니다.

따라서 마름모를 나눈 부분이 37개가 되려면 직선을 적어도 8개 그어야 합니다.

MATH MASTER

1 (위에서부터) 5 / 15, 23 / 예 $\triangle = \bigcirc \times 4 - 1$

$\bigcirc$가 1씩 커질 때마다 $\triangle$는 4씩 커지므로 $\bigcirc \times 4$와 $\triangle$를 비교해 봅니다.

$\bigcirc$	1	2	3	4	5	6	
$\bigcirc \times 4$	4	8	12	16	20	24	}×4
$\triangle$	3	7	11	15	19	23	}−1

$\bigcirc$와 $\triangle$ 사이의 대응 관계를 식으로 나타내면 $\triangle = \bigcirc \times 4 - 1$입니다.

2 6 km

지면의 기온 36 ℃에서 높이가 1 km 높아질 때마다 기온은 (3×2) ℃씩 내려가므로 지면으로부터의 높이를 ◇(km), 기온을 △(℃)라고 하면 $36 - 3 \times 2 \times ◇ = △$입니다.

△=0일 때 $36 - 3 \times 2 \times ◇ = 0$, $3 \times 2 \times ◇ = 36$, $◇ = 36 \div 2 \div 3 = 6$

따라서 기온이 0 ℃가 되는 지점은 지면으로부터 높이가 6 km인 지점입니다.

3 18

$9 \times 3 - 2 = 27 - 2 = 25$, $4 \times 3 - 2 = 12 - 2 = 10$, $11 \times 3 - 2 = 33 - 2 = 31$이므로 왼쪽 수에 3을 곱한 다음 2를 **빼면** 오른쪽 수가 됩니다.

➡ $㉠ \times 3 - 2 = 52$, $㉠ \times 3 = 52 + 2 = 54$, $㉠ = 54 \div 3 = 18$

4 7월 2일 오전 1시 45분

오후 3시는 15시이므로 로마는 서울보다 $15 - 7 = 8$(시간) 느립니다.

서울 시각으로 7월 1일 오후 11시 45분에서 10시간 지난 시각은 7월 2일 오전 9시 45분이므로 수연이가 로마에 도착했을 때 로마는 7월 2일 오전 9시 45분보다 8시간 늦은 7월 2일 오전 1시 45분입니다.

5 188개

상자 모양의 수(△)	1	2	3	4	5	……
성냥개비의 수(□)	12	20	28	36	44	……

상자 모양이 1개 늘어날 때마다 성냥개비는 8개씩 늘어나므로 $□ = 4 + 8 \times △$입니다.

△=23일 때 $□ = 4 + 8 \times 23 = 4 + 184 = 188$

따라서 상자 모양을 23개 만들 때 필요한 성냥개비는 188개입니다.

6 10분 후

⑩ (서진이가 8분 동안 걸은 거리)$= 70 \times 8 = 560$(m)

오빠가 출발한 때부터 이동한 시간을 ○(분), 서진이가 이동한 거리를 □ (m), 오빠가 이동한 거리를 △ (m)라고 하면 오빠가 출발한 지 1분이 지날 때마다 서진이는 560 m에서 70 m씩 이동하므로 $□ = 560 + 70 \times ○$이고, 오빠는 126 m씩 이동하므로 $△ = 126 \times ○$입니다.

두 사람이 만나는 때는 두 사람이 이동한 거리가 같아지는 때이므로

$560 + 70 \times ○ = 126 \times ○$, $560 = 126 \times ○ - 70 \times ○$, $560 = 56 \times ○$, $○ = 560 \div 56 = 10$입니다.

따라서 오빠가 출발한지 10분 후에 서진이를 만날 수 있습니다.

채점 기준	배점
서진이와 오빠가 이동한 시간과 거리 사이의 대응 관계를 구했나요?	2점
오빠가 출발한 지 몇 분 후에 서진이를 만나는지 구했나요?	3점

7 799

꼭짓점 ㄹ에 쓰고 있는 수는 3부터 시작하여 4씩 커지는 수이므로 순서를 □, 꼭짓점 ㄹ에 쓰고 있는 수를 ○라고 하면 $○ = □ \times 4 - 1$입니다.

□=200일 때 $○ = □ \times 4 - 1 = 200 \times 4 - 1 = 800 - 1 = 799$

따라서 꼭짓점 ㄹ에 200번째로 쓸 수는 799입니다.

8 오전 11시 31분

자른 횟수(번)	1	2	3	4	5	……
도막 수(도막)	2	3	4	5	6	……
걸린 시간(분)	8	19	30	41	52	……

➡ (도막 수)＝(자른 횟수)＋1

➡ 통나무를 한 번 자르고 한 번 쉰 시간을 더하면 8＋3＝11(분)이므로

(걸린 시간)＝11×(자른 횟수)－3

긴 통나무를 15도막으로 자를 때 (자른 횟수)＋1＝15,

(자른 횟수)＝15－1＝14(번)이고

(걸린 시간)＝11×14－3＝154－3＝151(분)입니다.

151분＝120분＋31분＝2시간 31분이므로

(통나무 자르기가 끝나는 시각)＝오전 9시＋2시간 31분＝오전 11시 31분입니다.

9 171

삼각형 모양으로 배열된 수들에서 위의 두 수를 더해서 두 수 사이의 아래쪽에 놓은 규칙을 찾을 수 있습니다. 이 규칙에 따라 파란색 화살표 방향으로 배열된 수들을 알아본 후 순서와 수 사이의 대응 관계를 찾아봅니다.

순서	1	2	3	4	5	……
수	1	3	6	10	15	……

$+2$ $+3$ $+4$ $+5$

순서를 ○, 수를 △라고 하면 △＝(1부터 ○까지의 합)입니다.

○＝18일 때 △＝1＋2＋3＋……＋16＋17＋18＝19×(18÷2)＝171

19
19
19

따라서 파란색 화살표 방향으로 18번째 수는 171입니다.

10 1093개

순서	1	2	3	4	……
색칠한 정삼각형의 수	1	4	13	40	……

$+3$ $+9$ $+27$
$×3$ $×3$

➡ (일곱 번째 그림에서 색칠한 정삼각형의 수)

＝1＋3＋3×3＋3×3×3＋3×3×3×3＋3×3×3×3×3

＋3×3×3×3×3×3

＝1＋3＋9＋27＋81＋243＋729

＝1093(개)

Brain👍

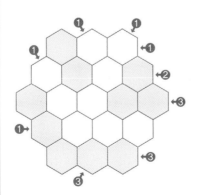

4 약분과 통분

1 약분

1 ②, ⑤

$$\frac{36}{60}=\frac{36\div2}{60\div2}=\frac{18}{30},\ \frac{36}{60}=\frac{36\div4}{60\div4}=\frac{9}{15},\ \frac{36}{60}=\frac{36\div12}{60\div12}=\frac{3}{5}$$

2 8개

분모가 15인 진분수는 분자가 15보다 작은 수입니다.

이 중 15와 공약수가 1뿐인 수는 1, 2, 4, 7, 8, 11, 13, 14입니다.

따라서 분모가 15인 진분수 중에서 기약분수는 $\frac{1}{15}$, $\frac{2}{15}$, $\frac{4}{15}$, $\frac{7}{15}$, $\frac{8}{15}$, $\frac{11}{15}$, $\frac{13}{15}$,

$\frac{14}{15}$로 8개입니다.

3 6, 2

$$48\div4=12 \rightarrow \frac{48}{72}=\frac{48\div12}{72\div12}=\frac{4}{6} \Rightarrow \blacksquare=6$$

$$72\div3=24 \rightarrow \frac{48}{72}=\frac{48\div24}{72\div24}=\frac{2}{3} \Rightarrow \blacktriangle=2$$

4 25, 60

$\frac{\unicode{12880}}{\unicode{12881}}$을 약분하면 $\frac{5}{12}$이므로 $\frac{\unicode{12880}}{\unicode{12881}}=\frac{5\times\square}{12\times\square}$입니다.

$\unicode{12880}+\unicode{12881}=85$이므로 $5\times\square+12\times\square=85$, $17\times\square=85$, $\square=5$입니다.

따라서 $\unicode{12880}=5\times5=25$, $\unicode{12881}=12\times5=60$입니다.

5 $\frac{5}{6}$

$$\frac{25}{30}=\frac{20}{24}=\frac{15}{18}=\frac{10}{12}=\frac{5}{6}$$ 이므로 $$\frac{25+20+15+10+5}{30+24+18+12+6}=\frac{5}{6}$$ 입니다.

다른 풀이

$$\frac{25+20+15+10+5}{30+24+18+12+6}=\frac{5\times5+5\times4+5\times3+5\times2+5\times1}{6\times5+6\times4+6\times3+6\times2+6\times1}=\frac{5\times(5+4+3+2+1)}{6\times(5+4+3+2+1)}=\frac{5}{6}$$
---

2 통분

1 3개

$$\frac{5}{12}=\frac{10}{24}=\frac{15}{36}=\frac{20}{48}=\frac{25}{60}=\frac{30}{72}=\frac{35}{84}=\frac{40}{96}=\frac{45}{108}=\cdots\cdots$$ 이므로 분모가 20보

다 크고 50보다 작은 분수 중에서 $\frac{5}{12}$와 크기가 같은 분수는 $\frac{10}{24}$, $\frac{15}{36}$, $\frac{20}{48}$으로 3개

입니다.

2 $\dfrac{63}{84}$, $\dfrac{60}{84}$

분모인 4와 7의 최소공배수는 28이므로 공통분모가 될 수 있는 수는 28의 배수입니다.
따라서 28의 배수 중 가장 큰 두 자리 수는 84이므로 84로 통분합니다.

$\rightarrow \dfrac{3}{4}=\dfrac{3\times21}{4\times21}=\dfrac{63}{84}$, $\dfrac{5}{7}=\dfrac{5\times12}{7\times12}=\dfrac{60}{84}$

3 8

분자에 더해야 하는 수를 □라고 하면 $\dfrac{4+□}{9+18}=\dfrac{4+□}{27}$입니다.

$\dfrac{4}{9}=\dfrac{4\times3}{9\times3}=\dfrac{12}{27}$이므로 $4+□=12$, $□=8$입니다.

4 $\dfrac{5}{12}$, $\dfrac{7}{18}$

각각의 분모와 분자의 최대공약수로 약분합니다.

36과 15의 최대공약수: 3 ➡ $\dfrac{15\div3}{36\div3}=\dfrac{5}{12}$

36과 14의 최대공약수: 2 ➡ $\dfrac{14\div2}{36\div2}=\dfrac{7}{18}$

5 9

$■\times25=3\times75$, $■\times25=225$, $■=225\div25=9$

---

3 분수의 크기 비교

1 $\dfrac{13}{20}$, $\dfrac{67}{100}$에 ○표

$\left(\dfrac{7}{10}, \dfrac{4}{5}\right)=\left(\dfrac{7}{10}, \dfrac{8}{10}\right)\Rightarrow \dfrac{7}{10}<\dfrac{4}{5}$, $\left(\dfrac{7}{10}, \dfrac{13}{20}\right)=\left(\dfrac{14}{20}, \dfrac{13}{20}\right)\Rightarrow \dfrac{7}{10}>\dfrac{13}{20}$

$\left(\dfrac{7}{10}, \dfrac{41}{50}\right)=\left(\dfrac{35}{50}, \dfrac{41}{50}\right)\Rightarrow \dfrac{7}{10}<\dfrac{41}{50}$, $\left(\dfrac{7}{10}, \dfrac{53}{70}\right)=\left(\dfrac{49}{70}, \dfrac{53}{70}\right)\Rightarrow \dfrac{7}{10}<\dfrac{53}{70}$

$\left(\dfrac{7}{10}, \dfrac{67}{100}\right)=\left(\dfrac{70}{100}, \dfrac{67}{100}\right)\Rightarrow \dfrac{7}{10}>\dfrac{67}{100}$

따라서 $\dfrac{7}{10}$보다 작은 분수는 $\dfrac{13}{20}$, $\dfrac{67}{100}$입니다.

2 3, 4, 5, 6, 7

3, 8, 12의 최소공배수는 24이므로 24로 통분합니다.

$\dfrac{1}{3}<\dfrac{□}{8}<\dfrac{11}{12}$ ➡ $\dfrac{8}{24}<\dfrac{□\times3}{24}<\dfrac{22}{24}$

$8<□\times3<22$이므로 □ 안에 들어갈 수 있는 자연수는 3, 4, 5, 6, 7입니다.

3 0.85

분수를 소수로 나타내어 크기를 비교해 봅니다.

$\dfrac{4}{5}=\dfrac{8}{10}=0.8$, $\dfrac{3}{4}=\dfrac{75}{100}=0.75$이므로 $0.85>\dfrac{4}{5}>\dfrac{3}{4}>0.7$입니다.

4 $\frac{11}{12}$, $\frac{8}{9}$, $\frac{7}{8}$

$\left(\frac{8}{9}, \frac{7}{8}, \frac{11}{12}\right)$ ➡ $\left(1-\frac{1}{9}, 1-\frac{1}{8}, 1-\frac{1}{12}\right)$

단위분수일 경우 분모가 클수록 작은 수이고, 1에서 작은 수를 뺄수록 큰 수이므로 큰

수부터 차례로 쓰면 $\frac{11}{12}$, $\frac{8}{9}$, $\frac{7}{8}$입니다.

5 (1) < (2) >

(1) $\frac{2}{7}=\frac{2\times6}{7\times6}=\frac{12}{42}$ ➡ $\left(\frac{12}{42}, \frac{12}{19}\right)$ ➡ $\frac{2}{7}<\frac{12}{19}$

(2) $\frac{4}{7}=\frac{4\times4}{7\times4}=\frac{16}{28}$ ➡ $\left(\frac{16}{25}, \frac{16}{28}\right)$ ➡ $\frac{16}{25}>\frac{4}{7}$

$\frac{3}{8}$과 $\frac{4}{9}$를 분모가 72인 분수로 통분합니다.

$$\frac{3}{8} < \frac{\blacksquare}{72} < \frac{4}{9}$$

$$\frac{27}{72} < \frac{\blacksquare}{72} < \frac{32}{72}$$

분모가 72일 때, 분자는 27보다 크고 32보다 작아야 하므로

구하는 분수는 $\frac{28}{72}$, $\frac{29}{72}$, $\frac{30}{72}$, $\frac{31}{72}$입니다.

1-1 $\frac{13}{20}$, $\frac{14}{20}$

$\frac{3}{5}<\frac{\square}{20}<\frac{3}{4}$ ➡ $\frac{12}{20}<\frac{\square}{20}<\frac{15}{20}$

□는 12보다 크고 15보다 작은 수이므로 13, 14입니다.

따라서 구하는 분수는 $\frac{13}{20}$, $\frac{14}{20}$입니다.

서술형 **1-2** 20개

예 $\frac{7}{10}<\frac{\square}{90}<\frac{14}{15}$ ➡ $\frac{63}{90}<\frac{\square}{90}<\frac{84}{90}$이므로 □는 63보다 크고 84보다 작은 수입

니다. 따라서 구하는 분수는 $\frac{64}{90}$, $\frac{65}{90}$, $\frac{66}{90}$ …… $\frac{82}{90}$, $\frac{83}{90}$으로 20개입니다.

채점 기준	배점
분모가 90인 분수로 통분했나요?	2점
조건을 만족하는 분수를 구했나요?	2점
분수의 개수를 구했나요?	1점

1-3 $\dfrac{53}{60}$

$\dfrac{3}{5} < \dfrac{\square}{60} < \dfrac{11}{12}$ ➡ $\dfrac{36}{60} < \dfrac{\square}{60} < \dfrac{55}{60}$

$\dfrac{36}{60}$ 보다 크고 $\dfrac{55}{60}$ 보다 작은 분수는 $\dfrac{37}{60}$, $\dfrac{38}{60}$, $\dfrac{39}{60}$ ······ $\dfrac{52}{60}$, $\dfrac{53}{60}$, $\dfrac{54}{60}$ 입니다.

이 중 가장 큰 기약분수는 $\dfrac{53}{60}$ 입니다.

1-4 2개

$\dfrac{4}{9} < \dfrac{\square}{36} < \dfrac{7}{12}$ ➡ $\dfrac{16}{36} < \dfrac{\square}{36} < \dfrac{21}{36}$ 이므로 $\dfrac{16}{36}$ 보다 크고 $\dfrac{21}{36}$ 보다 작은 분수는

$\dfrac{17}{36}$, $\dfrac{18}{36}$, $\dfrac{19}{36}$, $\dfrac{20}{36}$ 입니다.

이 중 기약분수는 $\dfrac{17}{36}$, $\dfrac{19}{36}$ 로 2개입니다.

대표문제 2

세 분수의 분모인 8, 10, 5의 최소공배수는 40입니다.

공통분모를 최소공배수로 하여 통분하면

$\dfrac{5}{8} = \dfrac{25}{40}$, $\dfrac{9}{10} = \dfrac{36}{40}$, $\dfrac{4}{5} = \dfrac{32}{40}$ 입니다.

$\dfrac{5}{8}(=\dfrac{25}{40})$ 와 $\dfrac{9}{10}(=\dfrac{36}{40})$ 중에서 $\dfrac{4}{5}(=\dfrac{32}{40})$ 에 더 가까운 분수는 $\dfrac{9}{10}$ 입니다.

2-1 $\dfrac{3}{5}$

$\dfrac{1}{4} = \dfrac{5}{20}$, $\dfrac{3}{5} = \dfrac{12}{20}$

따라서 $\dfrac{1}{4}(=\dfrac{5}{20})$ 과 $\dfrac{3}{5}(=\dfrac{12}{20})$ 중에서 $\dfrac{13}{20}$ 에 더 가까운 분수는 $\dfrac{3}{5}$ 입니다.

2-2 $\dfrac{13}{15}$

구하는 분수를 $\dfrac{\square}{15}$ 라고 합니다.

두 분수의 분모 15, 20의 최소공배수인 60으로 통분하면 $\dfrac{\square}{15} = \dfrac{\square \times 4}{60}$, $\dfrac{17}{20} = \dfrac{51}{60}$ 입니다.

$\square = 12$ 이면 $\dfrac{48}{60}$, $\square = 13$ 이면 $\dfrac{52}{60}$ 입니다.

따라서 분모가 15인 진분수 중에서 $\dfrac{17}{20}(=\dfrac{51}{60})$ 에 가장 가까운 분수는 $\dfrac{13}{15}(=\dfrac{52}{60})$ 입니다.

서술형 2-3 $1\dfrac{2}{9}$

㉠ $\dfrac{13}{18} = \dfrac{26}{36}$, $1\dfrac{2}{9} = 1\dfrac{8}{36} = \dfrac{44}{36}$, $\dfrac{7}{12} = \dfrac{21}{36}$

$1 = \dfrac{36}{36}$ 이므로 1에 가장 가까운 분수는 $1\dfrac{2}{9}$ 입니다.

채점 기준	배점
세 분수를 통분했나요?	3점
1에 가장 가까운 분수를 구했나요?	2점

2-4 $\dfrac{12}{25}$

구하는 분수를 $\dfrac{\square}{25}$라고 합니다.

두 분수의 분모 25, 15의 최소공배수인 75로 분수를 통분하면

$\dfrac{\square}{25}=\dfrac{\square\times3}{75}$, $\dfrac{7}{15}=\dfrac{35}{75}$입니다.

$\square=11$이면 $\dfrac{33}{75}$, $\square=12$이면 $\dfrac{36}{75}$입니다.

따라서 분모가 25인 진분수 중에서 $\dfrac{7}{15}\left(=\dfrac{35}{75}\right)$에 가장 가까운 분수는 $\dfrac{12}{25}\left(=\dfrac{36}{75}\right)$

입니다.

96~97쪽

구하는 분수 ➡ $\dfrac{4\times\blacksquare}{7\times\blacksquare}$

분모와 분자의 차가 15 ➡ (분모)$-$(분자)$=15$

$$7\times\blacksquare-4\times\blacksquare=15$$
$$3\times\blacksquare=15$$
$$\blacksquare=5$$

구하는 분수 ➡ $\dfrac{4\times5}{7\times5}=\dfrac{20}{35}$

3-1 $\dfrac{9}{15}$

$5\times\square+3\times\square=24$, $8\times\square=24$, $\square=3$

따라서 구하는 분수는 $\dfrac{3\times3}{5\times3}=\dfrac{9}{15}$입니다.

3-2 $\dfrac{15}{27}$

구하는 분수를 $\dfrac{5\times\square}{9\times\square}$라고 합니다.

$9\times\square+5\times\square=42$, $14\times\square=42$, $\square=3$

따라서 구하는 분수는 $\dfrac{5\times3}{9\times3}=\dfrac{15}{27}$입니다.

3-3 $\dfrac{10}{25}$

구하는 분수를 $\dfrac{2\times\square}{5\times\square}$라고 합니다.

분모와 분자의 곱이 250이므로 $5\times\square\times2\times\square=250$, $10\times\square\times\square=250$,

$\square\times\square=25$, $\square=5$입니다.

따라서 구하는 분수는 $\dfrac{2\times5}{5\times5}=\dfrac{10}{25}$입니다.

3-4 $\dfrac{9}{12}$

구하는 분수를 $\dfrac{3\times\square}{4\times\square}$ 라고 합니다.

분모와 분자의 최대공약수가 $\square$이므로 분모와 분자의 최소공배수는 $3\times4\times\square$입니다.

$3\times4\times\square=36,\ 12\times\square=36,\ \square=3$

따라서 구하는 분수는 $\dfrac{3\times3}{4\times3}=\dfrac{9}{12}$입니다.

세 분수의 분자 2, 4, 8의 최소공배수인 8로 분자를 같게 만듭니다.

$\dfrac{2}{5}=\dfrac{8}{20},\ \dfrac{4}{\bigcirc}=\dfrac{8}{\bigcirc\times2}$ ➡ $\dfrac{8}{20}<\dfrac{8}{\bigcirc\times2}<\dfrac{8}{9}$

분자가 같을 때에는 분모가 작을수록 큰 분수이므로

분자가 8로 모두 같을 때 분모의 크기는 $9<\bigcirc\times2<20$입니다.

$9\div2=4\cdots1,\ 20\div2=10$이므로 $\bigcirc$은 4보다 크고 10보다 작은 수입니다.

따라서 $\bigcirc$에 들어갈 수 있는 수 중 가장 큰 수는 9입니다.

4-1 19

분자인 3, 15, 5의 최소공배수인 15로 분자를 같게 만들면 $\dfrac{15}{40}<\dfrac{15}{\bigcirc}<\dfrac{15}{18}$입니다.

분모만 비교하면 $18<\bigcirc<40$이므로 $\bigcirc$에 들어갈 수 있는 자연수 중 가장 작은 수는 19입니다.

4-2 13

$\dfrac{4}{\bigcirc}=\dfrac{4\times4}{\bigcirc\times4}=\dfrac{16}{\bigcirc\times4},\ \dfrac{2}{7}=\dfrac{2\times8}{7\times8}=\dfrac{16}{56}$ ➡ $\dfrac{16}{19}>\dfrac{16}{\bigcirc\times4}>\dfrac{16}{56}$

분자가 16으로 같으므로 분모가 작을수록 큰 수입니다.

분모만 비교하면 $19<\bigcirc\times4<56$입니다.

$19\div4=4\cdots3,\ 56\div4=14$이므로 $\bigcirc$은 4보다 크고 14보다 작은 수입니다.

따라서 $\bigcirc$에 들어갈 수 있는 자연수 중 가장 큰 수는 13입니다.

4-3 6개

$\dfrac{7\times8}{13\times8}<\dfrac{8\times7}{\square\times7}<\dfrac{56}{56}$ ➡ $\dfrac{56}{104}<\dfrac{56}{\square\times7}<\dfrac{56}{56}$

분자가 56으로 같으므로 분모가 작을수록 큰 수입니다.

분모만 비교하면 $56<\square\times7<104$입니다.

$56\div7=8,\ 104\div7=14\cdots6$이므로 $\square$는 8보다 크고 15보다 작은 수입니다.

따라서 $\square$ 안에 들어갈 수 있는 자연수는 9, 10, 11, 12, 13, 14로 모두 6개입니다.

4-4 6개

$\dfrac{2}{5}=\dfrac{24}{60},\ \dfrac{8}{\bigcirc}=\dfrac{24}{\bigcirc\times3},\ \dfrac{12}{13}=\dfrac{24}{26}$ ➡ $\dfrac{24}{60}<\dfrac{24}{\bigcirc\times3}<\dfrac{24}{26}$

분모만 비교하면 $26<\bigcirc\times3<60$입니다.

$26\div3=8\cdots2,\ 60\div3=20$이므로 $\bigcirc$은 8보다 크고 20보다 작은 수입니다.

따라서 $\bigcirc$에 들어갈 수 있는 수 중 홀수는 9, 11, 13, 15, 17, 19로 모두 6개입니다.

대표문제 5

4로 약분하기 전의 분수 ➡ $\dfrac{6\times4}{7\times4}=\dfrac{24}{28}$

분자에 3을 더하기 전의 분수 ➡ $\dfrac{21}{28}$

분모에서 4를 **빼기** 전의 분수 ➡ $\dfrac{21}{32}$

➡ 처음 분수는 $\dfrac{21}{32}$입니다.

참고

답이 맞는지 확인하기 위해 답을 넣어 순서대로 계산해 봅니다.

- $\dfrac{21}{32}$의 분모에서 4 빼기: $\dfrac{21}{32-4}=\dfrac{21}{28}$, $\dfrac{21}{28}$의 분자에 3 더하기: $\dfrac{21+3}{28}=\dfrac{24}{28}$

- $\dfrac{24}{28}$를 4로 약분하기: $\dfrac{24\div4}{28\div4}=\dfrac{6}{7}$

5-1 $\dfrac{4}{25}$

4로 약분하기 전의 분수: $\dfrac{1\times4}{5\times4}=\dfrac{4}{20}$

분모에서 5를 **빼기** 전의 분수: $\dfrac{4}{20+5}=\dfrac{4}{25}$

5-2 $\dfrac{24}{41}$

7로 약분하기 전의 분수: $\dfrac{4\times7}{5\times7}=\dfrac{28}{35}$

분모에서 6을 **빼기** 전의 분수: $\dfrac{28}{35+6}=\dfrac{28}{41}$

분자에 4를 더하기 전의 분수: $\dfrac{28-4}{41}=\dfrac{24}{41}$

5-3 $\dfrac{12}{17}$

처음 분수를 $\dfrac{\square}{17}$라고 하면 분모와 분자에 각각 3을 더한 분수는 $\dfrac{\square+3}{17+3}=\dfrac{\square+3}{20}$ 입니다.

기약분수로 나타내었을 때 $\dfrac{3}{4}$이 되므로 $\dfrac{\square+3}{20}$은 $\dfrac{3}{4}$과 크기가 같은 분수입니다.

$\dfrac{3}{4}=\dfrac{6}{8}=\dfrac{9}{12}=\dfrac{12}{16}=\dfrac{15}{20}=\cdots\cdots$

분모가 20이면서 $\dfrac{3}{4}$과 크기가 같은 분수는 $\dfrac{15}{20}$입니다.

따라서 $\dfrac{\square+3}{20}=\dfrac{15}{20}$, $\square+3=15$, $\square=12$이므로 처음 분수는 $\dfrac{12}{17}$입니다.

5-4 $\dfrac{8}{67}$

약분하기 전 분수의 분모, 분자의 최대공약수를 $\square$라고 하면 처음 분수는 $\dfrac{1\times\square}{8\times\square+3}$ 입니다. 처음 분수의 분모와 분자의 합이 75이므로

$1\times\square+8\times\square+3=75$, $9\times\square=72$, $\square=8$입니다.

따라서 처음 분수는 $\dfrac{1\times8}{8\times8+3}=\dfrac{8}{67}$입니다.

$(\dfrac{6}{13}$과 크기가 같은 분수$)=\dfrac{6\times\blacksquare}{13\times\blacksquare}$

① 분모인 $13\times\blacksquare$ 중 50보다 크고 100보다 작은 수 찾기

   $50\div13=3\cdots11$, $100\div13=7\cdots9$ ➡ $\blacksquare$는 3보다 크고 8보다 작은 수

② 분자인 $6\times\blacksquare$ 중 20보다 크고 80보다 작은 수 찾기

   $20\div6=3\cdots2$, $80\div6=13\cdots2$ ➡ $\blacksquare$는 3보다 크고 14보다 작은 수

두 조건을 모두 만족하는 $\blacksquare$는 3보다 크고 8보다 작은 수이므로 4개입니다.

참고

$13\times3=39$, $13\times7=91$이므로 $\blacksquare$는 3보다 크고 8보다 작은 수로 4, 5, 6, 7입니다.

$6\times3=18$, $6\times13=78$이므로 $\blacksquare$는 3보다 크고 14보다 작은 수로 4, 5, 6, 7, 8, 9, 10, 11, 12, 13입니다.

두 조건을 만족하는 $\blacksquare$는 4, 5, 6, 7이므로 주어진 조건을 모두 만족하는 분수는

$\dfrac{6\times4}{13\times4}=\dfrac{24}{52}$, $\dfrac{6\times5}{13\times5}=\dfrac{30}{65}$, $\dfrac{6\times6}{13\times6}=\dfrac{36}{78}$, $\dfrac{6\times7}{13\times7}=\dfrac{42}{91}$로 4개입니다.

6-1 3개

$\dfrac{1}{3}$과 크기가 같은 분수는 분모와 분자의 공약수를 $\square$라고 하면 $\dfrac{1\times\square}{3\times\square}$입니다.

분모인 $3\times\square$ 중 10보다 크고 20보다 작은 수는 $10\div3=3\cdots1$, $20\div3=6\cdots2$이므로 $\square$는 3보다 크고 7보다 작은 수입니다.

➡ $\dfrac{1\times4}{3\times4}=\dfrac{4}{12}$, $\dfrac{1\times5}{3\times5}=\dfrac{5}{15}$, $\dfrac{1\times6}{3\times6}=\dfrac{6}{18}$으로 3개입니다.

6-2 4개

$\dfrac{8}{9}$과 크기가 같은 분수는 분모와 분자의 공약수를 $\square$라고 하면 $\dfrac{8\times\square}{9\times\square}$입니다.

분모인 $9\times\square$ 중 20보다 크고 80보다 작은 수는 $20\div9=2\cdots2$, $80\div9=8\cdots8$이므로 $\square$는 2보다 크고 9보다 작은 수입니다.

분자인 $8\times\square$ 중 10보다 크고 50보다 작은 수는 $10\div8=1\cdots2$, $50\div8=6\cdots2$이므로 $\square$는 1보다 크고 7보다 작은 수입니다.

따라서 두 조건을 모두 만족하는 $\square$는 2보다 크고 7보다 작은 수입니다.

➡ $\dfrac{8\times3}{9\times3}=\dfrac{24}{27}$, $\dfrac{8\times4}{9\times4}=\dfrac{32}{36}$, $\dfrac{8\times5}{9\times5}=\dfrac{40}{45}$, $\dfrac{8\times6}{9\times6}=\dfrac{48}{54}$로 4개입니다.

6-3 4개

$\dfrac{7}{9}$과 크기가 같은 분수는 분모와 분자의 공약수를 $\square$라고 하면 $\dfrac{7\times\square}{9\times\square}$입니다.

분모인 $9\times\square$ 중 9보다 크고 90보다 작은 홀수: $9\times3=27$, $9\times5=45$, $9\times7=63$, $9\times9=81$

➡ $\dfrac{7\times3}{9\times3}=\dfrac{21}{27}$, $\dfrac{7\times5}{9\times5}=\dfrac{35}{45}$, $\dfrac{7\times7}{9\times7}=\dfrac{49}{63}$, $\dfrac{7\times9}{9\times9}=\dfrac{63}{81}$으로 4개입니다.

6-4 3개

$\dfrac{4}{5}$와 크기가 같은 분수는 분모와 분자의 공약수를 $\square$라고 하면 $\dfrac{4\times\square}{5\times\square}$입니다.

① 분모와 분자의 합이 40보다 크고 80보다 작으므로 $5\times\square+4\times\square=9\times\square$는 40보다 크고 80보다 작습니다.

➡ 40보다 크고 80보다 작은 9의 배수: $9 \times 5 = 45$, $9 \times 6 = 54$, $9 \times 7 = 63$,

$9 \times 8 = 72$

조건을 만족하는 ☐는 5, 6, 7, 8입니다.

② 분자인 $4 \times ☐$는 20보다 크고 40보다 작습니다.

➡ 20보다 크고 40보다 작은 4의 배수: $4 \times 6 = 24$, $4 \times 7 = 28$, $4 \times 8 = 32$,

$4 \times 9 = 36$

조건을 만족하는 ☐는 6, 7, 8, 9입니다.

따라서 주어진 조건을 모두 만족하는 ☐는 6, 7, 8이므로 구하는 분수는

$\dfrac{24}{30}$, $\dfrac{28}{35}$, $\dfrac{32}{40}$로 3개입니다.

$98 = 2 \times 49 = 2 \times 7 \times 7$이므로 2의 배수도 되고, 7의 배수도 됩니다.

기약분수로 나타낼 때, 분자는 2, 7의 배수가 아니어야 합니다.

① 97 이하인 수 중 2의 배수의 개수: $97 \div 2 = 48 \cdots 1$ ➡ 48개

② 97 이하인 수 중 7의 배수의 개수: $97 \div 7 = 13 \cdots 6$ ➡ 13개

③ 2와 7의 공배수인 14의 배수는 중복되므로 빼야 합니다.

97 이하인 수 중 14의 배수의 개수: $97 \div 14 = 6 \cdots 13$ ➡ 6개

➡ 97 이하인 수 중 2 또는 7의 배수의 개수: $48 + 13 - 6 = 55$(개)

따라서 분모가 98인 진분수 중에서 기약분수는 $97 - 55 = 42$(개)입니다.

7-1 8개

$20 = 2 \times 10 = 2 \times 2 \times 5$이므로 2의 배수도 되고, 5의 배수도 됩니다.

분자가 2의 배수 또는 5의 배수가 아니면 기약분수로 나타낼 수 있습니다.

19 이하인 수 중 2의 배수의 개수는 $19 \div 2 = 9 \cdots 1$이므로 9개입니다.

19 이하인 수 중 5의 배수의 개수는 $19 \div 5 = 3 \cdots 4$이므로 3개입니다.

19 이하인 수 중 10의 배수의 개수는 $19 \div 10 = 1 \cdots 9$이므로 1개입니다.

19 이하인 수 중 2 또는 5의 배수는 $9 + 3 - 1 = 11$(개)입니다.

따라서 분모가 20인 진분수 중에서 기약분수는 $19 - 11 = 8$(개)입니다.

7-2 54개

$175 = 5 \times 35 = 5 \times 5 \times 7$이므로 5의 배수도 되고, 7의 배수도 됩니다.

약분이 가능한 분수는 분모와 분자에 공약수가 있는 분수이므로 분자가 5의 배수 또는 7의 배수가 되는 것을 찾습니다.

174 이하인 수 중 5의 배수의 개수는 $174 \div 5 = 34 \cdots 4$이므로 34개입니다.

174 이하인 수 중 7의 배수의 개수는 $174 \div 7 = 24 \cdots 6$이므로 24개입니다.

174 이하인 수 중 35의 배수의 개수는 $174 \div 35 = 4 \cdots 34$이므로 4개입니다.

따라서 분모가 175인 진분수 중에서 약분이 가능한 분수는 $34 + 24 - 4 = 54$(개)입니다.

7-3 64개

169＝13×13이므로 기약분수의 분자는 13의 배수가 아니어야 합니다.

또한 분자가 세 자리 수이므로 100 이상 168 이하인 수이어야 합니다.

100 이상 168 이하인 수 중 13의 배수의 개수: 168÷13＝12 … 12,

100÷13＝7 … 9 ➡ 12－7＝5(개)

100 이상 168 이하인 수는 69개이고, 이 중 13의 배수는 5개입니다.

따라서 분모가 169인 진분수 중에서 분자가 세 자리 수인 기약분수는 69－5＝64(개)입니다.

7-4 44개

77＝7×11이므로 기약분수의 분자는 7의 배수 또는 11의 배수가 아니어야 하고,

분자는 20 이상 76 이하인 수이어야 합니다.

20 이상 76 이하인 수 중 7의 배수의 개수: 76÷7＝10 … 6, 20÷7＝2 … 6

➡ 10－2＝8(개)

20 이상 76 이하인 수 중 11의 배수의 개수: 76÷11＝6 … 10, 20÷11＝1 … 9

➡ 6－1＝5(개)

20 이상 76 이하인 수는 57개이고, 이 중 7의 배수 또는 11의 배수의 개수는

8＋5＝13(개)입니다.

따라서 조건에 알맞은 기약분수는 57－13＝44(개)입니다.

대표문제 8

① $\dfrac{▲}{■+4}=\dfrac{1}{4}$ ➡ ■＋4는 ▲의 4배 ➡ ■＋4＝▲＋▲＋▲＋▲

② $\dfrac{▲}{■+9}=\dfrac{1}{5}$ ➡ ■＋9는 ▲의 5배 ➡ ■＋9＝▲＋▲＋▲＋▲＋▲

■＋9＝■＋4＋▲

■＋9＝■＋4＋▲

9＝4＋▲

➡ ▲＝5

■＋4＝▲＋▲＋▲＋▲＝20

따라서 ■＝16, ▲＝5입니다.

8-1 3, 4

ⓛ＋2는 ㉠의 2배 ➡ ⓛ＋2＝㉠＋㉠

ⓛ＋5는 ㉠의 3배 ➡ ⓛ＋5＝㉠＋㉠＋㉠, ⓛ＋5＝ⓛ＋2＋㉠, ㉠＝3

ⓛ＋2＝㉠＋㉠＝6, ⓛ＝4

따라서 ㉠＝3, ⓛ＝4입니다.

8-2 4, 12

$ⓒ+4$는 $㉠$의 4배 ➡ $ⓒ+4=㉠+㉠+㉠+㉠$

$ⓒ+8$은 $㉠$의 5배 ➡ $ⓒ+8=㉠+㉠+㉠+㉠+㉠$, $ⓒ+8=ⓒ+4+㉠$, $㉠=4$

$ⓒ+4=㉠+㉠+㉠+㉠=16$, $ⓒ=12$

따라서 $㉠=4$, $ⓒ=12$입니다.

8-3 6, 13

⑩ 두 분수의 분자는 ■로 같고, 분모의 차는 9입니다.

$$\frac{2}{5}=\frac{4}{10}=\frac{6}{15}=\frac{8}{20}=\cdots\cdots,\ \frac{1}{4}=\frac{2}{8}=\frac{3}{12}=\frac{4}{16}=\frac{5}{20}=\frac{6}{24}=\frac{7}{28}=\frac{8}{32}=\cdots\cdots$$

분자가 같고 분모의 차가 9인 두 분수는 $\frac{6}{15}$과 $\frac{6}{24}$입니다.

$\dfrac{■}{▲+2}=\dfrac{6}{15}$이므로 ■$=6$, ▲$=13$입니다.

채점 기준	배점
분자가 같고 분모의 차가 9인 두 분수를 구했나요?	3점
■와 ▲를 알맞게 구했나요?	2점

8-4 43, 8

$ⓒ$이 한 자리 수일 때 분모가 될 수 있는 수는 $1\times1=1$, $2\times2=4$, $3\times3=9$, $4\times4=16$, $5\times5=25$, $6\times6=36$, $7\times7=49$, $8\times8=64$, $9\times9=81$입니다.

$\dfrac{㉠+5}{ⓒ\times ⓒ}$는 $\dfrac{3}{4}$과 크기가 같은 분수여야 하므로 분모인 $ⓒ\times ⓒ$은 4의 배수여야 합니다.

분모가 될 수 있는 수 중 4의 배수는 4, 16, 36, 64이고, 이 중 가장 큰 수는 64이므로 $ⓒ$에 알맞은 수는 8입니다.

$\dfrac{3}{4}=\dfrac{3\times16}{4\times16}=\dfrac{48}{64}$이므로 $㉠+5=48$, $㉠=43$입니다.

MATH MASTER

1 8개

$24=2\times12=2\times2\times6=2\times2\times2\times3$이므로 기약분수가 되려면 분자는 2의 배수 또는 3의 배수가 아니어야 합니다.

또, 1보다 작은 분수가 되어야 하므로 분자는 23 이하인 수이어야 합니다.

따라서 분자가 될 수 있는 수는 1, 5, 7, 11, 13, 17, 19, 23으로 8개입니다.

2 10개

진분수의 분모가 10보다 작은 3의 배수이므로 분모는 3, 6, 9가 될 수 있습니다.

분모가 3인 기약분수는 $\dfrac{1}{3}$, $\dfrac{2}{3}$, 분모가 6인 기약분수는 $\dfrac{1}{6}$, $\dfrac{5}{6}$, 분모가 9인 기약분수는 $\dfrac{1}{9}$, $\dfrac{2}{9}$, $\dfrac{4}{9}$, $\dfrac{5}{9}$, $\dfrac{7}{9}$, $\dfrac{8}{9}$이므로 구하는 분수는 10개입니다.

3 $\dfrac{16}{35}$, $\dfrac{17}{35}$, $\dfrac{18}{35}$, $\dfrac{19}{35}$, $\dfrac{22}{35}$, $\dfrac{23}{35}$, $\dfrac{24}{35}$

$\dfrac{3}{7}$과 $\dfrac{7}{10}$의 공통분모를 두 분모의 최소공배수인 70으로 하여 통분하면

$\dfrac{3}{7}=\dfrac{30}{70}$, $\dfrac{7}{10}=\dfrac{49}{70}$입니다.

$\dfrac{30}{70}$보다 크고 $\dfrac{49}{70}$보다 작은 수는 $\dfrac{31}{70}$, $\dfrac{32}{70}$, $\dfrac{33}{70}$ …… $\dfrac{47}{70}$, $\dfrac{48}{70}$입니다.

분모가 35인 분수가 되려면 2로 약분이 가능해야 하므로

$\dfrac{32}{70}=\dfrac{16}{35}$, $\dfrac{34}{70}=\dfrac{17}{35}$, $\dfrac{36}{70}=\dfrac{18}{35}$, $\dfrac{38}{70}=\dfrac{19}{35}$, $\dfrac{40}{70}=\dfrac{20}{35}$, $\dfrac{42}{70}=\dfrac{21}{35}$,

$\dfrac{44}{70}=\dfrac{22}{35}$, $\dfrac{46}{70}=\dfrac{23}{35}$, $\dfrac{48}{70}=\dfrac{24}{35}$입니다.

이 중 기약분수는 $\dfrac{16}{35}$, $\dfrac{17}{35}$, $\dfrac{18}{35}$, $\dfrac{19}{35}$, $\dfrac{22}{35}$, $\dfrac{23}{35}$, $\dfrac{24}{35}$입니다.

4 $\dfrac{16}{24}$

구하는 진분수의 분모와 분자의 공약수를 □라고 하면 $\dfrac{2\times\square}{3\times\square}$로 나타낼 수 있습니다.

분모와 분자의 합이 40이므로 $2\times\square+3\times\square=40$, $5\times\square=40$, $\square=8$입니다.

따라서 구하는 분수는 $\dfrac{2\times8}{3\times8}=\dfrac{16}{24}$입니다.

5 75

분모에 더해야 하는 수를 □라고 합니다.

분자: $7+21=28$, 분모: $25+\square$ ➡ $\dfrac{28}{25+\square}$

$\dfrac{7}{25}=\dfrac{14}{50}=\dfrac{21}{75}=\dfrac{28}{100}=$ ……

분수의 크기가 변하지 않으려면 $\dfrac{28}{25+\square}=\dfrac{28}{100}$이므로 $25+\square=100$, $\square=75$

입니다.

서술형

6 5

⟮예⟯ 분모와 분자에 각각 더한 수를 □라고 합니다.

$\dfrac{4+\square}{7+\square}$는 $\dfrac{3}{4}$과 크기가 같은 분수입니다.

$\dfrac{4+\square}{7+\square}$는 분모와 분자의 차가 3이므로 $\dfrac{3}{4}$과 크기가 같은 분수 중 분모와 분자의 차가 3인 분수를 구합니다.

$\dfrac{3}{4}=\dfrac{6}{8}=\dfrac{9}{12}=\dfrac{12}{16}=$ ……

이 중 분모와 분자의 차가 3인 분수는 $\dfrac{9}{12}$입니다.

➡ $\dfrac{4+\square}{7+\square}=\dfrac{9}{12}$이므로 □는 5입니다.

채점 기준	배점
$\dfrac{3}{4}$과 크기가 같은 수 중 분모와 분자의 차가 3인 분수를 구했나요?	4점
분모와 분자에 더한 수를 구했나요?	1점

7 $\dfrac{24}{32}$

약분하기 전의 분수는 분모와 분자의 공약수를 $\square$라고 하면 $\dfrac{3 \times \square}{4 \times \square}$ 입니다.

분자에서 3을 빼기 전의 분수: $\dfrac{3 \times \square + 3}{4 \times \square}$

분모에서 4를 빼기 전의 분수: $\dfrac{3 \times \square + 3}{4 \times \square + 4}$

처음 분수의 분모와 분자의 합이 56이므로 $4 \times \square + 4 + 3 \times \square + 3 = 56$,

$7 \times \square + 7 = 56$, $7 \times \square = 49$, $\square = 7$입니다.

따라서 처음 분수는 $\dfrac{3 \times \square + 3}{4 \times \square + 4} = \dfrac{3 \times 7 + 3}{4 \times 7 + 4} = \dfrac{24}{32}$입니다.

8 $\dfrac{5}{9}$

$\dfrac{1}{2}$보다 큰 진분수는 $\dfrac{2}{3}$, $\dfrac{3}{5}$, $\dfrac{5}{7}$, $\dfrac{5}{9}$, $\dfrac{7}{9}$입니다.

이 중 $\dfrac{5}{9} < \dfrac{7}{9}$이므로 $\dfrac{2}{3}$, $\dfrac{3}{5}$, $\dfrac{5}{7}$, $\dfrac{5}{9}$의 크기를 비교하는데 분모와 분자의 차가 2인 $\dfrac{3}{5}$,

$\dfrac{5}{7}$는 $\dfrac{3}{5} < \dfrac{5}{7}$입니다.

따라서 $\dfrac{2}{3}$, $\dfrac{3}{5}$, $\dfrac{5}{9}$의 크기를 비교하면 $\dfrac{30}{45} > \dfrac{27}{45} > \dfrac{25}{45}$이므로 가장 작은 분수는 $\dfrac{5}{9}$입니다.

9 24번째

구하는 분수는 분모와 분자의 공약수를 $\square$라고 하면 $\dfrac{5 \times \square}{7 \times \square}$ 입니다.

나열된 분수의 분모와 분자의 차는 12입니다.

$7 \times \square - 5 \times \square = 12$, $2 \times \square = 12$, $\square = 6$이므로 구하는 분수는 $\dfrac{5 \times 6}{7 \times 6} = \dfrac{30}{42}$입니다.

따라서 구하는 분수는 $30 - 7 + 1 = 24$(번째)에 놓입니다.

10 9

$72 = 2 \times 36 = 2 \times 2 \times 18 = 2 \times 2 \times 2 \times 9 = 2 \times 2 \times 2 \times 3 \times 3$

$\dfrac{1}{72} = \dfrac{1}{2 \times 2 \times 2 \times 3 \times 3} = \dfrac{1 \times 3}{2 \times 3 \times 2 \times 3 \times 2 \times 3} = \dfrac{3}{6 \times 6 \times 6}$

따라서 ■와 ▲에 알맞은 수 중 가장 작은 자연수는 ■ = 3, ▲ = 6이므로 두 수의 합은 9입니다.

5 분수의 덧셈과 뺄셈

1 진분수의 덧셈과 뺄셈

112~113쪽

1 풀이 참조

[틀린 이유] 예 분수의 덧셈에서는 분모를 같게 하고 분자끼리 더해야 하는데 분자를 같게 하고 분모끼리 더했습니다.

[바른 계산] $\dfrac{4}{9}+\dfrac{2}{3}=\dfrac{4}{9}+\dfrac{6}{9}=\dfrac{10}{9}=1\dfrac{1}{9}$

2 (1) $\dfrac{1}{6}$　(2) $\dfrac{1}{12}$　(3) $\dfrac{1}{20}$

(1) $\dfrac{1}{2}-\dfrac{1}{3}=\dfrac{3}{6}-\dfrac{2}{6}=\dfrac{1}{6}$

(2) $\dfrac{1}{3}-\dfrac{1}{4}=\dfrac{4}{12}-\dfrac{3}{12}=\dfrac{1}{12}$

(3) $\dfrac{1}{4}-\dfrac{1}{5}=\dfrac{5}{20}-\dfrac{4}{20}=\dfrac{1}{20}$

[최상위 팁] $\dfrac{1}{\star}-\dfrac{1}{\star+1}=\dfrac{\star+1}{\star\times(\star+1)}-\dfrac{\star}{\star\times(\star+1)}$

$=\dfrac{\star+1-\star}{\star\times(\star+1)}=\dfrac{1}{\star\times(\star+1)}$

3 $1\dfrac{7}{12}$

㉠ $1-\dfrac{1}{4}=\dfrac{3}{4}$　㉡ $\dfrac{20}{24}=\dfrac{5}{6}$

➡ $\dfrac{3}{4}+\dfrac{5}{6}=\dfrac{9}{12}+\dfrac{10}{12}=\dfrac{19}{12}=1\dfrac{7}{12}$

4 $\dfrac{11}{36}$

통분하여 네 수의 크기를 비교하면 $\dfrac{5}{8}=\dfrac{45}{72}$, $\dfrac{8}{9}=\dfrac{64}{72}$, $\dfrac{7}{12}=\dfrac{42}{72}$, $\dfrac{3}{4}=\dfrac{54}{72}$ 이므로

가장 큰 수는 $\dfrac{8}{9}$, 가장 작은 수는 $\dfrac{7}{12}$입니다.

➡ $\dfrac{8}{9}-\dfrac{7}{12}=\dfrac{32}{36}-\dfrac{21}{36}=\dfrac{11}{36}$

5 1, 2, 3, 4, 5

$\dfrac{1}{3}+\dfrac{1}{6}=\dfrac{2}{6}+\dfrac{1}{6}=\dfrac{3}{6}=\dfrac{1}{2}$

➡ $\dfrac{1}{2}=\dfrac{6}{12}$이고 $6>\square$이므로 $\square$ 안에 들어갈 수 있는 자연수는 1, 2, 3, 4, 5입니다.

6 (1) $\dfrac{1}{3}+\dfrac{1}{2}$

　　(2) $\dfrac{1}{5}+\dfrac{1}{2}$

(1) 6의 약수: 1, 2, 3, 6 ➡ $\dfrac{5}{6}=\dfrac{2}{6}+\dfrac{3}{6}=\dfrac{1}{3}+\dfrac{1}{2}$

(2) 10의 약수: 1, 2, 5, 10 ➡ $\dfrac{7}{10}=\dfrac{2}{10}+\dfrac{5}{10}=\dfrac{1}{5}+\dfrac{1}{2}$

2 대분수의 덧셈과 뺄셈

1 (1) $6\frac{11}{42}$

(2) $1\frac{19}{40}$

(1) $3\frac{3}{7}+2\frac{5}{6}=(3+2)+\left(\frac{18}{42}+\frac{35}{42}\right)=5+\frac{53}{42}=5+1\frac{11}{42}=6\frac{11}{42}$

(2) $5\frac{1}{10}-3\frac{5}{8}=5\frac{4}{40}-3\frac{25}{40}=4\frac{44}{40}-3\frac{25}{40}$

$\qquad =(4-3)+\left(\frac{44}{40}-\frac{25}{40}\right)=1+\frac{19}{40}=1\frac{19}{40}$

다른 풀이

(1) $3\frac{3}{7}+2\frac{5}{6}=\frac{24}{7}+\frac{17}{6}=\frac{144}{42}+\frac{119}{42}=\frac{263}{42}=6\frac{11}{42}$

(2) $5\frac{1}{10}-3\frac{5}{8}=\frac{51}{10}-\frac{29}{8}=\frac{204}{40}-\frac{145}{40}=\frac{59}{40}=1\frac{19}{40}$

---

2 $\frac{19}{36}$

어떤 수를 □라고 하면 □$+2\frac{5}{9}=3\frac{1}{12}$,

□$=3\frac{1}{12}-2\frac{5}{9}=3\frac{3}{36}-2\frac{20}{36}=2\frac{39}{36}-2\frac{20}{36}=\frac{19}{36}$입니다.

3 $\frac{1}{18}$

$2\frac{5}{6}=2\frac{15}{18}$, $2\frac{7}{9}=2\frac{14}{18}$ ➡ $2\frac{5}{6}-2\frac{7}{9}=2\frac{15}{18}-2\frac{14}{18}=\frac{1}{18}$

4 $3\frac{31}{35}$ L

$1\frac{3}{5}+2\frac{2}{7}=1\frac{21}{35}+2\frac{10}{35}=3\frac{31}{35}$ (L)

5 $\frac{11}{12}$ 시간

(학원에서 공부한 시간)$=2$시간 20분$=2\frac{20}{60}$시간$=2\frac{1}{3}$ 시간

(학원에서 공부한 시간)$-$(집에서 공부한 시간)

$=2\frac{1}{3}-1\frac{5}{12}=2\frac{4}{12}-1\frac{5}{12}=1\frac{16}{12}-1\frac{5}{12}=\frac{11}{12}$ (시간)

따라서 지우가 학원에서 공부한 시간은 집보다 $\frac{11}{12}$시간 더 많습니다.

3 세 분수의 덧셈과 뺄셈

1 (1) $4\frac{17}{72}$

(2) $1\frac{5}{36}$

(1) $3\frac{4}{9}-1\frac{5}{6}+2\frac{5}{8}=3\frac{32}{72}-1\frac{60}{72}+2\frac{45}{72}=3\frac{89}{72}=4\frac{17}{72}$

(2) $1\frac{5}{6}+2\frac{3}{4}-3\frac{4}{9}=1\frac{30}{36}+2\frac{27}{36}-3\frac{16}{36}=\frac{41}{36}=1\frac{5}{36}$

2 $10\frac{1}{40}$ cm

$3\frac{3}{4}+2\frac{2}{5}+3\frac{7}{8}=3\frac{30}{40}+2\frac{16}{40}+3\frac{35}{40}=8\frac{81}{40}=10\frac{1}{40}$ (cm)

3 $3\frac{23}{40}$ L

(남아 있는 물의 양)＝(처음에 들어 있던 물의 양)＋(더 부은 물의 양)－(마신 물의 양)

$$=3\frac{1}{4}+1\frac{1}{5}-\frac{7}{8}=3\frac{10}{40}+1\frac{8}{40}-\frac{35}{40}=3\frac{23}{40}\text{ (L)}$$

4 $4\frac{1}{2}$

$5\frac{7}{12}-\square+5\frac{3}{8}=6\frac{11}{24}$, $5\frac{7}{12}-\square=6\frac{11}{24}-5\frac{3}{8}=1\frac{1}{12}$,

$\square=5\frac{7}{12}-1\frac{1}{12}=4\frac{6}{12}=4\frac{1}{2}$

5 $4\frac{5}{6}$

$1\frac{5}{6}+2\frac{4}{9}+\frac{5}{9}=1\frac{5}{6}+(2\frac{4}{9}+\frac{5}{9})=1\frac{5}{6}+3=4\frac{5}{6}$

덧셈에서는 어느 수를 먼저 더해도 그 결과가 같습니다.

분모가 같은 분수는 통분할 필요가 없으므로 먼저 계산합니다.

(학용품을 사는 데 쓴 돈)＋(간식을 사는 데 쓴 돈)＝$\frac{1}{3}+\frac{1}{8}=\frac{11}{24}$

절반과 크기를 비교하면 $\frac{11}{24}$ ⬤ $\frac{1}{2}$ 이므로 유리의 말은 (맞습니다, ⬭틀립니다⬭).

1-1 틀립니다

(오늘까지 읽은 책의 양)＝$\frac{1}{4}+\frac{2}{5}=\frac{13}{20}$

오늘까지 읽은 책의 양은 전체의 $\frac{13}{20}$으로 $\frac{1}{2}$과 같지 않으므로 선아의 말은 틀립니다.

1-2 맞습니다

(나와 동생이 마신 주스의 양)＝$\frac{1}{4}+\frac{3}{7}=\frac{19}{28}$

처음 주스의 양을 1이라고 하면 남은 주스의 양은 $1-\frac{19}{28}=\frac{9}{28}$입니다.

➡ $\frac{9}{28}>\frac{1}{4}$

1-3 틀립니다

어제와 오늘 판 쌀의 양은 전체의 $\frac{1}{12}+\frac{3}{8}=\frac{11}{24}$입니다.

$\frac{11}{24}=\frac{110}{240}$이므로 팔린 쌀의 양은 240 kg 중 110 kg입니다.

따라서 창고에 남은 쌀은 240－110＝130 (kg)으로 100 kg보다 많으므로 이 설명은 틀립니다.

1-4 지호

(어제 팔고 남은 사과)$=1-\dfrac{1}{6}=\dfrac{5}{6}$

$\dfrac{5}{6}=\dfrac{75}{90}$이므로 어제 팔고 남은 사과는 90 kg 중 75 kg으로 70 kg보다 많습니다.

(어제와 오늘 판 사과의 양)$=\dfrac{1}{6}+\dfrac{4}{9}=\dfrac{11}{18}$

$\dfrac{11}{18}=\dfrac{55}{90}$이므로 어제와 오늘 판 사과는 90 kg 중 55 kg이고,

어제와 오늘 팔고 남은 사과는 $90-55=35$ (kg)입니다.

따라서 어제와 오늘 팔고 남은 사과는 어제와 오늘 판 사과보다 $55-35=20$ (kg) 적습니다.

대표문제 2

$=10\dfrac{4}{7}-4\dfrac{4}{5}=\dfrac{202}{35}$ (cm)

➡ (세로)$=\dfrac{101}{35}=2\dfrac{31}{35}$ (cm)

참고

세로를 $\dfrac{\square}{35}$ cm라고 하면 $\dfrac{\square}{35}+\dfrac{\square}{35}=\dfrac{202}{35}$, $\square+\square=202$, $\square=101$이므로

세로는 $\dfrac{101}{35}$ cm입니다.

2-1 $6\dfrac{2}{15}$ cm

(세로의 합)$=2\dfrac{1}{5}+2\dfrac{1}{5}=4\dfrac{2}{5}$ (cm)

(가로의 합)$=$(둘레)$-$(세로의 합)$=10\dfrac{8}{15}-4\dfrac{2}{5}=6\dfrac{2}{15}$ (cm)

2-2 $3\dfrac{2}{9}$

이등변삼각형이므로 삼각형의 둘레는 $\square+\square+2\dfrac{1}{3}$과 같습니다.

$\square+\square+2\dfrac{1}{3}=8\dfrac{7}{9}$, $\square+\square=8\dfrac{7}{9}-2\dfrac{1}{3}=6\dfrac{4}{9}$

$\square+\square=\dfrac{58}{9}$이므로 $\square=\dfrac{29}{9}=3\dfrac{2}{9}$ (cm)입니다.

2-3 $4\dfrac{33}{35}$ cm

세로를 □ cm라고 하면 가로는 $\left(□+2\dfrac{3}{5}\right)$ cm입니다.

둘레가 $14\dfrac{4}{7}=\dfrac{102}{7}$ (cm)이므로 가로와 세로의 합은 $\dfrac{51}{7}=7\dfrac{2}{7}$ (cm)입니다.

$□+□+2\dfrac{3}{5}=7\dfrac{2}{7}$, $□+□=7\dfrac{2}{7}-2\dfrac{3}{5}=4\dfrac{24}{35}$

$□+□=\dfrac{164}{35}$이므로 $□=\dfrac{82}{35}=2\dfrac{12}{35}$ (cm)입니다.

따라서 가로는 $2\dfrac{12}{35}+2\dfrac{3}{5}=4\dfrac{33}{35}$ (cm)입니다.

2-4 $6\dfrac{2}{3}$ cm

정사각형 모양 종이의 한 변을 □ cm라고 하면

$□+□+□+□=10\dfrac{2}{3}=\dfrac{32}{3}$ ➡ $□=\dfrac{8}{3}=2\dfrac{2}{3}$ (cm)

잘린 직사각형 모양 종이의 가로는 $2\dfrac{2}{3}$ cm이고, 가로는 세로의 4배입니다.

세로를 △ cm라고 하면 $△+△+△+△=2\dfrac{2}{3}=\dfrac{8}{3}$ ➡ $△=\dfrac{2}{3}$ (cm)

(잘린 직사각형 모양 종이 1개의 둘레)$=2\dfrac{2}{3}+\dfrac{2}{3}+2\dfrac{2}{3}+\dfrac{2}{3}$

$\qquad\qquad\qquad\qquad\qquad\qquad=6\dfrac{2}{3}$ (cm)

대표문제 3

(가장 큰 합)=(가장 큰 진분수)+(두 번째로 큰 진분수)

가장 큰 진분수: $\dfrac{4}{5}$, 두 번째로 큰 진분수: $\dfrac{7}{9}$

가장 큰 합: $\dfrac{4}{5}+\dfrac{7}{9}=\dfrac{36}{45}+\dfrac{35}{45}=\dfrac{71}{45}=1\dfrac{26}{45}$

3-1 $\dfrac{5}{6}$ / $1\dfrac{7}{12}$

분모와 분자의 차가 작을수록 큰 진분수이므로 주어진 수 카드로 만들 수 있는 가장 큰 진분수는 $\dfrac{5}{6}$입니다.

➡ (가장 큰 합)$=\dfrac{3}{4}+\dfrac{5}{6}=1\dfrac{7}{12}$

3-2 $1\dfrac{17}{24}$

가장 큰 진분수와 남은 수 카드로 만들 수 있는 가장 큰 진분수의 합을 구합니다.

만들 수 있는 진분수는 $\dfrac{4}{5}$, $\dfrac{4}{6}$, $\dfrac{5}{6}$, $\dfrac{4}{7}$, $\dfrac{5}{7}$, $\dfrac{6}{7}$, $\dfrac{4}{8}$, $\dfrac{5}{8}$, $\dfrac{6}{8}$, $\dfrac{7}{8}$입니다.

가장 큰 진분수는 $\dfrac{7}{8}$, 남은 수 카드로 만들 수 있는 가장 큰 진분수는 $\dfrac{5}{6}$입니다.

➡ (가장 큰 합)$=\dfrac{7}{8}+\dfrac{5}{6}=1\dfrac{17}{24}$

3-3 $\dfrac{22}{45}$

만들 수 있는 진분수는 $\dfrac{2}{3}$, $\dfrac{2}{5}$, $\dfrac{3}{5}$, $\dfrac{2}{8}$, $\dfrac{3}{8}$, $\dfrac{5}{8}$, $\dfrac{2}{9}$, $\dfrac{3}{9}$, $\dfrac{5}{9}$, $\dfrac{8}{9}$입니다.

가장 큰 진분수: $\dfrac{8}{9}$

남은 수 카드로 만들 수 있는 가장 작은 진분수: $\dfrac{2}{5}$ ➡ $\dfrac{8}{9}-\dfrac{2}{5}=\dfrac{22}{45}$

가장 작은 진분수: $\dfrac{2}{9}$

남은 수 카드로 만들 수 있는 가장 큰 진분수: $\dfrac{5}{8}$ ➡ $\dfrac{5}{8}-\dfrac{2}{9}=\dfrac{29}{72}$

$\dfrac{22}{45}>\dfrac{29}{72}$이므로 가장 큰 차는 $\dfrac{22}{45}$입니다.

3-4 $17\dfrac{2}{15}$

합이 가장 크려면 대분수의 자연수 부분은 가장 큰 수(9)와 두 번째로 큰 수(7)를 사용합니다.

나머지 수인 5, 1, 4, 3으로 합이 가장 큰 두 진분수를 만듭니다.

➡ $9\dfrac{4}{5}+7\dfrac{1}{3}=17\dfrac{2}{15}$ 또는 $9\dfrac{1}{3}+7\dfrac{4}{5}=17\dfrac{2}{15}$

대표문제 4

어떤 수를 ■라 하면

• 잘못 계산한 식: $■+3\dfrac{4}{5}=7\dfrac{5}{7}$

$\qquad\qquad\qquad ■=7\dfrac{5}{7}-3\dfrac{4}{5}=3\dfrac{32}{35}$

• 바르게 계산한 식: $3\dfrac{32}{35}-3\dfrac{4}{5}=\dfrac{4}{35}$

4-1 $●+\dfrac{1}{3}=2$, $1\dfrac{1}{3}$

$●+\dfrac{1}{3}=2$ ➡ $●=2-\dfrac{1}{3}=1\dfrac{2}{3}$

(바르게 계산한 값)$=●-\dfrac{1}{3}=1\dfrac{2}{3}-\dfrac{1}{3}=1\dfrac{1}{3}$

4-2 $12\dfrac{5}{28}$

(어떤 수)$-4\dfrac{7}{8}=2\dfrac{3}{7}$, (어떤 수)$=2\dfrac{3}{7}+4\dfrac{7}{8}=7\dfrac{17}{56}$

(바르게 계산한 값)$=$(어떤 수)$+4\dfrac{7}{8}=7\dfrac{17}{56}+4\dfrac{7}{8}=12\dfrac{5}{28}$

서술형 4-3 $1\dfrac{8}{21}$

예 (어떤 수)$+2\dfrac{1}{6}=5\dfrac{5}{7}$, (어떤 수)$=5\dfrac{5}{7}-2\dfrac{1}{6}=3\dfrac{23}{42}$

(바르게 계산한 값)$=$(어떤 수)$-2\dfrac{1}{6}=3\dfrac{23}{42}-2\dfrac{1}{6}=1\dfrac{8}{21}$

4-4 $4\dfrac{3}{5}$

(어떤 수)$+3\dfrac{1}{4}-1\dfrac{2}{5}=8\dfrac{3}{10}$, (어떤 수)$+3\dfrac{1}{4}=8\dfrac{3}{10}+1\dfrac{2}{5}=9\dfrac{7}{10}$,

(어떤 수)$=9\dfrac{7}{10}-3\dfrac{1}{4}=6\dfrac{9}{20}$

(바르게 계산한 값)$=$(어떤 수)$-3\dfrac{1}{4}+1\dfrac{2}{5}=6\dfrac{9}{20}-3\dfrac{1}{4}+1\dfrac{2}{5}=4\dfrac{3}{5}$

$\dfrac{\blacksquare}{15}=\dfrac{\bigcirc}{15}+\dfrac{\bigcirc}{15}+\dfrac{\bigcirc}{15}$에서 ㉠, ㉡, ㉢이 약분하여 1이 되려면 ㉠, ㉡, ㉢은 15의 약수이고 ㉠$+$㉡$+$㉢$=\blacksquare$입니다.

$\dfrac{7}{15}$ ➡ 15의 약수: 1, 3, 5, 15 ➡ 세 수를 더해서 7이 되는 서로 다른 약수가 없습니다.

$\dfrac{14}{30}$ ➡ 30의 약수: 1, 2, 3, 5, 6, 10, 15, 30

➡ 세 수를 더해서 14가 되는 약수는 1, 3, 10입니다.

➡ $\dfrac{7}{15}=\dfrac{14}{30}=\dfrac{1}{30}+\dfrac{3}{30}+\dfrac{10}{30}=\dfrac{1}{30}+\dfrac{1}{10}+\dfrac{1}{3}$

다른 풀이

세 수를 더해서 14가 되는 약수는 3, 5, 6입니다.

➡ $\dfrac{7}{15}=\dfrac{14}{30}=\dfrac{3}{30}+\dfrac{5}{30}+\dfrac{6}{30}=\dfrac{1}{10}+\dfrac{1}{6}+\dfrac{1}{5}$

5-1 예 8, 2

$\dfrac{5}{8}$ → 8의 약수: 1, 2, 4, 8 → 두 수를 더해서 5가 되는 약수는 1, 4입니다.

➡ $\dfrac{5}{8}=\dfrac{1}{8}+\dfrac{4}{8}=\dfrac{1}{8}+\dfrac{1}{2}$

5-2 예 9, 6, 2

$\dfrac{7}{9}$ → 9의 약수: 1, 3, 9 → 세 수를 더해서 7이 되는 서로 다른 약수는 없습니다.

$\dfrac{14}{18}$ → 18의 약수: 1, 2, 3, 6, 9, 18

→ 세 수를 더해서 14가 되는 약수는 2, 3, 9입니다.

➡ $\dfrac{7}{9}=\dfrac{14}{18}=\dfrac{2}{18}+\dfrac{3}{18}+\dfrac{9}{18}=\dfrac{1}{9}+\dfrac{1}{6}+\dfrac{1}{2}$

5-3 2, 5

$$1\frac{2}{5}=\frac{7}{5}=\frac{14}{10}$$

$$\frac{14}{10}=\underbrace{\frac{1}{10}+\frac{1}{10}+\frac{1}{10}+\frac{1}{10}+\frac{1}{10}}_{\frac{1}{2}}+\underbrace{\frac{1}{10}+\frac{1}{10}+\frac{1}{10}+\frac{1}{10}+\frac{1}{10}}_{\frac{1}{2}}+\underbrace{\frac{1}{10}+\frac{1}{10}}_{\frac{1}{5}}$$

$$+\underbrace{\frac{1}{10}+\frac{1}{10}}_{\frac{1}{5}}$$

$$=\frac{1}{2}+\frac{1}{2}+\frac{1}{5}+\frac{1}{5}$$

5-4 4, 2

◆ = ★ × 2이므로 $\dfrac{1}{◆}=\dfrac{1}{★\times2}$입니다.

$$\frac{1}{◆}+\frac{1}{◆}+\frac{1}{★}+\frac{1}{★}+\frac{1}{★}=\frac{1}{★\times2}+\frac{1}{★\times2}+\frac{1}{★}+\frac{1}{★}+\frac{1}{★}$$

분수를 ★×2로 통분하면 $\dfrac{1+1+2+2+2}{★\times2}=\dfrac{8}{★\times2}$입니다.

$\dfrac{8}{★\times2}=2$이므로 ★×2=4, ★=2입니다. ★=2이므로 ◆=2×2=4입니다.

대표문제 6

$$2\frac{5}{6}+\frac{1}{3}+\frac{1}{12}=2\frac{10}{12}+\frac{4}{12}+\frac{1}{12}$$

$$=3\frac{1}{4}(시간) \Rightarrow 3시간+\frac{1}{4}시간$$

$$\downarrow \qquad \downarrow$$

$$3시간 \quad 15분$$

참고

$\dfrac{1}{4}시간=\dfrac{15}{60}시간=15분$

6-1 39분

$$\frac{2}{5}+\frac{1}{4}=\frac{13}{20}(시간) \Rightarrow \frac{13}{20}시간=\frac{39}{60}시간=39분$$

6-2 4시간

(삼촌 댁에 가는 데 걸린 시간)

= (시내버스를 탄 시간) + (시외버스를 탄 시간) + (지하철을 탄 시간)

$$=1\frac{1}{2}+1\frac{5}{6}+\frac{2}{3}=4(시간)$$

6-3 1시간 8분 후

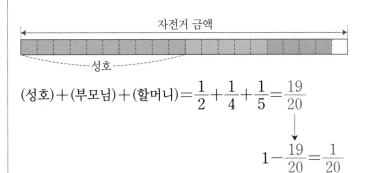

집에서 출발하여 되돌아온 후 다시 출발한 시간은 $\frac{1}{6}+\frac{1}{6}=\frac{2}{6}=\frac{1}{3}$(시간) 후입니다.

$\frac{1}{3}+\frac{4}{5}=1\frac{2}{15}$(시간) ➡ $1\frac{2}{15}$시간=1시간+$\frac{8}{60}$시간=1시간 8분

6-4 3시간 10분 후

㉠ 1시간은 60분이므로 20분은 $\frac{20}{60}$시간=$\frac{1}{3}$시간입니다.

$1\frac{1}{4}+\frac{1}{3}+1\frac{7}{12}=3\frac{1}{6}$(시간) ➡ $3\frac{1}{6}$시간=3시간+$\frac{10}{60}$시간=3시간 10분

채점 기준	배점
20분을 시간으로 나타냈나요?	1점
대분수의 덧셈을 잘했나요?	2점
분수 계산 결과를 시간으로 나타냈나요?	2점

130~131쪽

대표문제 7

자전거 금액

성호

$(성호)+(부모님)+(할머니)=\frac{1}{2}+\frac{1}{4}+\frac{1}{5}=\frac{19}{20}$

$1-\frac{19}{20}=\frac{1}{20}$

7-1 $\frac{4}{15}$

지호가 부은 양   유미가 부은 양   더 부어야 하는 양

$(지호가 부은 양)=\frac{2}{5}=\frac{6}{15}$, $(유미가 부은 양)=\frac{1}{3}=\frac{5}{15}$

$(더 부어야 하는 양)=1-(\frac{2}{5}+\frac{1}{3})=\frac{4}{15}$

7-2 $\frac{3}{8}$

$(민수와 윤호가 칠한 종이)=\frac{3}{8}+\frac{1}{4}=\frac{5}{8}$, $(남은 종이)=1-\frac{5}{8}=\frac{3}{8}$

따라서 종이의 $\frac{3}{8}$을 잘라 내면 더 칠하지 않아도 됩니다.

7-3 $\dfrac{8}{45}$ kg

$1\dfrac{2}{9}$ kg $\dfrac{7}{10}$ kg   우유 절반의 무게

(우유 절반의 무게)$=1\dfrac{2}{9}-\dfrac{7}{10}=\dfrac{47}{90}$ (kg)

(빈 통의 무게)$=$(우유가 절반 들어 있는 통의 무게)$-$(우유 절반의 무게)

$$=\dfrac{7}{10}-\dfrac{47}{90}=\dfrac{8}{45}\ (kg)$$

7-4 $\dfrac{1}{2}$ kg

(밤 $\dfrac{1}{4}$의 무게)$=20\dfrac{2}{3}-15\dfrac{5}{8}=5\dfrac{1}{24}$ (kg)

(전체 밤의 무게)$=5\dfrac{1}{24}+5\dfrac{1}{24}+5\dfrac{1}{24}+5\dfrac{1}{24}=20\dfrac{1}{6}$ (kg)

(상자만의 무게)$=$(밤과 상자의 무게)$-$(전체 밤의 무게)$=20\dfrac{2}{3}-20\dfrac{1}{6}=\dfrac{1}{2}$ (kg)

132~133쪽

대표문제 8

(축구나 야구를 좋아하는 학생)$=1-\dfrac{4}{15}=\dfrac{11}{15}$

축구, 야구 모두
좋아하지 않는 학생

(축구를 좋아하는 학생)$=\dfrac{2}{5}=\dfrac{6}{15}$

(야구를 좋아하는 학생)$=\dfrac{8}{15}$

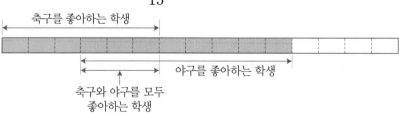

축구를 좋아하는 학생

야구를 좋아하는 학생

축구와 야구를 모두
좋아하는 학생

➡ (축구와 야구를 모두 좋아하는 학생)$=\dfrac{1}{5}$

참고

(축구와 야구를 모두 좋아하는 학생)

$=$(축구를 좋아하는 학생)$+$(야구를 좋아하는 학생)$-$(축구나 야구를 좋아하는 학생)

$=\dfrac{2}{5}+\dfrac{8}{15}-\dfrac{11}{15}=\dfrac{3}{15}=\dfrac{1}{5}$

8-1 $\dfrac{1}{12}$

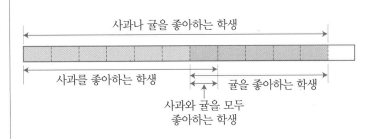

8-2 $\dfrac{1}{7}$

(수영이나 스키를 좋아하는 학생)$=1-\dfrac{9}{35}=\dfrac{26}{35}$

(수영을 좋아하는 학생)$+$(스키를 좋아하는 학생)$=\dfrac{3}{5}+\dfrac{2}{7}=\dfrac{31}{35}$

(수영과 스키를 모두 좋아하는 학생)$=\dfrac{31}{35}-\dfrac{26}{35}=\dfrac{5}{35}=\dfrac{1}{7}$

8-3 $\dfrac{1}{4}$

(강아지나 고양이를 좋아하는 학생)
$=$(강아지를 좋아하는 학생)
$\quad+$(고양이를 좋아하는 학생)
$\quad-$(강아지와 고양이 모두
$\qquad$좋아하는 학생)

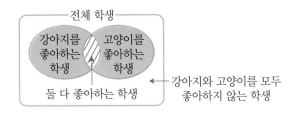

$=\dfrac{1}{2}+\dfrac{2}{5}-\dfrac{3}{20}=\dfrac{15}{20}=\dfrac{3}{4}$

(강아지와 고양이를 모두 좋아하지 않는 학생)

$=1-$(강아지나 고양이를 좋아하는 학생)$=1-\dfrac{3}{4}=\dfrac{1}{4}$

8-4 160명

(A와 B를 모두 좋아하는 주민)

$=$(A를 좋아하는 주민과 B를 좋아하는 주민의 합)$-$(A나 B를 좋아하는 주민)

$=\left(\dfrac{3}{8}+\dfrac{3}{5}\right)-\dfrac{9}{10}=\dfrac{3}{40}$

전체의 $\dfrac{3}{40}$이 12명이므로 전체의 $\dfrac{1}{40}$은 $12\div3=4$(명)입니다.

따라서 마을 주민은 $40\times4=160$(명)입니다.

MATH MASTER
134~136쪽

1 $1\dfrac{7}{12}$

(어떤 수)$-1\dfrac{5}{6}+2\dfrac{2}{3}=3\dfrac{1}{4}$, (어떤 수)$-1\dfrac{5}{6}=3\dfrac{1}{4}-2\dfrac{2}{3}=\dfrac{7}{12}$,

(어떤 수)$=\dfrac{7}{12}+1\dfrac{5}{6}=2\dfrac{5}{12}$

(바르게 계산한 값)$=2\dfrac{5}{12}+1\dfrac{5}{6}-2\dfrac{2}{3}=1\dfrac{7}{12}$

2 $15\frac{15}{56}$ cm

예 (이어 붙인 색 테이프의 전체 길이)=(색 테이프 3장의 합)−(겹친 부분의 합)

(색 테이프 3장의 합)$=5\frac{3}{8}+5\frac{3}{8}+5\frac{3}{8}=16\frac{1}{8}$ (cm)

(겹친 부분의 합)$=\frac{3}{7}+\frac{3}{7}=\frac{6}{7}$ (cm)

따라서 이어 붙인 색 테이프의 전체 길이는 $16\frac{1}{8}-\frac{6}{7}=15\frac{15}{56}$ (cm)입니다.

채점 기준	배점
색 테이프 3장의 합을 구했나요?	2점
겹친 부분의 합을 구했나요?	2점
이어 붙인 색 테이프의 전체 길이를 구했나요?	1점

3 $\frac{19}{20}$ kg

(물 절반의 무게)=(물이 가득 들어 있는 물통의 무게)

$\qquad\qquad\qquad\quad$ −(물이 절반 들어 있는 물통의 무게)

$\qquad\quad=8\frac{1}{4}-4\frac{3}{5}=8\frac{5}{20}-4\frac{12}{20}=7\frac{25}{20}-4\frac{12}{20}=3\frac{13}{20}$ (kg)

(물통만의 무게)=(물이 절반 들어 있는 물통의 무게)−(물 절반의 무게)

$\qquad\quad=4\frac{3}{5}-3\frac{13}{20}=4\frac{12}{20}-3\frac{13}{20}=3\frac{32}{20}-3\frac{13}{20}=\frac{19}{20}$ (kg)

4 $\frac{1}{3}$, $\frac{7}{15}$

기약분수를 각각 ■, ▲라고 합니다.

■$+$▲$=\frac{4}{5}$, ■$-$▲$=\frac{2}{15}$에서 (■$+$▲)$+$(■$-$▲)$=\frac{4}{5}+\frac{2}{15}$

■$+$■$=\frac{14}{15}$ ➡ ■$=\frac{7}{15}$

■$+$▲$=\frac{4}{5}$이므로 ▲$=\frac{4}{5}-\frac{7}{15}=\frac{1}{3}$입니다.

5 2, 4, 6

$1=6-3-2$이므로

$\frac{1}{12}=\frac{6-3-2}{12}=\frac{6}{12}-\frac{3}{12}-\frac{2}{12}=\frac{1}{2}-\frac{1}{4}-\frac{1}{6}$로 나타낼 수 있습니다.

6 5일

하루에 할 수 있는 일의 양은 갑이 전체의 $\frac{1}{12}$, 을이 전체의 $\frac{1}{15}$,

병이 전체의 $\frac{1}{20}$입니다.

세 사람이 함께 일을 한다면 하루에 전체의 $\frac{1}{12}+\frac{1}{15}+\frac{1}{20}=\frac{1}{5}$의 일을 할 수 있습니다.

따라서 세 사람이 함께 일을 한다면 일을 끝내는 데 5일이 걸립니다.

7 1, 2, 3, 4

$1\dfrac{1}{10}=\dfrac{11}{10}$이고, 분모인 8, 20, 10의 최소공배수인 40으로 통분합니다.

$\dfrac{35}{40}+\dfrac{\square\times2}{40}<\dfrac{44}{40}$ ➡ $35+\square\times2<44$ ➡ $\square\times2$가 9보다 작은 수여야 합니다.

따라서 □ 안에 들어갈 수 있는 자연수는 1, 2, 3, 4입니다.

8 $\dfrac{4}{45}$

$$\dfrac{1}{30}+\dfrac{1}{42}+\dfrac{1}{56}+\dfrac{1}{72}=\dfrac{1}{5\times6}+\dfrac{1}{6\times7}+\dfrac{1}{7\times8}+\dfrac{1}{8\times9}$$
$$=(\dfrac{1}{5}-\dfrac{1}{6})+(\dfrac{1}{6}-\dfrac{1}{7})+(\dfrac{1}{7}-\dfrac{1}{8})+(\dfrac{1}{8}-\dfrac{1}{9})$$
$$=\dfrac{1}{5}-\dfrac{1}{9}=\dfrac{4}{45}$$

9 120개

전체 구슬을 1이라고 합니다.

$1-\dfrac{1}{5}-\dfrac{3}{4}=\dfrac{1}{20}$이 $8-2=6$(개)입니다.

전체 구슬의 $\dfrac{1}{20}$이 6개이므로 전체 구슬의 수는 $20\times6=120$(개)입니다.

10 $2\dfrac{12}{35}$ m

저수지의 깊이를 □m라고 하면 저수지 바닥에 끝까지 넣었을 때 젖은 부분이 □m입니다.

$\square+1\dfrac{5}{7}+\square=6\dfrac{2}{5}$, $\square+\square=6\dfrac{2}{5}-1\dfrac{5}{7}=4\dfrac{24}{35}$

$2\dfrac{12}{35}+2\dfrac{12}{35}=4\dfrac{24}{35}$이므로 저수지의 깊이는 $2\dfrac{12}{35}$ m입니다.

6 다각형의 둘레와 넓이

1 평면도형의 둘레

138~139쪽

1 20 cm

(직사각형의 둘레)＝{(가로)＋(세로)}×2＝(6＋4)×2＝10×2＝20 (cm)

2 ㉡, ㉢, ㉠

각각 도형의 둘레를 구하면 다음과 같습니다.

㉠ 10×4＝40 (cm)　㉡ 6×8＝48 (cm)　㉢ (16＋5)×2＝21×2＝42 (cm)

3 10 cm

(정사각형의 둘레)＝11×4＝44 (cm)이고, 정사각형과 직사각형의 둘레가 같으므로
직사각형의 둘레는 44 cm입니다.

(직사각형의 세로)＝(둘레)÷2－(가로)＝44÷2－12＝10 (cm)

4 25 cm

직사각형의 세로를 □cm라고 하면 가로는 (□＋8) cm입니다.

직사각형의 가로와 세로의 합은 둘레의 반이므로 84÷2＝42 (cm)입니다.

➡ □＋□＋8＝42, □＋□＝34, □＝17 (cm)

따라서 직사각형의 가로는 17＋8＝25 (cm)입니다.

5 10 cm

정사각형의 한 변을 □cm라고 합니다.

주어진 도형을 직사각형으로 만들어 보면 가로는 □×5, 세로는 □×3입니다.

직사각형의 가로와 세로의 합은 둘레의 반이므로

(가로)＋(세로)＝160÷2＝80 (cm)입니다.

➡ □×5＋□×3＝80, □×8＝80, □＝10 (cm)

다른 풀이

주어진 도형의 둘레는 정사각형 한 변의 16배이므로 (정사각형의 한 변)×16＝160

➡ (정사각형의 한 변)＝160÷16＝10 (cm)

---

2 직사각형과 정사각형의 넓이

140~141쪽

1 54 cm²

(직사각형의 넓이)＝(가로)×(세로)＝9×6＝54 (cm²)

2 36 cm²

(정사각형의 넓이)＝(한 변)×(한 변)＝6×6＝36 (cm²)

3 8 cm

직사각형의 가로를 □ cm라고 하면 □×7=56이므로 □=56÷7=8(cm)입니다.

4 32 cm²

직사각형의 가로를 □ cm라고 하면 (□+8)×2=24, □+8=12, □=4(cm)입니다.
따라서 (직사각형의 넓이)=4×8=32(cm²)입니다.

5 4배

(직사각형의 넓이)=8×4=32(cm²)
(늘어난 가로)=8×2=16(cm), (늘어난 세로)=4×2=8(cm)
→ (늘어난 직사각형의 넓이)=16×8=128(cm²)
따라서 직사각형의 가로와 세로를 각각 2배씩 늘이면
넓이는 128÷32=4(배)가 됩니다.

3 평행사변형과 삼각형의 넓이   142~143쪽

1 (1) 40 cm²
(2) 20 cm²

(1) (평행사변형의 넓이)=(밑변)×(높이)=5×8=40(cm²)
(2) (삼각형의 넓이)=(밑변)×(높이)÷2=4×10÷2=20(cm²)

2 9 m

평행사변형의 높이를 □ m라고 하면 8×□=72, □=72÷8=9(m)입니다.

3 15

변 ㄴㄷ을 밑변이라고 하면
(삼각형의 넓이)=25×12÷2=150(cm²)입니다.
변 ㄱㄴ을 밑변이라고 하면 높이는 ㉠ cm입니다.
➡ 20×㉠÷2=150, ㉠=150×2÷20=15

4 다

평행사변형 가, 나, 라는 모두 밑변이 6 cm, 높이가 4 cm로 넓이는 24 cm²입니다.
평행사변형 다는 밑변이 4 cm, 높이가 5 cm로 넓이는 20 cm²입니다.

5 40 cm²

두 삼각형의 밑변의 길이가 같고 높이는 나가 가의 2배입니다.
따라서 나의 넓이는 가의 넓이의 2배인 40 cm²입니다.

다른 풀이
(가의 밑변)=20×2÷5=8(cm)이고, 가와 나의 밑변이 같으므로
(나의 넓이)=8×10÷2=40(cm²)입니다.

4. 마름모와 사다리꼴의 넓이

1 (1) $18\,\text{cm}^2$

   (2) $22\,\text{cm}^2$

(1) (마름모의 넓이)=(한 대각선)×(다른 대각선)÷2=6×6÷2=18(cm²)

(2) (사다리꼴의 넓이)={(윗변)+(아랫변)}×(높이)÷2=(4+7)×4÷2=22(cm²)

2 $60\,\text{cm}^2$

(사다리꼴의 아랫변)=8+4=12(cm)

➡ (사다리꼴의 넓이)={(윗변)+(아랫변)}×(높이)÷2

                =(8+12)×6÷2=60(cm²)

3 $20\,\text{cm}$

(선분 ㄱㄷ)=(선분 ㄱㅇ)×2=7×2=14(cm)

(마름모의 넓이)=(한 대각선)×(다른 대각선)÷2

➡ (선분 ㄴㄹ)=(마름모의 넓이)×2÷(선분 ㄱㄷ)=140×2÷14=20(cm)

4 $48\,\text{cm}^2$

(윗변)+(아랫변)=30-(10+8)=12(cm)

➡ (사다리꼴의 넓이)={(윗변)+(아랫변)}×(높이)÷2

                =12×8÷2=48(cm²)

5 $52\,\text{cm}^2$

두 직사각형의 넓이의 합으로 구합니다.

(도형의 넓이)=(4×3)+(10×4)=12+40=52(cm²)

6 $30\,\text{cm}^2$

(색칠한 부분의 넓이)=(사다리꼴의 넓이)-(삼각형의 넓이)

                    =(8+6)×6÷2-(8×3÷2)=42-12=30(cm²)

(선분 ㄴㄷ)=(선분 ㅁㄹ)=30÷3=10(cm)

(선분 ㄱㄴ)=(선분 ㄱㅁ)=(선분 ㄴㅁ)=(선분 ㄷㄹ)=30(cm)

(도형 ㄱㄴㄷㄹㅁ의 둘레)

=30+10+30+10+30=110(cm)

1-1 $50\,\text{cm}$

정사각형이므로 (선분 ㄱㄴ)=(선분 ㄴㄷ)=(선분 ㄷㅁ)=(선분 ㅁㄱ)이고,

정삼각형이므로 (선분 ㅁㄷ)=(선분 ㄷㄹ)=(선분 ㄹㅁ)입니다.

(선분 ㄱㅁ)=(선분 ㄴㄷ)=(선분 ㄷㄹ)=(선분 ㄹㅁ)=10 cm

(도형 ㄱㄴㄷㄹㅁ의 둘레)=10+10+10+10+10=50(cm)

1-2 80 cm

정삼각형의 한 변은 정사각형의 한 변의 반입니다.

정사각형의 한 변이 16 cm이므로 정삼각형의 한 변은 $16 \div 2 = 8$ (cm)입니다.

➡ (도형 전체의 둘레)$= 8 + 8 + 8 + 8 + 16 + 16 + 16 = 80$ (cm)

1-3 153 cm

㉙ 정사각형의 한 변은 $45 \div 5 = 9$ (cm)입니다.

큰 정삼각형의 한 변은 $9 \times 2 = 18$ (cm)이고, 작은 정삼각형의 한 변은 정사각형의 한 변과 같으므로 9 cm입니다.

➡ (도형 전체의 둘레)$= 18 \times 4 + 9 \times 2 + 9 \times 2 + 45 = 153$ (cm)

다른 풀이

정사각형의 한 변은 9 cm이고 도형 전체의 둘레는 정사각형 한 변의 17배입니다.

➡ (도형 전체의 둘레)$= 9 \times 17 = 153$ (cm)

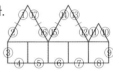

채점 기준	배점
정사각형의 한 변을 구했나요?	1점
큰 정삼각형과 작은 정삼각형의 한 변을 구했나요?	2점
도형의 둘레를 구했나요?	2점

148~149쪽

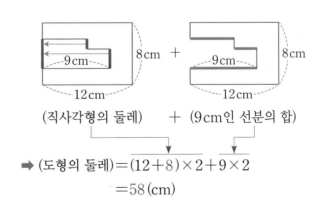

(직사각형의 둘레)　＋　(9 cm인 선분의 합)

➡ (도형의 둘레)$= (12 + 8) \times 2 + 9 \times 2$
$= 58$ (cm)

2-1 20 cm

직사각형으로 바꾸어 둘레를 구합니다.

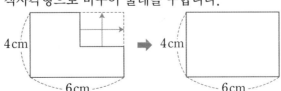

주어진 도형의 둘레는 가로가 6 cm, 세로가 4 cm인 직사각형의 둘레와 같으므로

$(6 + 4) \times 2 = 20$ (cm)입니다.

2-2 62 cm

가로가 15 cm, 세로가 10 cm인 직사각형의 둘레에 (6×2) cm를 더합니다.

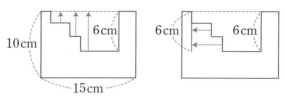

➡ (도형의 둘레)$=(15+10) \times 2+6 \times 2=62$ (cm)

2-3 52 m

모르는 길이를 □ m라고 합니다.

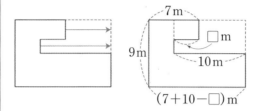

(가로로 된 선분의 합)$=(7+□+10+7+10-□)$ m, (세로)$=9$ m
(도형의 둘레)$=(7+□+10+7+10-□)+(9+9)=34+18=52$ (m)

대표문제 3

(직사각형의 넓이)$=$(정사각형의 넓이)$=12 \times 12=144$ (m²)
(직사각형의 가로)$=144 \div 9=16$ (m)

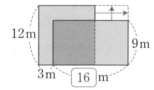

(도형 전체의 둘레)$=(12+3+16) \times 2$
　　　　　　　　　　$=62$ (m)

3-1 30 m

정사각형의 한 변은 $2+4=6$ (m)이므로 정사각형의 넓이는
$6 \times 6=36$ (m²)입니다.
정사각형과 직사각형의 넓이가 같으므로
(직사각형의 가로)$=36 \div 4=9$ (m)입니다.
도형 전체의 둘레는 가로가 9 m, 세로가 $2+4=6$ (m)인 직사각형의 둘레와 같습니다.
➡ $(9+6) \times 2=30$ (m)

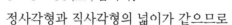

3-2 32 m

(정사각형의 넓이)$=4 \times 4=16$ (m²)
(직사각형의 넓이)$=$(정사각형의 넓이)$\times 3=16 \times 3=48$ (m²)
직사각형의 세로가 $2+4=6$ (m)이므로 가로는 $48 \div 6=8$ (m)
입니다.
도형 전체의 둘레는 가로가 $8+2=10$ (m), 세로가 $2+4=6$ (m)인 직사각형의 둘레
와 같으므로 $(10+6) \times 2=32$ (m)입니다.

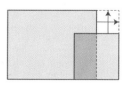

3-3 104 cm

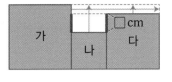

(나의 한 변)＝22－14＝8(cm)

(가의 넓이)＝14×14＝196(cm²)

(나의 넓이)＝8×8＝64(cm²)

(다의 넓이)＝404－(196＋64)＝144(cm²)

12×12＝144이므로 다의 한 변은 12 cm입니다.

□＝12－8＝4(cm)

따라서 도형 전체의 둘레는 가로가 (22＋12) cm, 세로가 14 cm인 직사각형의 둘레와 굵은 선으로 표시한 부분의 합입니다.

(도형 전체의 둘레)＝(34＋14)×2＋4×2＝104(cm)

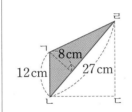

(삼각형 ㄱㄴㄹ의 넓이)＝27×8÷2＝108(cm²)

밑변이 12 cm라면 높이는 선분 ㄴㄷ입니다.

12×(선분 ㄴㄷ)÷2＝108

(선분 ㄴㄷ)＝18(cm)

(사다리꼴 ㄱㄴㄷㄹ의 넓이)＝(12＋20)×18÷2

＝288(cm²)

4-1 5

(삼각형의 넓이)＝10×4÷2＝20(cm²)

➡ (높이)＝(삼각형의 넓이)×2÷(밑변)＝20×2÷8＝5(cm)

4-2 260 cm²

(삼각형 ㄱㄷㄹ의 넓이)＝26×8÷2＝104(cm²)

(밑변이 16 cm일 때 삼각형 ㄱㄷㄹ의 높이)＝(삼각형 ㄱㄷㄹ의 넓이)×2÷16

＝104×2÷16＝13(cm)

밑변이 16 cm일 때 삼각형 ㄱㄷㄹ의 높이는 사다리꼴 ㄱㄴㄷㄹ의 높이와 같습니다.

➡ (사다리꼴 ㄱㄴㄷㄹ의 넓이)＝(16＋24)×13÷2＝260(cm²)

4-3 162 cm²

직사각형 ㄱㄴㄷㄹ의 가로는 6＋12＝18(cm)이므로

(직사각형 ㄱㄴㄷㄹ의 세로)＝216÷18＝12(cm)입니다.

사다리꼴 ㅁㅂㄷㄹ의 높이는 직사각형 ㄱㄴㄷㄹ의 세로와 같으므로 12 cm입니다.

사다리꼴 ㅁㅂㄷㄹ의 윗변은 12 cm,

(아랫변)＝(선분 ㅂㄷ)＝(선분 ㄴㄷ)－(선분 ㄴㅂ)＝18－3＝15(cm)입니다.

➡ (사다리꼴 ㅁㅂㄷㄹ의 넓이)＝(12＋15)×12÷2＝162(cm²)

4-4 20

사다리꼴 ㄱㄴㄷㄹ의 높이를 ★cm라고 합니다.

$(18+10) \times ★ \div 2 = 140$, $28 \times ★ = 280$, $★ = 10$(cm)

사다리꼴의 높이가 10cm이므로 밑변이 10cm일 때 삼각형 ㄱㄴㄷ의 높이는 10cm입니다.

(삼각형 ㄱㄴㄷ의 넓이)$= 10 \times 10 \div 2 = 50$(cm²)

삼각형 ㄱㄴㄷ의 밑변이 □cm일 때의 높이는 5cm이므로

□$=$(삼각형 ㄱㄴㄷ의 넓이)$\times 2 \div 5 = 50 \times 2 \div 5 = 20$(cm)입니다.

삼각형 ㄱㅅㄹ과 삼각형 ㅅㅁㄷ은 모양과 크기가 같은 이등변삼각형입니다.

(선분 ㄱㅅ)$=$(선분 ㄱㄹ)$=$(선분 ㅅㄷ)$=$(선분 ㅁㄷ)$= 4$ cm

(선분 ㄴㅁ)$=$(선분 ㄷㅂ)$= 4$ cm

(색칠한 부분의 넓이)$=$ $-$

$= \{(4+12) \times 8 \div 2\} - (4 \times 4 \div 2) \times 2$

$= 64 - 16$

$= 48$ (cm²)

참고

삼각형 ㄱㅅㄹ과 삼각형 ㅅㅁㄷ은 두 각이 45°로 같은 이등변삼각형입니다.

삼각형 ㄱㄴㄷ과 삼각형 ㄹㅁㅂ은 모양과 크기가 같으므로 변 ㄴㄷ과 변 ㅁㅂ은 길이가 같습니다.

또한 선분 ㅁㄷ이 겹쳐 있으므로 선분 ㄴㅁ과 선분 ㄷㅂ은 길이가 같습니다.

5-1 45 cm²

(색칠한 부분의 넓이)$=$(직사각형의 넓이)$-$(삼각형의 넓이)

$= 10 \times 6 - (10 \times 3 \div 2) = 45$(cm²)

5-2 84 cm²

삼각형 ㄱㅁㄹ은 두 각이 45°로 같은 이등변삼각형이므로 선분 ㄱㅁ은 선분 ㄱㄹ과 같은 6cm입니다.

선분 ㄱㅁ이 6cm이면 선분 ㅁㅅ은 $10-6 = 4$(cm)이고 각 ㅂㅁㅅ은 45°, 각 ㅂㅅㅁ은 90°이므로 각 ㅁㅂㅅ은 45°입니다.

따라서 삼각형 ㅁㅂㅅ은 이등변삼각형이며, (선분 ㅂㅅ)$=$(선분 ㅁㅅ)$= 4$cm입니다.

(색칠한 부분의 넓이)$=$(사다리꼴 ㄱㄴㄷㄹ의 넓이)$-$(삼각형 ㄱㅁㄹ의 넓이)

$-$(삼각형 ㅁㅂㅅ의 넓이)

$= (6+16) \times 10 \div 2 - 6 \times 6 \div 2 - 4 \times 4 \div 2 = 84$(cm²)

5-3 160 cm²

(선분 ㄱㅁ)＝(선분 ㅁㄹ)＝(선분 ㄹㅇ)＝(선분 ㅇㄷ)
　　　　＝16÷2＝8(cm)
(정사각형 ㄱㄴㄷㄹ의 넓이)＝16×16＝256(cm²)
(삼각형 ㅁㅅㅇ의 넓이)＝16×8÷2＝64(cm²)
선분 ㄱㅁ과 선분 ㄱㅂ은 8 cm로 길이가 같습니다.
(삼각형 ㄱㅂㅁ의 넓이)＝8×8÷2＝32(cm²)
(색칠한 부분의 넓이)＝(정사각형 ㄱㄴㄷㄹ의 넓이)－(삼각형 ㅁㅅㅇ의 넓이)
　　　　　　　　　　－(삼각형 ㄱㅂㅁ의 넓이)
　　　　　　　　＝256－64－32＝160(cm²)

───────────────────────────────

다른 풀이
정사각형 ㄱㄴㄷㄹ의 넓이는 삼각형 ㄱㅂㅁ의 넓이의 8배이고, 색칠한 부분은 삼각형 ㄱㅂㅁ의 넓이의 5배입니다.
(삼각형 ㄱㅂㅁ의 넓이)＝8×8÷2＝32(cm²) ➡ (색칠한 부분의 넓이)＝32×5＝160(cm²)

───────────────────────────────

5-4 80 cm²

(나의 넓이)＝4×8÷2＝16(cm²)
(가의 넓이)＝(직사각형 ㄱㄴㅂㅁ의 넓이)÷2
(다의 넓이)＝(직사각형 ㅁㅂㄷㄹ의 넓이)÷2
➡ (가의 넓이)＋(다의 넓이)＝{(직사각형 ㄱㄴㅂㅁ의 넓이)
　　　　　　　　　　　　　　＋(직사각형 ㅁㅂㄷㄹ의 넓이)}÷2
　　　　　　　　　　　　＝(직사각형 ㄱㄴㄷㄹ의 넓이)÷2
　　　　　　　　　　　　＝16×8÷2＝64(cm²)
(색칠한 부분의 넓이)＝(가의 넓이)＋(나의 넓이)＋(다의 넓이)
　　　　　　　　　＝16＋64＝80(cm²)

156~157쪽

① (직사각형 ㅁㄴㄷㄹ의 넓이)＝12×7＝84(cm²)
② (평행사변형 ㄱㄴㄷㅂ의 넓이)＝12×7＝84(cm²)
삼각형 ㅅㄴㄷ의 넓이를 ★cm²라고 하면
(색칠한 부분의 넓이)＝①＋②－★
　　　　　132＝84＋84－★
　　　　　　★＝36(cm²)
➡ (선분 ㅅㄴ)＝36×2÷12＝6(cm)

6-1 9 cm

(선분 ㅂㄷ)＝(삼각형 ㄹㅂㄷ의 넓이)×2÷(선분 ㄱㅁ)＝30×2÷10＝6(cm)
➡ (선분 ㄴㅂ)＝(선분 ㄴㄷ)－(선분 ㅂㄷ)＝15－6＝9(cm)

6-2 6 cm

(직사각형 ㄱㄴㄷㄹ의 넓이)$=6\times14=84\,(cm^2)$

(평행사변형 ㄱㅁㅂㄹ의 넓이)$=6\times14=84\,(cm^2)$

(삼각형 ㄱㅅㄹ의 넓이)

$=$(직사각형 ㄱㄴㄷㄹ의 넓이)$+$(평행사변형 ㄱㅁㅂㄹ의 넓이)$-$(색칠한 부분의 넓이)

$=84+84-144=24\,(cm^2)$

(선분 ㄹㅅ)$=24\times2\div6=8\,(cm)$ ➡ (선분 ㅅㄷ)$=14-8=6\,(cm)$

6-3 8 cm

삼각형 ㅁㄴㄷ의 넓이가 $36\,cm^2$이므로 밑변이 6 cm일 때

높이는 $36\times2\div6=12\,(cm)$입니다.

밑변이 변 ㄹㄷ일 때 평행사변형 ㄱㄴㄷㄹ의 높이는 삼각형 ㅁㄴㄷ의 밑변이 6 cm일 때의 높이와 같습니다.

(변 ㄹㄷ)$\times12=168$ ➡ (선분 ㄹㄷ)$=14\,cm$

따라서 (선분 ㄹㅁ)$=14-6=8\,(cm)$입니다.

6-4 11 cm

(삼각형 ㅂㄴㄷ의 넓이)$=20\times5\div2=50\,(cm^2)$

(색칠한 부분의 넓이)$=50\times3=150\,(cm^2)$

(사다리꼴의 넓이)$=$(삼각형 ㅂㄴㄷ의 넓이)$+$(색칠한 부분의 넓이)

$=50+150=200\,(cm^2)$

$(5+20)\times$(선분 ㅁㅅ)$\div2=200$, (선분 ㅁㅅ)$=16\,cm$

➡ (선분 ㅁㅂ)$=16-5=11\,(cm)$

158~159쪽

(정사각형의 넓이)$=10\times10=100\,(cm^2)$

(겹쳐진 부분의 넓이)$=$(정사각형의 넓이)$\div5=20\,(cm^2)$

(마름모의 넓이)$=$(겹쳐진 부분의 넓이)$\times3=60\,(cm^2)$

(마름모의 한 대각선)$=$(선분 ㄱㄷ)

$=$(정사각형의 한 변)

$=10\,cm$

➡ $10\times$(선분 ㄴㄹ)$\div2=60$

(선분 ㄴㄹ)$=12\,(cm)$

7-1 $8\,cm^2$

(큰 정사각형의 넓이)$=8\times8=64\,(cm^2)$

(색칠한 부분의 넓이)$\times8=$(큰 정사각형의 넓이)

➡ (색칠한 부분의 넓이)$=$(큰 정사각형의 넓이)$\div8=64\div8=8\,(cm^2)$

㉺ (정사각형의 넓이)$=6\times6=36(cm^2)$

(겹쳐진 부분의 넓이)$\times4=$(정사각형의 넓이)

➡ (겹쳐진 부분의 넓이)$=$(정사각형의 넓이)$\div4=36\div4=9(cm^2)$

(마름모의 넓이)$=$(겹쳐진 부분의 넓이)$\times10=9\times10=90(cm^2)$

➡ (마름모의 다른 대각선)$=90\times2\div10=18(cm)$

채점 기준	배점
겹쳐진 부분의 넓이를 구했나요?	2점
마름모의 넓이를 구했나요?	1점
마름모의 다른 대각선을 구했나요?	2점

7-3 4cm

두 직사각형의 모양과 크기가 같으므로

직사각형의 가로는 15 cm, 세로는 6 cm입니다.

➡ (직사각형의 넓이)$=15\times6=90(cm^2)$

(도형 전체의 넓이)$=$(직사각형의 넓이)$\times2-$(겹쳐진 부분의 넓이)

➡ (겹쳐진 부분의 넓이)$=$(직사각형의 넓이)$\times2-$(도형 전체의 넓이)

$$=90\times2-164=16(cm^2)$$

겹쳐진 부분이 정사각형이므로 선분 ㄱㄴ을 $\square$cm라고 하면

$\square\times\square=16$, $\square=4(cm)$입니다.

160~161쪽

대표문제 **8**

(선분 ㄱㅁ)$=\star$cm라고 하면

(선분 ㄱㄴ)$=$(선분 ㅁㄹ)$=$(선분 ㄹㄷ)$=$(선분 ㄱㅁ의 4배)$=\star\times4$

(가로)$=$(선분 ㄱㄹ)$=$(선분 ㄱㅁ)$+$(선분 ㅁㄹ)$=\star\times5$

(세로)$=$(선분 ㄱㄴ)$=$(선분 ㄹㄷ)　　　　 $=\star\times4$
_____
(가로)$+$(세로)　　　　　　　　　　 $=\star\times9$

(가로)$+$(세로)$=$(둘레)$\div2$ ➡ $\star\times9=54\div2=27$ ➡ $\star=3(cm)$

(도형의 넓이)$=(3\times5)\times(3\times4)=180(cm^2)$

8-1 100cm²

작은 정사각형의 한 변을 $\square$cm라고 합니다.

(둘레)$=\square\times4=20$ ➡ $\square=5(cm)$

사각형 ㄱㄴㄷㄹ의 한 변이 10 cm이므로

(사각형 ㄱㄴㄷㄹ의 넓이)$=10\times10=100(cm^2)$입니다.

8-2 240 cm²

선분 ㄱㅁ을 □ cm라고 합니다.

(사각형 ㄱㄴㄷㄹ의 가로)=(선분 ㄱㄹ)=□×3

(사각형 ㄱㄴㄷㄹ의 세로)=(선분 ㄱㄴ)=□×5

➡ (가로)+(세로)=□×8

(사각형 ㄱㄴㄷㄹ의 가로와 세로의 합)=64÷2=32 (cm)이므로 □×8=32이고,

□=4 (cm)입니다.

(사각형 ㄱㄴㄷㄹ의 가로)=(선분 ㄱㄹ)=4×3=12 (cm)

(사각형 ㄱㄴㄷㄹ의 세로)=(선분 ㄱㄴ)=4×5=20 (cm)

➡ (사각형 ㄱㄴㄷㄹ의 넓이)=12×20=240 (cm²)

서술형 **8-3** 870 cm²

(예) 정사각형이 큰 순서대로 ㉠, ㉡, ㉢이라고 합니다.

(㉡의 한 변)=(둘레)÷4=24÷4=6 (cm)

(㉠의 한 변)=(㉡의 한 변)×4=6×4=24 (cm)

(㉢의 한 변)×6=(㉠의 한 변)+(㉡의 한 변)=24+6=30 (cm)

→ (㉢의 한 변)=5 cm

(직사각형의 가로)=(㉠의 한 변)+(㉢의 한 변)=24+5=29 (cm)

(직사각형의 세로)=(㉠의 한 변)+(㉡의 한 변)=24+6=30 (cm)

➡ (직사각형의 넓이)=29×30=870 (cm²)

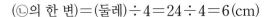

채점 기준	배점
직사각형의 가로를 구했나요?	2점
직사각형의 세로를 구했나요?	2점
직사각형의 넓이를 구했나요?	1점

MATH MASTER

1 2배, 4배

넓이가 36 cm²인 정사각형의 한 변은 6 cm이므로 새로 만든 정사각형의 한 변은

6×2=12 (cm)가 됩니다.

(처음 정사각형의 둘레)=6×4=24 (cm)

(처음 정사각형의 넓이)=36 cm²

(새로 만든 정사각형의 둘레)=12×4=48 (cm)

(새로 만든 정사각형의 넓이)=12×12=144 (cm²)

따라서 새로 만든 정사각형의 둘레는 48÷24=2(배)가 되고 넓이는 144÷36=4(배)

가 됩니다.

주의

정사각형의 한 변이 □배가 되면 둘레는 □배가 되고 넓이는 (□×□)배가 됩니다

2 52 cm

㈎ (잘라 낸 정사각형 1개의 넓이)=16÷4=4(cm²)

➡ (잘라 낸 정사각형 1개의 한 변)=2 cm

큰 정사각형의 한 변을 □cm라고 하면 □×□=81이므로

□=9(cm)입니다.

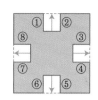

(잘라 내고 남은 종이의 둘레)=(큰 정사각형의 둘레)+(작은 정사각형의 한 변)×8

$$=9×4+2×8=52(cm)$$

채점 기준	배점
잘라 낸 정사각형의 한 변을 구했나요?	1점
큰 정사각형의 한 변을 구했나요?	1점
잘라 내고 남은 종이의 둘레를 구했나요?	3점

3 416 m²

색칠한 부분만 붙여 보면 오른쪽 그림과 같은 직사각형이 됩니다.

(색칠한 부분의 넓이)

$$=(30-2-2)×(20-2-2)$$

$$=26×16=416(m²)$$

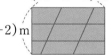

4 50 cm²

(정사각형 ㄱㄴㄷㄹ의 넓이)

$$=(큰 정사각형의 넓이)-(직각삼각형 4개의 넓이)$$

$$=14×14-(6×8÷2)×4=100(cm²)$$

(색칠한 부분의 넓이)=(정사각형 ㄱㄴㄷㄹ의 넓이)÷2

$$=100÷2=50(cm²)$$

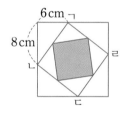

5 120 cm²

사다리꼴 ㄱㄴㄷㅂ의 높이를 □cm라고 합니다.

사각형 ㄱㄴㄷㄹ이 평행사변형이므로 (선분 ㄱㄹ)=15 cm입니다.

(선분 ㄱㅂ)=15+10=25(cm)

(25+15)×□÷2=240, □=12(cm)

➡ (선분 ㅁㄷ)=□×2=12×2=24(cm)

마름모 ㅁㄹㄷㅂ에서 한 대각선이 24 cm, 다른 대각선이 10 cm이므로

(마름모의 넓이)=24×10÷2=120(cm²)입니다.

6 60 cm²

가장 작은 정사각형 한 변을 □cm라고 합니다.

□+(□+1)+(□+1+2)+(□+1+2+3)=26

□+□+□+□=16, □=4(cm)

따라서 정사각형의 한 변은 각각 4 cm, 5 cm, 7 cm, 10 cm입니다.

(색칠한 부분의 넓이)=(정사각형 4개의 넓이)

$$-(밑변이 26 cm, 높이가 10 cm인 직각삼각형의 넓이)$$

$$=(16+25+49+100)-(26×10÷2)$$

$$=60(cm²)$$

7 206 cm²

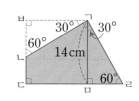

예 마름모의 대각선이 4 cm씩 늘어나므로 마름모의 대각

선은 각각 8 cm, 12 cm, 16 cm입니다.

(선분 ㄱㄴ)=8÷2=4(cm)

(선분 ㄷㄹ)=12÷2=6(cm)

겹쳐진 부분은 두 대각선이 4 cm인 마름모와 두 대각선이

6 cm인 마름모입니다.

(도형의 넓이)=(마름모 3개의 넓이)－(겹쳐진 마름모 2개의 넓이)

=(8×8÷2＋12×12÷2＋16×16÷2)－(4×4÷2＋6×6÷2)

=206(cm²)

채점 기준	배점
마름모의 한 대각선을 각각 구했나요?	1점
겹쳐진 마름모의 한 대각선을 각각 구했나요?	1점
도형의 넓이를 구했나요?	3점

8 30 cm²

사다리꼴의 높이인 변 ㄱㄴ을 □ cm라고 합니다.

(14＋24)×□÷2=228, □=12(cm)

선분 ㄱㅁ과 선분 ㅁㄷ의 길이가 같으므로 삼각형 ㄱㄴㅁ과 삼각형 ㄴㅁㄷ의 넓이는 같

고, 삼각형 ㄱㅁㄹ과 삼각형 ㄹㅁㄷ의 넓이는 같습니다.

(사각형 ㄱㄴㅁㄹ)=(삼각형 ㄱㄴㅁ)＋(삼각형 ㄱㅁㄹ)

(사다리꼴 ㄱㄴㄷㄹ)=(삼각형 ㄱㄴㅁ)＋(삼각형 ㄱㅁㄹ)＋(삼각형 ㄴㅁㄷ)

＋(삼각형 ㄹㅁㄷ)

사각형 ㄱㄴㅁㄹ의 넓이는 사다리꼴 ㄱㄴㄷㄹ의 넓이의 반이므로 228÷2=114(cm²)

입니다. 삼각형 ㄱㄴㄹ의 넓이는 14×12÷2=84(cm²)입니다.

➡ (삼각형 ㄹㄴㅁ의 넓이)=(사각형 ㄱㄴㅁㄹ의 넓이)－(삼각형 ㄱㄴㄹ의 넓이)

=114－84

=30(cm²)

9 196 cm²

각 ㄱㄹㅁ이 60°이므로

(각 ㄹㄱㅁ)=180°－90°－60°=30°입니다.

각 ㄴㄱㄹ은 90°이므로

(각 ㄴㄱㅁ)=90°－(각 ㄹㄱㅁ)=90°－30°=60°입니다.

각 ㄴㄱㅁ이 60°이므로 (각 ㄴㄱㅂ)=90°－(각 ㄴㄱㅁ)=90°－60°=30°입니다.

각 ㄴㄱㅂ이 30°이므로 (각 ㄱㄴㅂ)=180°－90°－30°=60°입니다.

변 ㄱㄴ과 변 ㄱㄹ의 길이가 같고, (각 ㄹㄱㅁ)=(각 ㄴㄱㅂ)=30°,

(각 ㄱㄹㅁ)=(각 ㄱㄴㅂ)=60°이므로 삼각형 ㄱㄴㅂ과 삼각형 ㄱㄹㅁ은 모양과 크기가

같은 삼각형입니다.

따라서 사각형 ㄱㄴㄷㄹ의 넓이는 정사각형 ㅁㄷㅂㄱ의 넓이와 같습니다.

➡ 14×14=196(cm²)

예 정삼각형 3개를 붙여서 사다리꼴을 만들었으므로 정삼각형 1개의 넓이는

$48 \div 3 = 16 \, (\text{cm}^2)$입니다.

삼각형 ㅁㄱㄴ과 삼각형 ㅁㄹㄷ은 밑변과 높이가 같으므로 넓이가 서로 같습니다.

(선분 ㄱㅁ)$=$★cm라고 하면 (삼각형 ㅁㄱㄴ)$=$(삼각형 ㅁㄹㄷ)$=$★$\times$(높이)$\div 2$

(삼각형 ㄱㅂㄹ)$=$(★$\times 2$)$\times$(높이)$\div 2$

(삼각형 ㅁㄱㄴ)$+$(삼각형 ㅁㄹㄷ)$=$(삼각형 ㄱㅂㄹ)$=16 \, (\text{cm}^2)$

(삼각형 ㅁㄴㄷ)$=$(사다리꼴 ㄱㄴㄷㄹ)$-$(색칠하지 않은 부분)

$\qquad\qquad\quad =$(사다리꼴 ㄱㄴㄷㄹ)$-$｛(삼각형 ㅁㄱㄴ)$+$(삼각형 ㅁㄹㄷ)｝

$\qquad\qquad\quad =48-16=32 \, (\text{cm}^2)$

채점 기준	배점
정삼각형 1개의 넓이를 구했나요?	1점
색칠하지 않은 부분의 넓이를 구했나요?	2점
삼각형 ㅁㄴㄷ의 넓이를 구했나요?	2점

Brain👍

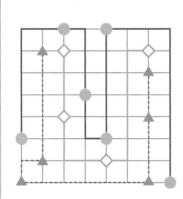

1 자연수의 혼합 계산

1 3850원

(공책 3권의 값)+(연필 5자루의 값)+(지우개 1개의 값)
$=700 \times 3 + 3600 \div 12 \times 5 + 1000 \div 4$
$=2100 + 300 \times 5 + 250$
$=2100 + 1500 + 250$
$=3850(원)$

2 48

$27 \times 4 - (\square \div 8 + 14) \times 3 = 48$
$108 - (\square \div 8 + 14) \times 3 = 48$
$(\square \div 8 + 14) \times 3 = 108 - 48 = 60$
$\square \div 8 + 14 = 60 \div 3 = 20$
$\square \div 8 = 20 - 14 = 6$
$\square = 6 \times 8 = 48$

3 26 g

(노란색 구슬의 무게)$=22\,g$, (초록색 구슬의 무게)$=16\,g$
(파란색 구슬의 무게)$=(($노란색 구슬의 무게$) \times 3 + ($초록색 구슬의 무게$) \times 4) \div 5$
$=(22 \times 3 + 16 \times 4) \div 5$
$=(66 + 64) \div 5$
$=130 \div 5$
$=26\,(g)$

4 4

$32 \blacklozenge 4 = (32 + 4) \div 4 = 36 \div 4 = 9$
$(32 \blacklozenge 4) \blacklozenge 3 = 9 \blacklozenge 3 = (9 + 3) \div 3 = 12 \div 3 = 4$

5 12

계산 결과가 가장 작게 되려면 나누어지는 수가 더 작게 되거나 빼는 수가 더 크게 되도록 ( )로 묶습니다.
➡ $(45 - 27 + 9 \times 2) \div 3 = (45 - 27 + 18) \div 3 = 36 \div 3 = 12$
$45 - (27 + 9 \times 2 \div 3) = 45 - (27 + 18 \div 3) = 45 - (27 + 6) = 45 - 33 = 12$

6 88

어떤 수를 $\square$라 하면 잘못 계산한 식은 $\square + 36 \div 3 - 8 \times 5 = 32$이므로
$\square + 12 - 40 = 32$, $\square + 12 = 72$, $\square = 60$입니다.
따라서 어떤 수는 60이므로 바르게 계산하면
$60 - 36 \div 3 + 8 \times 5 = 60 - 12 + 40 = 48 + 40 = 88$입니다.

7 116 g

$4\,\text{kg}\,436\,\text{g}=4436\,\text{g}$, $5\,\text{kg}\,876\,\text{g}=5876\,\text{g}$

(통조림의 무게)$\times 8+$(상자의 무게)$=5876\,\text{g}$ ……①

$-$) (통조림의 무게)$\times 6+$(상자의 무게)$=4436\,\text{g}$ ……②

(통조림의 무게)$\times 2$　　　　　　$=1440\,\text{g}$ ……③

③에서 (통조림의 무게)$=(1440\div 2)\,\text{g}$이므로

②에서 (상자의 무게)$=4436-1440\div 2\times 6=4436-720\times 6$

$=4436-4320=116\,(\text{g})$

8 16개, 14개

30개 모두 사탕을 샀다면 물건값은 $750\times 30=22500$(원)이어야 하는데 낸 물건값은 $30000-5400=24600$(원)이므로 물건값이 남습니다.

아이스크림은 사탕보다 $900-750=150$(원) 더 비싸므로 사탕 1개 대신 아이스크림 1개를 더 살 때마다 물건값이 150원씩 늘어납니다.

➡ (아이스크림 수)$=(24600-22500)\div 150=2100\div 150=14$(개)

(사탕 수)$=30-14=16$(개)

➡ (거스름돈)$=30000-(750\times 16+900\times 14)$

$=30000-(12000+12600)=5400$(원)

따라서 사탕을 16개, 아이스크림을 14개 샀습니다.

---

1 $+$, $\times$, $\div$, $-$

$5+4\times 3\div 2-1=5+12\div 2-1=5+6-1=11-1=10$

2 84

$?5=1\times 2\times 3\times 4\times 5=120$

$!8=1+2+3+4+5+6+7+8=36$

➡ $?5-!8=120-36=84$

3 예 $4\div 4-4\div 4=0$

예 $(4+4)-(4+4)=0$

이외에도 여러 가지 방법이 있습니다.

예 $4+4-4-4=0$, $4\times 4\div 4-4=0$

4 1, 2, 3

$48\div(3\times 4)+28=48\div 12+28=4+28=32$이므로 $7\times\square+24\div 6<32$입니다.

$7\times\square+24\div 6<32$, $7\times\square+4<32$, $7\times\square<28$, $\square<4$

따라서 $\square$ 안에 들어갈 수 있는 자연수는 1, 2, 3입니다.

5 2192

계산 결과 중 가장 큰 자연수: $81\times 27+9-3\div 1=2187+9-3$

$=2196-3=2193$

계산 결과 중 가장 작은 자연수: $81-27\times 9\div 3+1=81-243\div 3+1$

$=81-81+1=1$

➡ (두 자연수의 차)$=2193-1=2192$

6 171

$1 \# 2 = 1 \times (2+1) = 3,\ 3 \# 5 = 3 \times (5+1) = 18,\ 5 \# 8 = 5 \times (8+1) = 45$

$\rightarrow \bigcirc \# \bigcirc = \bigcirc \times (\bigcirc + 1)$

$2 ☆ 3 = 2 \times 2 + 3 = 7,\ 4 ☆ 6 = 4 \times 2 + 6 = 14,\ 8 ☆ 7 = 8 \times 2 + 7 = 23$

$\rightarrow \bigcirc ☆ \bigcirc = \bigcirc \times 2 + \bigcirc$

$1 * 3 = (1+3) \times (1+3) = 16,\ 4 * 4 = (4+4) \times (4+4) = 64,$

$3 * 5 = (3+5) \times (3+5) = 64 \rightarrow \bigcirc * \bigcirc = (\bigcirc + \bigcirc) \times (\bigcirc + \bigcirc)$

➡ $9 \# 4 = 9 \times (4+1) = 45,\ 6 * 3 = (6+3) \times (6+3) = 81$

$(9 \# 4) ☆ (6 * 3) = 45 ☆ 81 = 45 \times 2 + 81 = 90 + 81 = 171$

7 8개

장난감 한 개의 원가는 $(134000 \div 200)$원이고 장난감 한 개의 정가는
$(134000 \div 200 + 230)$원이므로 판 장난감은
$(134000 + 38800) \div (134000 \div 200 + 230) = 172800 \div 900 = 192$(개)입니다.
따라서 버린 장난감은 $200 - 192 = 8$(개)입니다.

8 8개

52개가 모두 배라면 과일값은 $900 \times 52 = 46800$(원)이어야 하는데 과일값으로 낸 돈
이 34700원이므로 과일값이 $46800 - 34700 = 12100$(원) 모자랍니다.
사과를 1개씩 살 때마다 귤은 3개씩 늘어나고 배는 4개씩 줄어들게 되므로 과일값은
$200 + 300 \times 3 = 1100$(원)씩 줄어들게 됩니다.
$12100 \div 1100 = 11$이므로 사과를 11개, 귤을 $11 \times 3 = 33$(개),
배를 $52 - 11 - 33 = 8$(개) 샀습니다.
➡ (과일값)$= 900 \times 8 + 700 \times 11 + 600 \times 33 = 7200 + 7700 + 19800 = 34700$(원)

9 17문제

30문제를 모두 맞혔다면 $100 \times 30 = 3000$(점)을 받아야 하는데 점수가 1050점이므로
점수가 모자랍니다. 한 문제를 틀리면 100점도 받지 못하고 50점을 **빼야** 하므로 한 문
제를 틀릴 때마다 점수는 $100 + 50 = 150$(점)씩 적어집니다.
➡ (틀린 문제 수)$= (3000 - 1050) \div 150 = 1950 \div 150 = 13$(문제)
 (맞힌 문제 수)$= 30 - 13 = 17$(문제)
➡ (점수)$= 100 \times 17 - 50 \times 13 = 1700 - 650 = 1050$(점)
따라서 해웅이가 맞힌 문제는 17문제입니다.

10 9살

유진이의 나이를 $\square$살이라고 하면 (이모의 나이)$= \square \times 2 + 5$,
(할머니의 나이)$=$ (이모의 나이)$\times 3 - 6$이므로
(할머니의 나이)$= (\square \times 2 + 5) \times 3 - 6$입니다.
또한 (할머니의 나이)$= \square \times 7$이므로 $(\square \times 2 + 5) \times 3 - 6 = \square \times 7$,
$\square \times 6 + 15 - 6 = \square \times 7$, $\square \times 6 + 9 = \square \times 7$, $9 = \square \times 7 - \square \times 6$, $\square = 9$
따라서 유진이의 나이는 9살입니다.

2 약수와 배수

1 3개

56의 약수: 1, 2, 4, 7, 8, 14, 28, 56 ➡ 56의 약수 중 두 자리 수는 14, 28, 56입니다.

56의 배수: 56, 112, 168 …… ➡ 56의 배수 중 두 자리 수는 56입니다.

따라서 ㉠에 들어갈 수 있는 두 자리 수는 14, 28, 56으로 3개입니다.

2 16명, 32명

64의 약수는 1, 2, 4, 8, 16, 32, 64입니다. 64의 약수 중 10보다 크고 40보다 작은 수는 16, 32입니다.

따라서 16명, 32명에게 남김없이 똑같이 나누어 줄 수 있습니다.

3 3

어떤 수는 $14-2=12$, $50-2=48$의 공약수입니다. 12와 48의 최대공약수는 12이고, 공약수는 최대공약수의 약수이므로 12와 48의 공약수는 1, 2, 3, 4, 6, 12입니다. 이 중 나머지인 2보다 큰 수는 3, 4, 6, 12이고 구하고자 하는 수는 가장 작은 수이므로 3입니다.

4 8

(두 수의 곱)＝(두 수의 최대공약수)×(두 수의 최소공배수)

➡ (두 수의 최대공약수)＝(두 수의 곱)÷(두 수의 최소공배수)＝$1280÷160=8$

5 금요일

$$\begin{array}{r} 3\,)\underline{15\quad 6} \\ 5\quad 2 \end{array}$$ ➡ 15와 6의 최소공배수: $3×5×2=30$

따라서 다음번에 두 화분에 모두 물을 주는 날은 30일 후입니다. $30÷7=4…2$이므로 바로 다음번에 두 화분에 모두 물을 주는 날은 4주 후 수요일에서 2일 후인 금요일입니다.

6 7개

5의 배수는 일의 자리 숫자가 0이거나 5여야 하고, 3의 배수는 각 자리 숫자의 합이 3의 배수여야 합니다.

· □＝0인 경우: 4○20에서 $4+○+2+0=6+○$는 3의 배수여야 하므로 $6+○$는 6, 9, 12, 15가 될 수 있습니다.

➡ ○는 0, 3, 6, 9입니다.

· □＝5인 경우: 4○25에서 $4+○+2+5=11+○$는 3의 배수여야 하므로 $11+○$는 12, 15, 18이 될 수 있습니다.

➡ ○는 1, 4, 7입니다.

따라서 만들 수 있는 네 자리 수는 4020, 4320, 4620, 4920, 4125, 4425, 4725로 7개입니다.

7 64

12의 약수는 1, 2, 3, 4, 6, 12이므로 <12>=6입니다. 35의 약수는 1, 5, 7, 35이므로 <35>=4입니다.

➡ <12>×<35>=6×4=24

<<12>×<35>>=<24>이고 24의 약수는 1, 2, 3, 4, 6, 8, 12, 24이므로 <24>=8입니다.

30의 약수는 1, 2, 3, 5, 6, 10, 15, 30이므로 <30>=8입니다.

➡ <<12>×<35>>×<30>=<24>×<30>=8×8=64입니다.

8 42초

노란색 전구는 4+2=6(초)마다 켜지고, 초록색 전구는 7+3=10(초)마다 켜집니다. 6과 10의 최소공배수는 30이므로 두 전구는 30초마다 동시에 켜집니다.

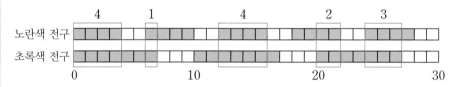

30초마다 동시에 켜지므로 90초 동안 두 전구가 모두 켜져 있는 시간은
(4+1+4+2+3)×3=14×3=42(초)입니다.

9 12분 30초 후

톱니 수를 이용하여 두 톱니바퀴의 최소공배수를 구하면 120이므로 톱니가 120개 돈 후에 처음으로 다시 만나게 됩니다. 처음에 맞물렸던 톱니가 다시 만나려면 ㉮ 톱니바퀴는 120÷24=5(바퀴) 돌아야 합니다. ㉮ 톱니바퀴가 1바퀴 도는 데 2분 30초가 걸리므로 5바퀴 돌면 5×2분 30초=12분 30초 걸립니다.

따라서 두 톱니바퀴가 처음 다시 만나는 것은 12분 30초 후입니다.

1 225개

전체에서 6의 배수이거나 8의 배수인 경우를 빼 줍니다.

300÷6=50이므로 6의 배수는 50개이고, 300÷8=37…4이므로 8의 배수는 37개입니다.

이 중 6의 배수이면서 동시에 8의 배수인 수는 두 번 빠지게 되는데 6과 8의 공배수는 24의 배수이고 300÷24=12…12이므로 24의 배수는 12개입니다.

따라서 구하려는 수의 개수는 300-50-37+12=225(개)입니다.

2 2개

(두 수의 곱)=(두 수의 최소공배수)×(두 수의 최대공약수)

➡ 두 수의 최대공약수를 □라 하면 2744=392×□, □=7

최대공약수가 7이므로 공약수의 개수는 7의 약수인 1, 7로 2개입니다.

3 4월 26일

3과 7의 최소공배수는 21이므로 현아와 선미는 21일마다 도서관에서 만납니다.

3월 15일에서 21일 후를 구하면 3월은 31일까지 있으므로 4월 5일에 첫 번째로 만나게 됩니다.

그다음 21일 후는 4월 26일이므로 4월에 두 번째로 만나는 날은 4월 26일입니다.

4 9

어떤 수는 $67-4=63$과 $76-4=72$의 공약수입니다.

63과 72의 최대공약수가 9이므로 두 수의 공약수는 9의 약수입니다.

9의 약수는 1, 3, 9이며 나머지가 4이므로 어떤 수는 4보다 큰 9입니다.

5 123, 163

구하는 수를 □라 하면 □-3은 4, 5, 8의 공배수입니다.

4, 5, 8의 최소공배수는 40이므로 □-3은 40의 배수입니다.

200보다 작은 세 자리 수 중 40의 배수는 120, 160입니다.

□$-3=120$ ➡ □$=123$

□$-3=160$ ➡ □$=163$

따라서 주어진 조건을 만족하는 수는 123, 163입니다.

6 16개

깃발을 될 수 있는 대로 적게 꽂으려면 깃발 사이의 간격을 될 수 있는 대로 넓게 해야 합니다. 따라서 가로와 세로의 최대공약수를 구합니다. 90과 54의 최대공약수는 18이므로 깃발 사이의 간격이 18 m가 되도록 꽂으면 됩니다.

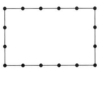

위의 그림과 같이 깃발을 꽂을 수 있으므로 깃발은 16개 필요합니다.

7 450개

가로, 세로, 높이의 최소공배수를 이용합니다.

24, 20, 8의 최소공배수는 120이므로 한 모서리가 120 cm인 정육면체를 만들 수 있습니다.

가로에는 $120 \div 24 = 5$(개), 세로에는 $120 \div 20 = 6$(개), 높이에는 $120 \div 8 = 15$(개)의 벽돌을 쌓아야 하므로 벽돌은 적어도 $5 \times 6 \times 15 = 450$(개) 필요합니다.

8 56, 70

두 수를 A, B라 하면 $A = 14 \times a$, $B = 14 \times b$입니다.

두 수의 최소공배수가 280이므로 $280 = 14 \times a \times b$, $a \times b = 20$입니다.

$a=1$, $b=20$일 때: $A = 14 \times 1 = 14$, $B = 14 \times 20 = 280$

➡ $A+B = 14+280 = 294$이므로 구하는 수가 아닙니다.

$a=2$, $b=10$일 때: $A = 14 \times 2 = 28$, $B = 14 \times 10 = 140$

➡ 두 수의 최대공약수가 14가 아니므로 구하는 수가 아닙니다.

$a=4$, $b=5$일 때: $A = 14 \times 4 = 56$, $B = 14 \times 5 = 70$

➡ $A+B = 56+70 = 126$입니다.

따라서 조건을 모두 만족하는 두 수는 56, 70입니다.

9 4422, 7425

3의 배수는 각 자리의 숫자의 합이 3의 배수이면 됩니다.

■＝★－2이므로 ★＋4＋2＋■＝★＋4＋2＋(★－2)＝★＋★＋4가 3의 배수이면 됩니다.

★은 2보다 크거나 같은 수여야 하므로 ★＋★＋4는 9, 12, 15, 18……이 될 수 있습니다.

★＋★＋4＝9 ➡ 만족하는 자연수가 없습니다.

★＋★＋4＝12 ➡ ★＝4, ■＝2

★＋★＋4＝15 ➡ 만족하는 자연수가 없습니다.

★＋★＋4＝18 ➡ ★＝7, ■＝5

★＋★＋4＝21 ➡ 만족하는 자연수가 없습니다.

★＋★＋4＝24 ➡ ★＝10, ■＝8(★은 한 자리 수이므로 10 이상의 수는 알맞지 않습니다.

따라서 만들 수 있는 3의 배수인 네 자리 수는 4422, 7425입니다.

10 36

두 수의 공약수는 최대공약수의 약수와 같습니다.

108의 약수는 1, 2, 3, 4, 6, 9, 12, 18, 27, 36, 54, 108입니다.

2의 약수: 1, 2 ➡ 2개

3의 약수: 1, 3 ➡ 2개

4의 약수: 1, 2, 4 ➡ 3개

6의 약수: 1, 2, 3, 6 ➡ 4개

9의 약수: 1, 3, 9 ➡ 3개

12의 약수: 1, 2, 3, 4, 6, 12 ➡ 6개

18의 약수: 1, 2, 3, 6, 9, 18 ➡ 6개

27의 약수: 1, 3, 9, 27 ➡ 4개

36의 약수: 1, 2, 3, 4, 6, 9, 12, 18, 36 ➡ 9개

54의 약수: 1, 2, 3, 6, 9, 18, 27, 54 ➡ 8개

108의 약수 ➡ 12개

따라서 108의 약수 중에서 약수의 개수가 9개인 것은 36입니다.

3 규칙과 대응

1 111

◇가 1씩 커질 때마다 ○는 6씩 커지므로 ◇×6과 ○를 비교해 봅니다.

◇	1	2	3	4	5	6	
◇×6	6	12	18	24	30	36	$\rangle \times 6$
○	9	15	21	27	33	39	$\rangle +3$

○=◇×6+3이므로 ◇=18일 때 ○=18×6+3=108+3=111입니다.

2 89

순서	1	2	3	4	5	······
수	2	5	8	11	14	······

$\quad\quad$ 1×3−1$\quad$2×3−1$\quad$3×3−1$\quad$4×3−1$\quad$5×3−1

순서를 ○, 수를 ◇라고 하면 ◇=○×3−1입니다.

○=30일 때 ◇=30×3−1=90−1=89

따라서 30번째 수는 89입니다.

3 19개

정육각형의 수(□)	1	2	3	4	5	······
성냥개비의 수(△)	6	11	16	21	26	······

정육각형이 1개 늘어날 때마다 성냥개비는 5개씩 늘어나므로

△=1+5×□입니다.

△=96일 때 1+5×□=96, 5×□=96−1=95, □=95÷5=19

따라서 성냥개비 96개로 만든 정육각형은 19개입니다.

4 56분 후

양초는 40 cm에서 7분이 지날 때마다 3 cm씩 길이가 짧아지므로 양초가 탄 시간을 ◇ (분), 남은 양초의 길이를 △ (cm)라고 하면 40− ◇ ÷7×3=△입니다.

△=16일 때 40− ◇ ÷7×3=16, ◇ ÷7×3=40−16=24, ◇ ÷7=24÷3,

◇ ÷7=8, ◇ =8×7=56

따라서 남은 양초의 길이가 16 cm가 될 때는 양초에 불을 붙인지 56분 후입니다.

5 예 □=○×5+1, 121도막

자른 횟수(번)	1	2	3	4	5	······
도막의 수(도막)	6	11	16	21	26	······

$\quad\quad$ 1×5+1$\quad$2×5+1$\quad$3×5+1$\quad$4×5+1$\quad$5×5+1

□=○×5+1이므로 ○=24일 때 □=24×5+1=120+1=121

따라서 실을 24번 잘랐을 때 나누어진 실은 121도막입니다.

6 39장

순서(○)	1	2	3	4	5	……
◆ 모양 붙임딱지 수(◇)	2×2	3×3	4×4	5×5	6×6	……
★ 모양 붙임딱지 수(☆)	1×1	2×2	3×3	4×4	5×5	……

➡ $◇=(○+1)\times(○+1)$, $☆=○\times○$

○$=19$일 때 $◇=20\times20=400$, $☆=19\times19=361$

따라서 ◆ 모양과 ★ 모양의 붙임딱지 수의 차는 $400-361=39$(장)입니다.

7 11개

만나는 점의 수가 최대가 되도록 직선을 그으려면 직선끼리 모두 한 번씩 만나도록 그어야 합니다.

직선의 수(□)	2	3	4	5	……
만나는 점의 수(△)	1	$1+2$	$1+2+3$	$1+2+3+4$	……

➡ $△=1+2+3+4+\cdots+(□-1)$

$△=55$일 때 $1+2+3+4+\cdots+(□-1)=55$이고

$1+2+3+4+5+6+7+8+9+10=55$이므로 $□=11$입니다.

따라서 만나는 점이 55개가 되려면 직선을 적어도 11개 그어야 됩니다.

1 예 $△=○\times6-4$

○가 1씩 커질 때마다 △는 6씩 커지므로 ○$\times6$과 △를 비교해 봅니다.

○	1	2	3	4	5	6	
○$\times6$	6	12	18	24	30	36	$\}\times6$
△	2	8	14	20	26	32	$\}-4$

○와 △ 사이의 내응 관계를 식으로 나타내면 $△=○\times6-4$입니다.

2 45분 후

물의 온도가 80 ℃에서 시간이 3분 지날 때마다 4 ℃씩 내려가므로

물을 공기 중에 놓아둔 시간을 ◇(분), 물의 온도를 △(℃)라고 하면

$△=80-◇\div3\times4$입니다.

$△=20$일 때 $80-◇\div3\times4=20$, $◇\div3\times4=80-20=60$,

$◇=60\div4\times3=45$

따라서 물의 온도가 20 ℃가 되는 때는 물을 공기 중에 놓아둔지 45분 후입니다.

3 23

$5\times2+3=10+3=13$, $8\times2+3=16+3=19$, $12\times2+3=24+3=27$이므로 왼쪽 수에 2를 곱한 다음 3을 더하면 오른쪽 수가 됩니다.

➡ ㉠$\times2+3=49$, ㉠$\times2=49-3=46$, ㉠$=46\div2=23$입니다.

4 5월 4일 오전 10시

오후 4시는 16시이므로 두바이는 서울보다 16−11=5(시간) 느립니다.

서울 시각으로 5월 4일 오전 9시에서 6시간 지난 시각은 5월 4일 오후 3시이므로 유찬이가 두바이에 도착했을 때 두바이는 5월 4일 오후 3시보다 5시간 늦은 5월 4일 오전 10시입니다.

5 270개

육각형의 수($\triangle$)	1	2	3	4	5	……
바둑돌의 수($\square$)	6	18	36	60	90	……

육각형이 1개 늘어날 때마다 바둑돌은 12개, 18개, 24개, 30개…… 늘어나므로

$\square=6\times1+6\times2+6\times3+$ …… $+6\times\triangle$입니다.

$\triangle=9$일 때 $6\times1+6\times2+6\times3+6\times4+6\times5+6\times6+6\times7+6\times8+6\times9$

$=6+12+18+24+30+36+42+48+54=270$

따라서 육각형을 9개 만들려면 필요한 바둑돌은 270개입니다.

6 16분 후

(동석이가 11분 동안 걸은 거리)$=80\times11=880$ (m)

누나가 출발한 때부터 이동한 시간을 $\bigcirc$(분), 동석이가 이동한 거리를 $\square$ (m), 누나가 이동한 거리를 $\triangle$ (m)라고 하면 누나가 출발한지 1분이 지날 때마다 동석이는 880 m에서 80 m씩 이동하므로 $\square=880+80\times\bigcirc$이고, 누나는 135 m씩 이동하므로 $\triangle=135\times\bigcirc$입니다.

두 사람이 만나는 때는 두 사람이 이동한 거리가 같아지는 때이므로

$880+80\times\bigcirc=135\times\bigcirc$, $880=135\times\bigcirc-80\times\bigcirc$, $880=55\times\bigcirc$,

$\bigcirc=880\div55=16$입니다.

따라서 누나가 출발한지 16분 후에 동석이를 만날 수 있습니다.

7 449

꼭짓점 ㄷ에 쓰고 있는 수는 2부터 시작하여 3씩 커지는 수이므로

순서를 $\square$, 꼭짓점 ㄷ에 쓰고 있는 수를 $\bigcirc$라고 하면 $\bigcirc=\square\times3-1$입니다.

$\square=150$일 때 $\bigcirc=\square\times3-1=150\times3-1=450-1=449$

따라서 꼭짓점 ㄷ에 150번째로 쓸 수는 449입니다.

8 오후 4시 57분

자른 횟수(번)	1	2	3	4	5	……
도막 수(도막)	2	3	4	5	6	……
걸린 시간(분)	5	12	19	26	33	……

➡ (도막 수)=(자른 횟수)+1

➡ 막대를 한 번 자르고 한 번 쉰 시간을 더하면 5+2=7(분)이므로

(걸린 시간)=7×(자른 횟수)−2

긴 막대를 18도막으로 자를 때 (자른 횟수)+1=18, (자른 횟수)=18−1=17(번)이고, (걸린 시간)=7×17−2=119−2=117(분)입니다.

117분=60분+57분=1시간 57분이므로

(막대 자르기가 끝나는 시각)=오후 3시+1시간 57분=오후 4시 57분입니다.

9 220

삼각형 모양으로 배열된 수들에서 위의 두 수를 더해서 두 수 사이의 아래쪽에 놓은 규칙을 찾을 수 있습니다. 이 규칙에 따라 빨간색 화살표 방향으로 배열된 수들을 알아본 후 순서와 수 사이의 대응 관계를 찾아봅니다.

순서	1	2	3	4	5	……
수	1	4	10	20	35	……

$+3$ $+6$ $+10$ $+15$

더하는 수가 $3=1+2$, $6=1+2+3$, $10=1+2+3+4$,
$15=1+2+3+4+5$……이므로 순서를 ○, 수를 △라고 하면
△$=1+(1+2)+(1+2+3)+……+$(1부터 ○까지의 합)입니다.
○$=10$일 때
△$=1+(1+2)+(1+2+3)+……+(1+2+3+……+8+9+10)$
　$=1\times10+2\times9+3\times8+4\times7+5\times6+6\times5+7\times4+8\times3+9\times2+10\times1$
　$=10+18+24+28+30+30+28+24+18+10$
　$=220$
따라서 빨간색 화살표 방향으로 10번째 수는 220입니다.

10 4681개

순서와 색칠한 정사각형의 수 사이의 관계를 표로 나타냅니다.

순서	1	2	3	4	……
색칠한 정사각형 수	1	9	73	585	……

$+8$ $+64$ $+512$
$\times8$ $\times8$

➡ (다섯 번째 그림에서 색칠한 정사각형의 수)
　$=1+8+8\times8+8\times8\times8+8\times8\times8\times8$
　$=1+8+64+512+4096$
　$=4681$(개)

4 약분과 통분

1 7개

$\frac{2}{3}$와 $\frac{21}{25}$을 분모가 75인 분수로 통분하면 $\frac{2}{3}=\frac{2\times25}{3\times25}=\frac{50}{75}$, $\frac{21}{25}=\frac{21\times3}{25\times3}=\frac{63}{75}$

입니다.

따라서 $\frac{50}{75}$보다 크고 $\frac{63}{75}$보다 작은 분수 중에서 분모가 75인 기약분수는 $\frac{52}{75}$, $\frac{53}{75}$,

$\frac{56}{75}$, $\frac{58}{75}$, $\frac{59}{75}$, $\frac{61}{75}$, $\frac{62}{75}$로 7개입니다.

2 $\frac{15}{56}$

$\frac{\square}{56}$와 $\frac{11}{42}$의 분모를 같게 한 후 분자의 크기를 비교합니다.

$\frac{\square}{56}=\frac{\square\times3}{56\times3}=\frac{\square\times3}{168}$, $\frac{11}{42}=\frac{11\times4}{42\times4}=\frac{44}{168}$에서 $\square=14$이면 $\frac{42}{168}$이고,

$\square=15$이면 $\frac{45}{168}$입니다.

따라서 $\frac{44}{168}$에 가장 가까운 분수는 $\frac{45}{168}$이므로 분모가 56인 진분수 중 $\frac{11}{42}$에 가장 가

까운 분수는 $\frac{15}{56}$입니다.

3 $\frac{12}{42}$

구하는 분수를 $\frac{2\times\square}{7\times\square}$라 하면 분모와 분자의 합이 54이므로

$2\times\square+7\times\square=54$, $9\times\square=54$, $\square=6$입니다.

따라서 구하는 분수는 $\frac{2\times6}{7\times6}=\frac{12}{42}$입니다.

4 2개

분자인 2, 4, 7의 최소공배수인 28로 분자를 같게 만들어 비교합니다.

$\frac{7\times4}{15\times4}<\frac{4\times7}{\square\times7}<\frac{2\times14}{3\times14}$ ➡ $\frac{28}{60}<\frac{28}{\square\times7}<\frac{28}{42}$ ➡ $42<\square\times7<60$

따라서 $\square$ 안에 들어갈 수 있는 자연수는 7, 8로 2개입니다.

5 $\frac{4}{15}$

$\frac{\square}{15}$의 분모와 분자에 7을 더하면 $\frac{\square+7}{15+7}$입니다. 분모가 22이면서 크기가 $\frac{1}{2}$인 분수는

$\frac{11}{22}$입니다. 따라서 $\square+7=11$, $\square=4$이고 처음 분수는 $\frac{4}{15}$입니다.

6 3개

구하는 분수는 $\frac{5\times\square}{7\times\square}$입니다. 분모와 분자의 합은 $5\times\square+7\times\square=12\times\square$이고

50보다 크고 100보다 작으므로 $\square=5, 6, 7, 8$입니다.

분모 $7\times\square$는 20보다 크고 50보다 작으므로 $\square=3, 4, 5, 6, 7$입니다.

따라서 주어진 조건을 모두 만족하는 $\square=5, 6, 7$이고 구하고자 하는 분수는

$\frac{25}{35}$, $\frac{30}{42}$, $\frac{35}{49}$로 3개입니다.

7 62개

$147 = 3 \times 7 \times 7$이므로 3의 배수도 되고 7의 배수도 됩니다.

기약분수가 아닌 분수는 분모와 분자에 공약수가 있는 분수이므로 분자가 3의 배수 또는 7의 배수가 되는 것을 찾습니다.

146 이하인 수 중 3의 배수는 48개, 7의 배수는 20개, 21의 배수는 6개입니다.

따라서 분모가 147인 진분수 중에서 약분이 되는 분수는 $48 + 20 - 6 = 62$(개)이므로 기약분수가 아닌 분수는 62개입니다.

8 1, 4

ⓒ+2는 ㉠의 6배이므로 ⓒ+2=㉠+㉠+㉠+㉠+㉠+㉠이고,

ⓒ+3은 ㉠의 7배이므로 ⓒ+3=(㉠+㉠+㉠+㉠+㉠+㉠)+㉠=(ⓒ+2)+㉠에서 ㉠=1입니다. 따라서 ⓒ+2=6, ⓒ=4입니다.

1 2

$12 = 2 \times 2 \times 3$이므로 기약분수가 되려면 분자가 2 또는 3의 배수가 아니면서 12보다 작아야 합니다. 따라서 분자가 될 수 있는 수는 1, 5, 7, 11입니다.

따라서 $\dfrac{1}{12} + \dfrac{5}{12} + \dfrac{7}{12} + \dfrac{11}{12} = 2$입니다.

2 12개

진분수의 분모는 6, 12, 18입니다.

분모가 6인 기약분수: $\dfrac{1}{6}, \dfrac{5}{6}$ ➡ 2개

분모가 12인 기약분수: $\dfrac{1}{12}, \dfrac{5}{12}, \dfrac{7}{12}, \dfrac{11}{12}$ ➡ 4개

분모가 18인 기약분수: $\dfrac{1}{18}, \dfrac{5}{18}, \dfrac{7}{18}, \dfrac{11}{18}, \dfrac{13}{18}, \dfrac{17}{18}$ ➡ 6개

따라서 기약분수는 12개입니다.

3 $\dfrac{17}{40}, \dfrac{19}{40}, \dfrac{21}{40}, \dfrac{23}{40}$

구하는 분수를 $\dfrac{\square}{40}$라 하고 주어진 분수를 통분하면

$\dfrac{2 \times 8}{5 \times 8} < \dfrac{\square}{40} < \dfrac{5 \times 5}{8 \times 5}$ ➡ $\dfrac{16}{40} < \dfrac{\square}{40} < \dfrac{25}{40}$ ➡ $16 < \square < 25$이므로

$\square = 17, 19, 21, 23$입니다.

따라서 분모가 40인 기약분수는 $\dfrac{17}{40}, \dfrac{19}{40}, \dfrac{21}{40}, \dfrac{23}{40}$입니다.

4 $\dfrac{12}{28}$

구하는 분수를 $\dfrac{3\times\square}{7\times\square}$라고 하면 분모와 분자의 곱이 336이므로

$3\times\square\times7\times\square=336$, $21\times\square\times\square=336$, $\square\times\square=336\div21=16$, $\square=4$입니다.

따라서 구하는 분수는 $\dfrac{3\times4}{7\times4}=\dfrac{12}{28}$입니다.

5 30

$\dfrac{6}{13}=\dfrac{6+\square}{13+65}=\dfrac{6+\square}{78}$이고 78은 13의 6배이므로 $6+\square$는 6의 6배가 되어야 합니다. 따라서 $6+\square=36$, $\square=30$입니다.

6 20

분모와 분자에 더한 같은 수를 $\square$라 하면 $\dfrac{31+\square}{65+\square}$입니다.

$\dfrac{31}{65}$의 분모와 분자의 차가 34이고 $\dfrac{3}{5}=\dfrac{6}{10}=\dfrac{9}{15}=\cdots\cdots=\dfrac{51}{85}=\cdots\cdots$이므로

$\dfrac{3}{5}$과 크기가 같은 분수 중에서 분모와 분자의 차가 34인 분수는 $\dfrac{51}{85}$입니다.

따라서 $\dfrac{31+\square}{65+\square}=\dfrac{51}{85}$이므로 $\square=20$입니다.

7 $\dfrac{28}{52}$

약분하기 전 분수: $\dfrac{7\times\square}{16\times\square}$

분자에서 7을 빼기 전 분수: $\dfrac{7\times\square+7}{16\times\square}$

분모에서 4를 빼기 전 분수: $\dfrac{7\times\square+7}{16\times\square+4}$

분모와 분자의 합이 80이므로 $7\times\square+7+16\times\square+4=80$ ➡ $23\times\square+11=80$

➡ $23\times\square=80-11=69$ ➡ $\square=3$

따라서 처음 분수는 $\dfrac{7\times3+7}{16\times3+4}=\dfrac{28}{52}$입니다.

8 $\dfrac{3}{7}$

$\dfrac{1}{2}$보다 작은 진분수는 $\dfrac{1}{3}$, $\dfrac{1}{5}$, $\dfrac{1}{7}$, $\dfrac{3}{7}$, $\dfrac{1}{8}$, $\dfrac{3}{8}$입니다.

이 중 $\dfrac{1}{8}<\dfrac{3}{8}$, $\dfrac{3}{8}<\dfrac{3}{7}$이고 $\dfrac{1}{8}<\dfrac{1}{7}<\dfrac{1}{5}<\dfrac{1}{3}$이므로 $\dfrac{3}{7}$과 $\dfrac{1}{3}$의 크기를 비교합니다.

$\dfrac{3}{7}=\dfrac{9}{21}$, $\dfrac{1}{3}=\dfrac{7}{21}$이므로 가장 큰 분수는 $\dfrac{3}{7}$입니다.

9 15번째

구하는 분수를 $\dfrac{17\times\square}{20\times\square}$라 하면 늘어놓은 분수의 분모와 분자의 차가 6이므로

$20\times\square-17\times\square=6$, $3\times\square=6$, $\square=2$입니다. 따라서 $\dfrac{17\times2}{20\times2}=\dfrac{34}{40}$이므로

기약분수로 나타내었을 때 $\dfrac{17}{20}$이 되는 분수는 $17-2=15$(번째)입니다.

10 10, 5

$\dfrac{\blacktriangle}{\blacksquare\times\blacksquare\times\blacksquare}=\dfrac{1}{200}$에서 $200=2\times10\times10$이므로 분모를 $\blacksquare\times\blacksquare\times\blacksquare$와 같이 똑같은 수를 세 번 곱한 수로 나타내기 위해서는 분모와 분자에 5를 곱해야 합니다.

➡ $\dfrac{1}{200}=\dfrac{5}{(2\times5)\times10\times10}$가 되므로 $\blacksquare=10$, $\blacktriangle=5$입니다.

5 분수의 덧셈과 뺄셈

1 맞습니다

사용한 밀가루는 전체의 $\frac{1}{8}+\frac{1}{3}=\frac{11}{24}$입니다.

➡ (두 사람이 사용한 밀가루의 양)$=360\div24\times11=165\,(\text{kg})$

따라서 200 kg이 안 됩니다.

2 $1\frac{17}{48}$ cm

가로를 □ cm라 하면 세로는 $(□+1\frac{2}{3})$ cm입니다.

➡ $□+□+1\frac{2}{3}+□+□+1\frac{2}{3}=8\frac{3}{4}$, $□+□+□+□+3\frac{1}{3}=8\frac{3}{4}$,

$□+□+□+□=\frac{35}{4}-\frac{10}{3}=\frac{65}{12}$

$\frac{65}{48}+\frac{65}{48}+\frac{65}{48}+\frac{65}{48}=\frac{65}{12}$이므로 $□=\frac{65}{48}=1\frac{17}{48}$입니다.

따라서 가로는 $1\frac{17}{48}$ cm입니다.

3 $10\frac{2}{15}$

합이 가장 크기 위해서는 대분수의 자연수는 가장 큰 9가 됩니다.

➡ $9\frac{1}{3}+\frac{4}{5}=9\frac{5}{15}+\frac{12}{15}=10\frac{2}{15}$

참고

$9\frac{4}{5}+\frac{1}{3}$을 해도 계산 결과는 같습니다.

---

4 $9\frac{4}{21}$

어떤 수를 □라 하면

$□-2\frac{3}{7}=4\frac{1}{3}$, $□=4\frac{1}{3}+2\frac{3}{7}=4\frac{7}{21}+2\frac{9}{21}=6\frac{16}{21}$

따라서 바르게 계산하면 $6\frac{16}{21}+2\frac{3}{7}=6\frac{16}{21}+2\frac{9}{21}=8\frac{25}{21}=9\frac{4}{21}$입니다.

5 예 18, 12, 4

18의 약수: 1, 2, 3, 6, 9, 18 ➡ 세 수를 더해서 7이 되는 서로 다른 약수가 없습니다.

$\frac{7}{18}=\frac{14}{36}$에서 36의 약수: 1, 2, 3, 4, 6, 9, 12, 18, 36

➡ 세 수를 더해 14가 되는 약수는 2, 3, 9입니다.

➡ $\frac{7}{18}=\frac{14}{36}=\frac{2}{36}+\frac{3}{36}+\frac{9}{36}=\frac{1}{18}+\frac{1}{12}+\frac{1}{4}$

6 3시간 35분

$\frac{1}{2}+2\frac{2}{3}+\frac{5}{12}=\frac{6}{12}+2\frac{8}{12}+\frac{5}{12}=2\frac{19}{12}=3\frac{7}{12}=3\frac{35}{60}(\text{시간})$

따라서 걸린 시간은 모두 3시간 35분입니다.

7 $\dfrac{13}{24}$ kg

(우유 $\dfrac{1}{4}$의 무게)$=2\dfrac{3}{8}-1\dfrac{11}{12}=2\dfrac{9}{24}-1\dfrac{22}{24}=1\dfrac{33}{24}-1\dfrac{22}{24}=\dfrac{11}{24}$ (kg)

(우유의 무게)$=\dfrac{11}{24}+\dfrac{11}{24}+\dfrac{11}{24}+\dfrac{11}{24}=\dfrac{44}{24}=\dfrac{11}{6}=1\dfrac{5}{6}$ (kg)

➡ (빈 통의 무게)$=2\dfrac{3}{8}-1\dfrac{5}{6}=2\dfrac{9}{24}-1\dfrac{20}{24}=1\dfrac{33}{24}-1\dfrac{20}{24}=\dfrac{13}{24}$ (kg)

8 $\dfrac{1}{5}$

(쿠키나 사탕을 좋아하는 학생)

$=1-$(쿠키와 사탕을 모두 좋아하지 않는 학생)$=1-\dfrac{1}{9}=\dfrac{8}{9}$

(쿠키와 사탕을 모두 좋아하는 학생)

$=$(쿠키를 좋아하는 학생)$+$(사탕을 좋아하는 학생)$-$(쿠키나 사탕을 좋아하는 학생)

$=\dfrac{7}{10}+\dfrac{7}{18}-\dfrac{8}{9}=\dfrac{63}{90}+\dfrac{35}{90}-\dfrac{80}{90}=\dfrac{18}{90}=\dfrac{1}{5}$

다시 푸는

M A T H MASTER

1 $3\dfrac{3}{10}$

어떤 수를 □라 하면 $□-1\dfrac{3}{4}+2\dfrac{2}{5}=4\dfrac{3}{5}$,

$□=4\dfrac{3}{5}-2\dfrac{2}{5}+1\dfrac{3}{4}=4\dfrac{12}{20}-2\dfrac{8}{20}+1\dfrac{15}{20}=3\dfrac{19}{20}$이므로 어떤 수는 $3\dfrac{19}{20}$입니다.

따라서 바르게 계산하면

$3\dfrac{19}{20}+1\dfrac{3}{4}-2\dfrac{2}{5}=3\dfrac{19}{20}+1\dfrac{15}{20}-2\dfrac{8}{20}=2\dfrac{26}{20}=3\dfrac{6}{20}=3\dfrac{3}{10}$입니다.

2 $12\dfrac{1}{4}$ cm

색 테이프 4장을 이어 붙이므로 겹치는 부분은 3군데입니다.

(이어 붙인 색 테이프 전체의 길이)$=$(색 테이프 4장의 길이의 합)$-$(겹친 부분의 합)

$=(3\dfrac{3}{8}+3\dfrac{3}{8}+3\dfrac{3}{8}+3\dfrac{3}{8})-(\dfrac{5}{12}+\dfrac{5}{12}+\dfrac{5}{12})$

$=13\dfrac{1}{2}-1\dfrac{1}{4}=13\dfrac{2}{4}-1\dfrac{1}{4}=12\dfrac{1}{4}$ (cm)

3 $\dfrac{4}{5}$ kg

(귤 절반의 무게)$=$(귤이 가득 들어 있는 상자의 무게)

$-$(귤이 절반 들어 있는 상자의 무게)

$=6\dfrac{7}{10}-3\dfrac{3}{4}=6\dfrac{14}{20}-3\dfrac{15}{20}=5\dfrac{34}{20}-3\dfrac{15}{20}=2\dfrac{19}{20}$ (kg)

(상자만의 무게)$=$(귤이 절반 들어 있는 상자의 무게)$-$(귤 절반의 무게)

$=3\dfrac{3}{4}-2\dfrac{19}{20}=3\dfrac{15}{20}-2\dfrac{19}{20}=2\dfrac{35}{20}-2\dfrac{19}{20}=\dfrac{16}{20}=\dfrac{4}{5}$ (kg)

4 $\dfrac{7}{12},\ \dfrac{3}{8}$

두 기약분수를 각각 ■, ▲라 하면

$■+▲=\dfrac{23}{24}$, $■-▲=\dfrac{5}{24}$ ➡ $(■+▲)+(■-▲)=\dfrac{23}{24}+\dfrac{5}{24}=\dfrac{28}{24}$

➡ $■+■=\dfrac{28}{24}$ ➡ $■=\dfrac{14}{24}=\dfrac{7}{12}$입니다.

$\blacksquare + \blacktriangle = \dfrac{23}{24}$이므로 $\dfrac{14}{24} + \blacktriangle = \dfrac{23}{24}$, $\blacktriangle = \dfrac{23}{24} - \dfrac{14}{24} = \dfrac{9}{24} = \dfrac{3}{8}$입니다.

5 2, 3, 9

$1 = 9 - 6 - 2$이므로 $\dfrac{1}{18} = \dfrac{9 - 6 - 2}{18} = \dfrac{9}{18} - \dfrac{6}{18} - \dfrac{2}{18} = \dfrac{1}{2} - \dfrac{1}{3} - \dfrac{1}{9}$로 나타낼 수 있습니다.

6 3일

전체 양을 1이라 하고 세 사람이 각각 하루 동안 하는 일의 양을 구하면 갑은 $\dfrac{1}{8}$, 을은 $\dfrac{1}{6}$, 병은 $\dfrac{1}{24}$입니다.

(세 사람이 함께 하루 동안 하는 일의 양)$= \dfrac{1}{8} + \dfrac{1}{6} + \dfrac{1}{24} = \dfrac{3}{24} + \dfrac{4}{24} + \dfrac{1}{24} = \dfrac{8}{24} = \dfrac{1}{3}$

$\dfrac{1}{3} + \dfrac{1}{3} + \dfrac{1}{3} = 1$이므로 세 사람이 함께 일하면 3일이 걸립니다.

7 11개

$\dfrac{5}{6} + \dfrac{\square}{9} < 2\dfrac{2}{15}$, $\dfrac{75}{90} + \dfrac{\square \times 10}{90} < 2\dfrac{12}{90} = \dfrac{192}{90}$, $\dfrac{\square \times 10}{90} < \dfrac{192}{90} - \dfrac{75}{90}$,

$\dfrac{\square \times 10}{90} < \dfrac{117}{90}$

따라서 $\square$ 안에 들어갈 수 있는 자연수는 1, 2, 3……11이므로 11개입니다.

8 $\dfrac{4}{21}$

$$\dfrac{1}{12} + \dfrac{1}{20} + \dfrac{1}{30} + \dfrac{1}{42} = \dfrac{1}{3 \times 4} + \dfrac{1}{4 \times 5} + \dfrac{1}{5 \times 6} + \dfrac{1}{6 \times 7}$$
$$= \dfrac{1}{3} - \dfrac{1}{4} + \dfrac{1}{4} - \dfrac{1}{5} + \dfrac{1}{5} - \dfrac{1}{6} + \dfrac{1}{6} - \dfrac{1}{7}$$
$$= \dfrac{1}{3} - \dfrac{1}{7} = \dfrac{4}{21}$$

9 90개

전체의 $1 - \dfrac{1}{2} - \dfrac{4}{9} = \dfrac{18}{18} - \dfrac{9}{18} - \dfrac{8}{18} = \dfrac{1}{18}$이 $10 - 5 = 5$(개)입니다.

전체 구슬의 $\dfrac{1}{18}$이 5개이므로 (전체 구슬의 수)$= 18 \times 5 = 90$(개)입니다.

10 $2\dfrac{17}{35}$ m

저수지의 깊이를 $\square$ m라 하면

(저수지의 깊이)$=$(막대의 젖은 한쪽 부분의 길이)이므로

(막대의 길이)$= \square + \square + 2\dfrac{3}{5} = 7\dfrac{4}{7}$, $\square + \square = 7\dfrac{4}{7} - 2\dfrac{3}{5} = 7\dfrac{20}{35} - 2\dfrac{21}{35} = 4\dfrac{34}{35}$

$2\dfrac{17}{35} + 2\dfrac{17}{35} = 4\dfrac{34}{35}$이므로 저수지의 깊이는 $2\dfrac{17}{35}$ m입니다.

6 다각형의 둘레와 넓이

1 140 cm

정사각형의 한 변은 $42 \div 6 = 7 \text{(cm)}$입니다.

가장 큰 정삼각형의 한 변은 $7 \times 3 = 21 \text{(cm)}$, 두 번째로 큰 정삼각형의 한 변은 $7 \times 2 = 14 \text{(cm)}$, 가장 작은 정삼각형의 한 변은 7 cm입니다.

따라서 도형의 둘레는 $21 \times 2 + 14 \times 2 + 7 \times 2 + 7 + 7 + 42 = 140 \text{(cm)}$입니다.

다른 풀이

정사각형의 한 변은 7 cm이고 이 도형의 둘레는 정사각형의 한 변의 20배입니다.

따라서 도형의 둘레는 $7 \times 20 = 140 \text{(cm)}$입니다.

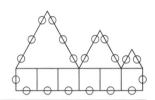

---

2 60 cm

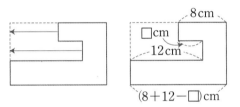

모르는 길이를 $\square$ cm라 하면

(가로로 된 선분들의 길이)$= (8 + \square + 12 + 12 + 8 - \square) \text{ cm}$

(세로)$= 10 \text{ cm}$

(도형의 둘레)$= (8 + \square + 12 + 12 + 8 - \square) + (10 + 10) = 60 \text{(cm)}$

3 76 cm

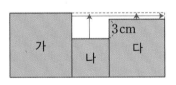

(나의 한 변의 길이)$= 16 - 10 = 6 \text{(cm)}$

(가의 넓이)$= 10 \times 10 = 100 \text{(cm}^2)$

(나의 넓이)$= 6 \times 6 = 36 \text{(cm}^2)$

(다의 넓이)$= 217 - (100 + 36) = 81 \text{(cm}^2)$

$9 \times 9 = 81$이므로 다의 한 변은 9 cm입니다.

따라서 전체 도형의 둘레는 $(16 + 9) \times 2 + 10 \times 2 + 3 \times 2 = 50 + 20 + 6 = 76 \text{(cm)}$입니다.

4 5

사다리꼴의 높이를 ★ cm라 하면

(사다리꼴의 넓이)$= (8 + 14) \times ★ \div 2 = 110$, $22 \times ★ = 220$, $★ = 10$

사다리꼴의 높이가 10 cm이므로 밑변이 8 cm일 때 삼각형 ㄱㄷㄹ의 높이는 10 cm입니다.

(삼각형 ㄱㄷㄹ의 넓이)$= 8 \times 10 \div 2 = 40 \text{(cm}^2)$

삼각형 ㄱㄷㄹ에서 밑변이 16 cm일 때 높이는 $\square$ cm이므로

$\square = $(삼각형 ㄱㄷㄹ의 넓이)$\times 2 \div 16 = 40 \times 2 \div 16 = 5$입니다.

5 52 cm²

(나의 넓이)＝5×8÷2＝20 (cm²)

(가의 넓이)＋(다의 넓이)＝(정사각형 ㄱㄴㄷㄹ의 넓이)÷2

＝8×8÷2＝32 (cm²)

(색칠한 부분의 넓이)＝(가의 넓이)＋(나의 넓이)＋(다의 넓이)

＝20＋32＝52 (cm²)

6 8 cm

(삼각형 ㅁㄴㄷ의 넓이)＝16×6÷2＝48 (cm²)

(색칠한 부분의 넓이)＝48×2＝96 (cm²)

(사다리꼴의 넓이)＝(삼각형 ㅁㄴㄷ의 넓이)＋(색칠한 부분의 넓이)

＝48＋96＝144 (cm²)

변 ㄱㄹ을 □cm라 하면

(□＋16)×12÷2＝144, □＋16＝24

➡ □＝24－16＝8

따라서 변 ㄱㄹ은 8 cm입니다.

7 9 cm

두 직사각형의 모양과 크기가 같으므로 직사각형의 가로는 20 cm, 세로는 11 cm입니다.

➡ (직사각형의 넓이)＝20×11＝220 (cm²)

(도형 전체의 넓이)＝(직사각형의 넓이)×2－(겹쳐진 부분의 넓이)

➡ (겹쳐진 부분의 넓이)＝(직사각형의 넓이)×2－(도형 전체의 넓이)

＝220×2－359＝81 (cm²)

겹쳐진 부분이 정사각형이므로 선분 ㄱㄴ을 □cm라 하면 □×□＝81, □＝9입니다.

따라서 선분 ㄱㄴ은 9 cm입니다.

8 225 cm²

작은 정사각형의 한 변을 □cm라 하면

직사각형 가의 가로는 (□×3) cm, 세로는 □×3－□＝(□×2) cm입니다.

(□×3＋□×2)×2＝50, □×5＝25, □＝5

(자르기 전의 정사각형의 한 변)＝5×3＝15 (cm)

(자르기 전의 정사각형의 넓이)＝15×15＝225 (cm²)

1 3배, 9배

넓이가 9 cm²인 정사각형의 한 변은 3 cm이므로 새로 만든 정사각형의 한 변은

3×3＝9 (cm)가 됩니다.

(처음 정사각형의 둘레)＝3×4＝12 (cm)

(처음 정사각형의 넓이)＝9 cm²

(새로 만든 정사각형의 둘레)＝9×4＝36 (cm)

(새로 만든 정사각형의 넓이)＝9×9＝81 (cm²)

따라서 새로 만든 정사각형의 둘레는 36÷12＝3(배)가 되고 넓이는 81÷9＝9(배)가 됩니다.

2 60 cm

(잘라 낸 정사각형 1개의 넓이)=32÷8=4(cm²)

➡ (잘라 낸 정사각형 1개의 한 변)=2 cm

큰 정사각형의 한 변을 □cm라 하면 □×□=121이므로 □=11입니다.

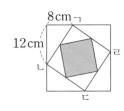

(잘라 내고 남은 종이의 둘레)

=(큰 정사각형의 둘레)+(작은 정사각형의 한 변)×8

=11×4+2×8=60(cm)

3 240 m²

색칠한 부분만 붙여 보면 다음과 같은 직사각형이 됩니다.

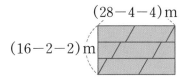

(28−4−4) m

(16−2−2) m

(색칠한 부분의 넓이)=(28−4−4)×(16−2−2)=20×12=240(m²)

4 104 cm²

8 cm ㄱ

12 cm

ㄴ ㄹ

ㄴ

ㄷ

(정사각형 ㄱㄴㄷㄹ의 넓이)

=(큰 정사각형의 넓이)−(직각삼각형 4개의 넓이)

=20×20−8×12÷2×4=208(cm²)

(색칠한 부분의 넓이)

=(정사각형 ㄱㄴㄷㄹ의 넓이)÷2=208÷2=104(cm²)

5 20 cm²

사다리꼴 ㄱㄴㄷㅂ의 높이를 □cm라 하면 (14+10)×□÷2=60, □=5입니다.

사각형 ㄱㄴㄷㄹ이 평행사변형이므로 (변 ㄱㄹ)=10 cm입니다.

(선분 ㄹㅂ)=14−10=4(cm)

사다리꼴의 높이는 선분 ㅁㄷ의 반이므로 선분 ㅁㄷ은 5×2=10(cm)입니다.

마름모 ㅁㄹㄷㅂ에서 한 대각선이 10 cm, 다른 대각선이 4 cm이므로

(마름모의 넓이)=10×4÷2=20(cm²)입니다.

6 66 cm²

가장 작은 정사각형의 한 변을 □cm라 하면

□+(□+1)+(□+1+2)+(□+1+2+3)+(□+1+2+3+4)=30,

□+□+□+□+□=10, □=2

따라서 정사각형의 한 변은 각각 2 cm, 3 cm, 5 cm, 8 cm, 12 cm입니다.

(색칠한 부분의 넓이)

=(정사각형 5개의 넓이)−(밑변이 30 cm, 높이가 12 cm인 직각삼각형의 넓이)

=(4+9+25+64+144)−(30×12÷2)=66(cm²)

7 1422 cm²

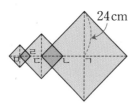

(선분 ㄱㄷ)=24(cm)이므로 (선분 ㄴㄷ)=24÷2=12(cm)입니다.

(선분 ㄷㅁ)=12(cm)이므로 (선분 ㄹㅁ)=12÷2=6(cm)입니다.

따라서 겹쳐진 부분은 두 대각선이 12 cm인 마름모와 두 대각선이 6 cm인 마름모입니다.

(도형의 넓이)=(마름모 3개의 넓이)−(겹쳐진 마름모 2개의 넓이)

　　　　　　=(48×48÷2+24×24÷2+12×12÷2)−(12×12÷2+6×6÷2)

　　　　　　=1422(cm²)

8 32 cm²

사다리꼴의 높이인 변 ㄱㄴ을 □cm라 하면

(10+18)×□÷2=224, □=16(cm)

선분 ㄱㅁ과 선분 ㅁㄷ의 길이가 같으므로 삼각형 ㄱㄴㅁ과 삼각형 ㅁㄴㄷ의 넓이는 같고, 삼각형 ㄱㅁㄹ과 삼각형 ㄹㅁㄷ의 넓이는 같습니다.

(사각형 ㄱㄴㅁㄹ의 넓이)=(삼각형 ㄱㄴㅁ의 넓이)+(삼각형 ㄱㅁㄹ의 넓이)

(사다리꼴 ㄱㄴㄷㄹ의 넓이)=(삼각형 ㄱㄴㅁ의 넓이)+(삼각형 ㄱㅁㄹ의 넓이)

　　　　　　　　　　　　　+(삼각형 ㅁㄴㄷ의 넓이)+(삼각형 ㄹㅁㄷ의 넓이)

사각형 ㄱㄴㅁㄹ의 넓이는 사다리꼴 ㄱㄴㄷㄹ의 넓이의 반이므로 224÷2=112(cm²)

이고, 삼각형 ㄱㄴㄹ의 넓이는 10×16÷2=80(cm²)입니다.

➡ (삼각형 ㄹㄴㅁ의 넓이)

　=(사각형 ㄱㄴㅁㄹ의 넓이)−(삼각형 ㄱㄴㄹ의 넓이)=112−80=32(cm²)

9 144 cm²

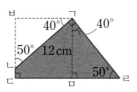

그림과 같이 직사각형 ㅂㄷㅁㄱ이 되도록 선을 그어 보면

(각 ㄱㄹㅁ)=50°이므로 (각 ㄹㄱㅁ)=180°−90°−50°=40°입니다.

(각 ㄴㄱㄹ)=90°이므로 (각 ㄴㄱㅁ)=90°−40°=50°입니다.

(각 ㄴㄱㅁ)=50°이므로 (각 ㄴㄱㅂ)=90°−50°=40°입니다.

(각 ㄴㄱㅂ)=40°이므로 (각 ㄱㄴㅂ)=180°−90°−40°=50°입니다.

변 ㄱㄴ과 변 ㄱㄹ의 길이가 같고 (각 ㄹㄱㅁ)=(각 ㄴㄱㅂ)=40°,

(각 ㄱㄹㅁ)=(각 ㄱㄴㅂ)=50°이므로 삼각형 ㄱㄹㅁ과 삼각형 ㄱㄴㅂ은 모양과 크기가 같은 삼각형입니다.

따라서 사각형 ㄱㄴㄷㄹ의 넓이는 정사각형 ㅂㄷㅁㄱ의 넓이와 같으므로

12×12=144(cm²)입니다.

10 26 cm²

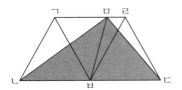

정삼각형 3개를 붙여서 사다리꼴을 만들었으므로

정삼각형 1개의 넓이는 $39 \div 3 = 13(\text{cm}^2)$입니다.

삼각형 ㅁㄴㅂ과 삼각형 ㄱㄴㅂ은 밑변과 높이가 같으므로 넓이가 서로 같습니다.

마찬가지로 ㅁㅂㄷ과 삼각형 ㄹㅂㄷ은 밑변과 높이가 같으므로 넓이가 서로 같습니다.

(삼각형 ㅁㄴㄷ의 넓이)＝(삼각형 ㅁㄴㅂ의 넓이)＋(삼각형 ㅁㅂㄷ의 넓이)

＝(삼각형 ㄱㄴㅂ의 넓이)＋(삼각형 ㄹㅂㄷ의 넓이)

＝$13 \times 2 = 26(\text{cm}^2)$

 MEMO